LE VICAIRE

ROLF HOCHHUTH

LE VICAIRE

TRADUIT DE L'ALLEMAND
PAR F. MARTIN ET J. AMSLER

ÉDITIONS DU SEUIL
*27, rue Jacob, Paris VI*e

Titre original : *Der Stellvertreter*

ISBN 2-02-001316-9

www.seuil.com

In memoriam

PÈRE MAXIMILIEN KOLBE
Matricule 16670 - Auschwitz

PÈRE BERNHARD LICHTENBERG
Prévôt du chapitre
de Sainte-Edwige, Berlin

“ Pie XII pouvait dire avec l’apôtre : je suis cloué sur la croix avec le Christ... Il assumait la souffrance... qui durcissait son héroïque volonté de se sacrifier pour ses frères et ses fils. Cette âme extrêmement noble buvait goutte à goutte le calice de souffrance. ”

LE CARDINAL TARDINI

“ O Jésus... tu as daigné élever ton fidèle serviteur Pie XII à la suprême dignité d’être ton vicaire, et lui as accordé la grâce de défendre intrépidement la foi, de représenter courageusement la justice et la paix..., afin qu’un jour nous puissions le voir partager l’honneur des autels. Amen. ”

Prière dans l’album photographique Pie XII Il Grande

“ Prends un vomitif... Toi qui lis ceci, tu sais bien ce qu’il faut chrétiennement entendre par un témoin de vérité : un homme fustigé, maltraité, traîné d’une prison à l’autre... puis finalement crucifié, ou décapité, ou brûlé.

Si cependant... le défunt évêque... doit être présenté comme témoin de vérité et canonisé, il faut protester. Il est mort à présent — Dieu soit loué qu’on ait pu suspendre cette éventualité tant qu’il vécut ! Il a été enterré à grand orchestre, on lui élèvera un monument : mais cela suffit et c’est comme témoin de vérité qu’il est le moins justifié à entrer dans l’Histoire. ”

SOREN KIERKEGAARD

“ Nous n’avons pas eu la consolation d’entendre le successeur du Galiléen, Simon-Pierre, condamner clairement, nettement et non par des allusions diplomatiques, la mise en croix de ces innombrables “ frères du Seigneur ”. Au vénérable cardinal Suhard, qui a d’ailleurs tant fait dans l’ombre pour eux, je demandai un jour, pendant l’occupation : “ Éminence, ordonnez-nous de prier pour les Juifs... ”, il leva les bras au ciel : nul doute que l’occupant n’ait eu des moyens de pression irrésistibles, et que le silence du pape et de la hiérarchie n’ait été un affreux devoir; il s’agissait d’éviter de pires malheurs. Il reste qu’un crime de cette envergure retombe pour une part non médiocre sur tous les témoins qui n’ont pas crié et quelles qu’aient été les raisons de leur silence. ”

FRANÇOIS MAURIAC

AVANT-PROPOS

1. *La pièce de Hochhuth,* Le Vicaire, *est une des rares tentatives essentielles pour surmonter le passé. Elle appelle rudement les choses par leur nom ; elle montre qu'une histoire écrite avec le sang de millions d'innocents ne peut être frappée de prescription ; elle attribue aux coupables leur part de culpabilité ; elle rappelle à tous les intéressés qu'ils eurent la faculté de se décider et qu'en effet ils se sont décidés même en ne se décidant point.*

Le Vicaire *dénonce tous les mensonges selon lesquels un drame historique n'est plus possible en tant que drame de décision, sous prétexte que les décisions ne seraient plus possibles à l'homme pris dans l'anonymat, sous le masque des dispositifs et des contraintes socio-politiques, dans l'absurde construction d'une existence en laquelle tout serait d'avance décidé. Une telle théorie de l'extinction de l'acte historique s'offre à tous ceux qui aujourd'hui souhaiteraient tourner le dos à la vérité de l'Histoire, à la vérité de leurs propres actions.*

Cette pièce est un drame historique au sens schillérien. Elle montre, comme le drame de Schiller, l'homme en tant qu'il agit, lorsque dans son acte il est le " Vicaire " d'une idée : libre dans l'accomplissement de cette idée, libre dans l'appréciation de l'acte " catégorique ", c'est-à-dire moral, digne de l'homme. C'est de cette liberté que chacun possède, que chacun possédait même sous le règne nazi, qu'il nous faut partir si nous voulons surmonter notre passé. Nier cette liberté signifierait aussi : nier la culpabilité que chacun a assumée en n'utilisant pas sa liberté pour se déclarer CONTRE *l'inhumanité.*

2. *Il y a déjà presque un genre littéraire de pièces qui s'appliquent à notre récent passé. Le mieux qu'on puisse dire de ces pièces dont la plus grande partie s'empoussièrent dans les agences théâtrales, c'est que — l'un dans l'autre — elles expriment la bonne volonté. Dans beaucoup d'entre elles, les auteurs se sont libérés de ce qu'ils ont vécu. On peut leur en tenir compte comme d'une sorte de confession. Mais il est clair que la vie seule ne suffit pas à écrire des pièces, en tout cas de bonnes. Dans de rares cas seulement la perspective d'un destin individuel est suffisamment vaste pour devenir symbolique, exemplaire, " vicariante " pour la collectivité. Ajoutons à cela les insuffisances purement techniques...*

Hochhuth n'apporte pas une expérience vécue ; il apporte un sujet qui s'est déroulé derrière des portes closes, et dont il n'a pu s'emparer qu'au prix de recherches historiques patientes, étalées sur des années. Même dans l'histoire si " riche en sujets " de l'époque nazie, ce sujet sort de l'ordinaire. Il confronte la société — sous les espèces du public théâtral — à un des conflits les plus aigus de l'Histoire, non seulement du régime hitlérien, mais de l'Occident tout entier. Il induit à approfondir un dossier qui, plus que d'autres, a été jusqu'à ce jour environné d'un silence méticuleux.

Lorsqu'au printemps de 1962 je fus élu directeur artistique du Théâtre populaire libre de Berlin, j'avais conçu le plan de combattre à l'aide même de cet instrument, le Théâtre populaire, avec un programme de théâtre populaire, l'oubli général, l'universelle volonté d'oublier ces choses de notre plus récente histoire. Au beau milieu de mes réflexions relatives à la mise sur pied d'un programme adéquat (La Tétralogie des Atrides, *de Gerhart Hauptmann — une évocation codée de la barbarie hitlérienne — avait été retenue comme point de départ) au milieu de mes réflexions je fus touché par un appel téléphonique de M.* Ledig-Rowohlt *: son ami Karl-Ludwig Leonhardt lui avait fait connaître une pièce, ouvrage d'un jeune débutant allemand, qui était vraiment plus qu'une pièce... elle avait fortement remué tous ceux qui l'avaient lue chez l'éditeur... on ne savait pas comment la pièce pourrait être portée à la scène car elle en faisait éclater toutes les dimensions... mais si j'avais l'envie et le temps de la lire, on ne voulait pas m'en priver.*

On m'envoya la pièce, non en manuscrit comme il est usuel, mais en placards, œuvre non pas des Éditions Rowohlt, *mais d'un éditeur qui après composition du texte avait dû convenir qu'il n'avait pas le cran de publier... Mais* Rowohlt, *à qui la pièce fut offerte ensuite, eut le cran, la hardiesse — comme toujours ; il était résolu à éditer la pièce.*

Des circonstances extraordinaires, accablantes, excitantes. Une pièce peu banale, écrasante, stimulante, grande et nécessaire — je le sentis dès que je lus les premières pages. Certes : le thème — le destin des Juifs pendant le fascisme — n'était en soi pas neuf. Nous connaissions, par exemple, le *Journal d'Anne Frank*, avions éprouvé son grand effet sur notre sensibilité, un effet que produisait encore la mise en œuvre dramatique dont le livre avait été l'objet en Amérique. Nous venions de voir à la scène *Andorra*, une pièce importante, venant à son heure, bien que les jugements critiques — peut-être non sans raison — aient marqué que la construction de la fable tournait court et que l'œuvre, en dépit de quelques touches " épiques " rapportées, n'excédait pas le cadre de la nouvelle.

C'est justement la victoire qu'il remporte sur la " nouvelle ", l'inouï, l'unique, le " cas particulier ", qui est le grand exploit de Hochhuth. Sa pièce ne vise pas l' " intéressant ", la pointe, le *plot*, — caractéristique de la nouvelle, de la *story* comme ce risquait d'être le cas pour ce sujet " spécial " que son caractère extraordinaire exposait de fort près à pareil danger ; elle vise une Histoire plutôt que des histoires, et ce en objectivant, en étudiant la totalité du comportement humain. Hochhuth développe artistiquement des matériaux scientifiquement dégagés, il ordonne, il articule ses matériaux avec la technique — je le dis en pleine conscience — d'un dramaturge de classe.

Si une pièce se prête à devenir le pivot d'un programme préoccupé de réalités politico-historiques, la voici ! Cette pièce justifie l'entreprise du théâtre ; grâce à elle le théâtre reçoit une mission, une valeur, une nécessité.

3. L'élément épique dans le drame, le drame épique n'existent pas depuis Brecht seulement. Les drames royaux de Shakespeare ne sont au fond qu'un seul drame épique. Schiller appelle ses *Brigands* un " roman dramatique ", et lorsque par exemple il porte à la scène le camp de Wallenstein, il le fait en poète épique (en historien !) soucieux de ne pas sacrifier les éléments en quelque sorte marginaux, où fréquemment s'appuie l'intérêt central, se trouve le noyau. Cette vision des choses implique le mépris des prétendues normes fixant la durée du drame. La longueur d'une pièce est parfaitement indifférente si c'est une pièce bonne, nécessaire. Ce qui est décisif, ce n'est pas l'endurance d'un public d'auditeurs, mais ce que l'auteur a à dire au public. Si l'on emploie cet étalon de mesure, le seul applicable,

l'ampleur du Vicaire *est pleinement justifiée. Une pièce épique, épico-scientifique, épico-documentaire ; une pièce conçue pour un théâtre épique, " politique " pour lequel je combats depuis plus de trente ans : une pièce " totale " pour un théâtre " total ".*

Qu'est-ce à dire ?

Déjà l'expressionnisme avait procédé de l'intuition que la réalité de notre siècle ne peut plus être rendue par des situations et des conflits " privés " ; il tendait à donner à ses sujets la dimension " typique ", aux limites de l'allégorie (L'Homme, La Femme, etc.) mais il n'arrivait par là qu'à des vérités partielles et imprécises, restait lyrique dans l'étude de processus historico-politiques. L'expressionnisme tutoyait tous les hommes sans les connaître et tournait peu à peu au fantastique, à l'irréel. On n'a cessé de me taxer d'expressionnisme — à contresens, car je prenais le relais de l'expressionnisme au point où il s'arrêtait. Les expériences de la Première Guerre mondiale m'avaient enseigné avec quelle réalité, quelles réalités il fallait compter : oppressions politiques, économiques, sociales, luttes politiques, économiques, sociales. Je voyais dans le théâtre le lieu où ces réalités pouvaient être mises sous la lampe. En ce temps-là — 1920-1930 — il n'y avait qu'un petit nombre d'auteurs : Toller, Brecht, Mehring et quelques autres, qui s'efforçassent de cerner ces réalités " nouvelles " dans leurs pièces. Leurs efforts n'aboutissaient pas toujours. Ce qui manquait aux pièces, je devais l'ajouter de mon cru.

En élargissant les formes dramaturgiques, en employant de nouveaux moyens techniques et de mise en scène, j'ai tenté de rendre visible au théâtre l'ampleur et la complication, la totalité de nos problèmes fondamentaux (qui sont toujours des " sujets " de conflits, des occasions de guerres). Des moyens comme les projections, les films, les bandes enregistrées, les commentaires avaient été par moi qualifiés d'épiques avant que Brecht ne formulât sa conception de l' " Épique ". Ils injectaient au spectacle des matériaux scientifiques, documentaires, analysaient, éclairaient.

La pièce de Hochhuth, Le Vicaire, *est déjà pleinement épique dans la forme littéraire où elle est fixée. Le dialogue intègre les indications de scène et de régie essentielles, les caractéristiques des personnages comme éléments indissolubles de la pièce elle-même. (A cela s'ajoute l'appendice documentaire.) La richesse du sujet est contrôlée par la forme versifiée. Hochhuth en personne me dit n'avoir pu maîtriser une matière écrasante qu'en la mettant au moule d'une langue librement rythmée ; ainsi était évité le danger de verser " dans un informe naturalisme documentaire d'ac-*

tualités cinématographiques ". Le document et l'art se sont ainsi fondus inséparablement.

Il est bien entendu malaisé d'extraire de cette pièce " totale " une version scénique, de tailler une pièce dans la pièce ; non pas qu'elle soit trop grande, trop massive pour le théâtre mais parce que le théâtre, l'idée qu'a la société du théâtre ne sont pas à la mesure de cette pièce, au moins pour l'instant. " Trop long pour être bon ", lisais-je récemment en manchette d'une critique dramatique traitant d'une représentation de trois heures et demie ! Touchant la pièce de Hochhuth j'aimerais mieux dire : " Trop bon pour être long ! " Cependant — bien qu'une représentation en deux ou trois soirées par exemple soit la seule solution convenable — il FAUDRA *pratiquer des coupures afin de faire connaître au public, s'il ne veut pas de la pièce entière, les parties essentielles. (Peut-être donnerai-je les scènes supprimées en récitals spéciaux, en matinées, etc.) En tout cas, les Éditions Rowohlt et moi sommes tombés d'accord pour que la première berlinoise coïncide avec la publication du livre qui nous apparaît comme un soutien et un complément nécessaires.*

J'espère que l'attaque ET *la défense de cette pièce, de même qu'elles atteignirent les personnes peu nombreuses qui l'ont lue jusqu'à ce jour, atteindront tout le monde ; j'espère que la valeur d'un tel travail ne sera pas recherchée dans l'art, la forme, l'esthétique seulement, mais en premier et dernier lieu dans ce qu'il dit à la vie, dans ce qu'il fait à la vie. Mon optimisme " bien connu ", à l'antipode de Schopenhauer — malgré l'usure apparemment naturelle que lui inflige la résignation — reste assez fort pour croire à une modification de l'histoire de l'homme opérée par la* CONNAISSANCE, *à une modification paisible, et non pas antispirituelle, violente, où l'évolution n'est admise que comme une évolution vers la catastrophe. Seule une connaissance objective peut provoquer une adhésion enthousiaste aux valeurs que Hochhuth tente de reformuler dans cette pièce. Le nouvel auteur, Rolf Hochhuth, me paraît être plus qu'un bon auteur dramatique et un poète : c'est un confesseur ! Mais la découverte d'un tel confesseur est bienfaisante et consolante dans un monde silencieux d'un silence vide, creux, inutile.*

Berlin, le 6 novembre 1962.

ERWIN PISCATOR.

PERSONNAGES

Le Pape Pie XII.

Le Baron de Rutta, de l'Union du Reich pour l'Armement.

Le P. Riccardo Fontana s. j.

Kurt Gerstein, lieutenant S. S.

Le Docteur.

Un Cardinal.
Le Professeur Hirt, de l' " Université d'Empire " de Strasbourg.

Le Nonce apostolique à Berlin.
Luccani Senior, Juif catholique.
Un serviteur de la maison Fontana.

Le Comte Fontana, conseiller du Saint-Siège.
Le Colonel Serge, du Haut-Commandement de l'Armée de Terre.

Le Père général d'un ordre religieux.
Muller-Saale, des Usines Krupp à Essen.

Eichmann, colonel S. S.
Un industriel prisonnier de la Gestapo.

Le Dr. Lotario Luccani.
Le Dr. Fritsche, commandant S. S.

Salzer, commandant la police allemande à Rome.
Un officier de la Garde suisse (dans la maison Fontana).

Julia Luccani.
Ses enfants : Un garçon de neuf ans, une fillette de cinq ans.

Le Dr. Pryzilla, conseiller du Gouvernement.
Un marchand de chaussures romain.

Un photographe.
Le Frère Irénée.

Helga.

Carlotta.

Madame Simonetta.

Un père de la Nonciature.
Witzel, adjudant S. S.
Un kapo juif.

Jacobson.
Le " Correct " de la milice fasciste.
L'officier de garde à Auschwitz.

Le Sous-Lieutenant Von Rutta, de l'Armée de l'Air.
Katitzky, soldat S. S.
Un secrétaire de la maison du Pape.

Le Dr. Littke, médecin-général de l'Armée de Terre.
Le " Voyou " de la milice fasciste.
Le suisse de garde au Palais pontifical.

Les récitants des monologues.

Les personnages groupés par deux, trois ou même quatre, doivent être joués par le même acteur. En effet, à l'ère du service militaire obligatoire, il est constant que le mérite ou la responsabilité, non plus que la qualité du caractère, ne décident pas inconditionnellement si l'on est sous tel ou tel uniforme et si l'on appartient aux bourreaux ou aux victimes.

Sauf le Pape, le Nonce, Gerstein, Hirt et Eichmann, toutes les figures ainsi que les noms sont imaginaires.

« Garde-toi de l'homme qui a son Dieu dans le ciel. » BERNARD SHAW

ACTE I
LA MISSION

SCÈNE I

Berlin. Août 1942, une fin d'après-midi.

Le salon de la Nonciature apostolique, dans la Rauchstrasse. Quelques meubles Empire. La sévérité de la pièce n'est atténuée que par une grande copie de *la Descente de croix* de Rubens, toile très colorée, produisant une impression agréable. Deux doubles portes à l'arrière-plan : l'une à gauche, menant au bureau du nonce l'autre à droite, aux antichambres et à la cage d'escalier.

Le Nonce apostolique, Son Excellence Cesare Orsenigo, est, en 1942, dans sa soixante-neuvième année. Des photos de presse l'ont fait connaître comme un homme très vigoureux, de taille moyenne. Le visage est étroit et osseux, entièrement dominé par la bouche et le nez qui, comme le menton, sont exceptionnellement grands. Le regard franc exprime une intelligence alerte, mais sur la réserve. Le visage semble empreint non d'esprit, mais de volonté et d'une laborieuse maîtrise de soi.

Le baron Ernst Von Weizsäcker, secrétaire d'État aux Affaires étrangères jusqu'au printemps de 1943, puis envoyé d'Hitler auprès du Saint-Siège, disait du nonce qu'il était " un Milanais aux opinions positives, qui éviterait avec plaisir, et par principe, d'aggraver les différends sans issue entre la Curie et le IIIe Reich. " " Je certifie aussi, ajoutait-il, qu'Orsenigo est capable d'exposer ses griefs — il était question des ecclésiastiques polonais dans les camps de concentration hitlériens — au Gouvernement du Reich, avec un esprit calme et d'une manière amicale. " Quoi qu'il en soit, le visage sympathique du Nonce rend impossible toute réponse à la question de savoir comment cet ecclésiastique qui, durant toute l'époque hitlérienne, vécut à Berlin et fut le 8 novembre 1938 temoin oculaire de la terreur exercée contre les citoyens juifs, se montra favorable au maintien du Concordat entre la Curie et le Gouvernement du Reich, et resta d'accord avec sa conscience lorsqu'on déporta les catholiques juifs. Évidemment, tout homme qui, durant assez longtemps, porte une responsabilité sous un régime autocratique — que ce soit sous Hitler ou sous Pie XII — perd son visage, puisqu'il peut à peine manifester ses sentiments personnels et qu'il est réduit dans les relations officielles au rôle d'exécutant; l'utilisation d'un jargon diplomatique qui n'engage à rien facilite sans doute cet exercice.

Dans l'évocation des figures historiques, l'auteur n'est lié en rien par l'aspect physique des personnages. Et puisque sur les photos existantes de certains interlocuteurs du Nonce, comme Adolf Hitler et Hermann Gœring, il est impossible à l'œil le plus prévenu d'identifier, même après coup, même de la façon la plus approximative les actes dont ils étaient capables, il est démontré à peu de choses près que les photos sont totalement inutilisables pour l'interprétation du caractère. Ainsi, un seul point est essentiel ici : que l'acteur âgé, qui joue le rôle du nonce, entre en scène dans la tenue habituelle d'un archevêque titulaire, c'est-à-dire soutane et mozette noires à boutons et liseré violets, col romain, calotte violette, croix pectorale et anneau.

Riccardo Fontana. Sa prise de position en faveur des êtres traqués et son sacrifice pour l'Église sont des transpositions libres des actes et des visées du prévôt du chapitre Bernhard Lichtenberg de Berlin, qui priait ouvertement pour les Juifs; il fut condamné à la prison, et implora des sbires d'Hitler la possibilité de partager le destin des Juifs de l'Est.

On refusa à Lichtenberg la faveur qu'il demandait. Il était d'ailleurs préoccupé de savoir quelle était la position du pape à l'égard de ce projet. Lichtenberg ne fut pas envoyé à l'Est dans un ghetto, mais déporté à Dachau. Il mourut en route, en 1943, et de mort présumée naturelle. Son attitude força le respect de ses bourreaux. Le prestige de cet ecclésiastique leur fit penser qu'il était opportun de rendre sa dépouille mortelle et de permettre à quelques milliers de Berlinois d'assister à ses obsèques.

Kurt Gerstein. Lieutenant S. S. dont la communauté israélite a fait graver le nom sur le monument commémoratif élevé à Paris aux victimes du fascisme; il a peut-être eu, comme le dit l'historien anglais Gerald Reitlinger, la mission la plus étonnante de la deuxième guerre mondiale : c'est une figure si inquiétante, si ambiguë, si insondable, qu'il est plus facile de l'imaginer que de la décrire. Le récit de sa propre vie, qu'il remit en 1945 aux Alliés, avant que sa trace ne se perdît dans une prison de Paris, ne peut être résumé, et il est difficile de reconstituer son existence, malgré les dépositions de prêtres notables tant juifs que catholiques, ou celles du secrétaire de l'Ambassade suédoise, le baron Von Otter. Gerstein — on s'en rend déjà compte sur une photo datant de 1931 — semble avoir été un être prédestiné, un chrétien si moderne que, pour le comprendre parfaitement, il est nécessaire de se référer à Kierkegaard. En 1942, lorsqu'il apparut à la Nonciature et fut éconduit, il avait trente-sept ans. Il porte l'uniforme feldgrau des officiers S. S. en campagne.

Le Père qui sert le thé est en robe de moine.

Le Nonce tient un plan de Berlin à la main. Il dit à Riccardo:

LE NONCE : Tenez, et voici l'église Sainte-Edwige. Il y a dix ans, nous n'avions à Berlin que quarante-quatre églises — à l'exception, s'entend, des chapelles des couvents — les Juifs avaient le même nombre de synagogues. Tandis que le nombre de nos églises s'est en tout état de cause accru, il ne reste plus à présent une seule synagogue.

RICCARDO (*incidemment*) : Ne pourriez-vous pas, Excellence, vous interposer ?

LE NONCE (*lève une main en signe de défense, il n'est pas d'humeur à se laisser troubler*) : En tant que nonce, je n'ai pas pouvoir pour cela. Si j'interviens, *exempli causa*, contre des injustices commises en Pologne — et je limite déjà mes plaintes aux tracasseries exercées contre les prêtres — alors, monsieur de Weizsäcker m'éconduit poliment et me récuse pour incompétence. Il nous faudrait d'abord reconnaître les nouvelles frontières. Je ne pourrais ensuite parler qu'en faveur des Juifs baptisés. Mais monsieur Hitler se garde bien de déporter ceux qui sont baptisés. Ah ! voilà le Père en personne qui nous apporte le thé; fort bien, merci. Y aura-t-il aussi quelques gâteaux ?

Un Père est entré, il prépare le thé et répond en dialecte bavarois.

LE PÈRE : Un petit moment, Excellence. S'il est trop fort, ajoutez un peu d'eau, je vous prie.

LE NONCE (*replie le plan avec une minutie souriante*) : Merci, merci. Alors, je vous donne le plan de la ville. Chacun de mes collaborateurs ne connaissant pas encore Berlin reçoit dès avant la première collation, le plan de la capitale du Reich... Pour que vous ne vous perdiez pas ici.

RICCARDO (*s'incline, met le plan dans sa poche ; le Père s'en va*) : Merci beaucoup, Excellence, c'est très aimable à vous.

LE NONCE (*devant la table à thé, d'un ton plus personnel*) : N'avez-vous pas peur de venir maintenant à Berlin ? À Rome, vous étiez à l'abri des bombes; ici, nous avons toutes les nuits des alertes.

RICCARDO : A mon âge, Excellence, en tant que prêtre, on ne vit que trop loin du danger. Mon cousin est tombé en Afrique. Je suis heureux d'avoir quitté Rome.

LE NONCE (*avec bonhomie*) : Que vous êtes jeune : vingt-sept ans — et déjà secrétaire de Nonciature ! Vous irez loin, mon jeune ami. Sa Sainteté elle-même était secrétaire à vingt-six ans et cela passe pour exceptionnel !

RICCARDO : Excellence, pensez que j'ai le père qu'il faut.

LE NONCE (*cordialement*) : Ne soyez pas si modeste : si vous n'étiez rien d'autre que le protégé de votre vénéré père, le Cardinal ne vous aurait jamais appelé à la Secrétairerie d'État. (*Confidentiellement*) : Notre patron est-il encore mal disposé à mon endroit ?

RICCARDO (*embarrassé*) : Mais, Excellence, personne ne se permet...

LE NONCE (*pose la main sur le bras de Riccardo et se lève, sa tasse de thé dans l'autre main*) : Bon, vous savez bien que depuis longtemps, à Rome, je suis *persona non grata*...

RICCARDO (*hésitant, évasif*) : Il se peut qu'au Vatican, on se fasse une idée optimiste de la position du Saint-Siège à Berlin...

LE NONCE (*se justifiant vivement ; il marche dans la pièce*) : Le pape doit savoir ce qu'il veut : la paix avec Hitler à tout prix — ou bien la liberté pour moi de m'élever résolument, sans ambages, contre les crimes, tout comme mon confrère le nonce de Slovaquie, qui, il y a quinze jours, a protesté avec véhémence contre le massacre des Juifs de Presbourg dans le district de Lublin... Mon cher ami, qu'espère-t-on à Rome ? J'aurais démissionné depuis longtemps si je ne craignais que mon poste n'aille ensuite à une nullité.

RICCARDO : Mais Excellence, ne pensez-vous pas qu'il faille dénoncer le Concordat avec Hitler ?

LE NONCE : Oh ! non, au contraire. Le bienheureux Pie XI était sans doute prêt à le faire. Mais monsieur Hitler, depuis la mort du vieux pape, a suspendu de nombreuses mesures que ses valets, souvent en dépit de bon sens, voulaient prendre contre nous. Lui-même a vis-à-vis de l'Église une position apparemment neutre, aussi correcte que celle du maréchal Gœring. En Pologne, il est vrai, il tente de nous forcer la main. Mais monsieur Gœbbels, le chef de sa propagande, n'est pas intraitable — il est presque prévenant. On s'étonne qu'il n'ait pas osé arrêter Monseigneur Von Galen, bien que cet évêque ait dénoncé publiquement, du haut de la chaire, la liquidation des malades mentaux. Hitler a cédé aux exigences de Galen !

RICCARDO (*avec humeur*) : Mais l'Église est en droit d'exiger, Excellence, puisque actuellement les évêques de la moitié de l'Europe appuient la croisade d'Hitler contre Moscou. Je lisais dans le train ce qu'un aumônier général sur le front de l'Est...

LE NONCE (*vivement*, *contrarié*) : Voyez-vous, comte, c'est précisément CELA qui ne me plaît PAS ; nous ne devions PAS appuyer Hitler tant que, derrière le front, se prolongeait un tel déchaînement meurtrier... Londres parle de sept cent mille Juifs, rien qu'en Pologne ! C'est certain, l'Histoire nous l'a déjà appris : les croisades commencent par des massacres de Juifs... Mais il y a ces chiffres, terribles, et sans aucun doute à peine exagérés. Savez-vous qu'en Pologne, on tue même les prêtres ? Nous devons agir avec beaucoup de réserve. S'il vous plaît, FALLAIT-IL que ces temps-ci — ces jours-ci — l'épiscopat de Bohême-Moravie demandât à Hitler, en l'honneur de Heydrich, ce chef de la Police pour Berlin et Prague...

RICCARDO : Il a bien été tué dans un attentat ?

LE NONCE : Oui, en pleine rue. Un village entier a payé... femmes et enfants compris. Est-ce que de surcroît l'épiscopat de Bohême devait demander poliment à monsieur Hitler l'autorisation de faire sonner les cloches et de dire un Requiem pour le disparu ? (*Indigné*) : Un Requiem pour Heydrich, c'est indécent, c'est excessif.

Bien. Y a-t-il quelque chose à grignoter ? Merci, mon ami. Merci bien.

Le Père apporte des gâteaux. Il laisse la porte ouverte, on entend l'indicatif pompeux d'un communiqué spécial du Quartier général du Führer: l'air des héros — des trompettes, des trombones et un roulement de tambour — extraits des Préludes *de Liszt.*

LE PÈRE : S'il vous plaît, Excellence, encore quelques gâteaux avant le bulletin d'informations ?...

LE NONCE : Servez-vous, cher ami. Voilà ! Maintenant, écoutons ce qu'il y a de neuf. (*Il sourit et explique à Riccardo*) : La musique d'accompagnement — c'est un rite. La conception du monde des Hitlériens ne doit pas nous faire peur. Mais le rituel nazi est une rude concurrence, étonnamment adaptée aux masses.

Le Père retourne près de la porte, mais reste dans la pièce. Les fanfares retentissent. La voix de la radio annonce: " Attention, attention, ici la radio de la Grande-Allemagne. Voici un communiqué spécial. Quartier général du Führer, le 25 août 1942. Le Haut Commandement des Forces armées fait connaître qu'aujourd'hui à midi, les chasseurs alpins allemands ont atteint, après une résistance acharnée des Soviets, le sommet de l'Elbrouz, haut de 5.600 mètres, et y ont hissé le pavillon de guerre du Reich allemand. Ainsi le Caucase est fermement entre nos mains. "

A nouveau, le thème des héros, puis la mélodie: De la Finlande à la mer Noire.

LE PÈRE (*fièrement*) : Un cinq mille cinq, plus haut que le Mont Blanc ! Mon neveu est aussi dans les chasseurs alpins à l'Est. Il a déjà été à Narvik — il a été blessé.

LE NONCE (*poli et sans marquer d'intérêt*) : Tiens, votre neveu ? Que Dieu le garde.

LE PÈRE : Merci bien, Excellence. Espérons que ça ira.

Il sort, ferme la porte, la musique s'atténue, se tait enfin.

RICCARDO : Croyez-vous, Excellence, avoir à craindre que monsieur Hitler ne respecte l'Église que pour la durée de sa guerre ?

LE NONCE : Il en fut ainsi jadis, cher comte. Les vainqueurs agissent toujours de façon immorale. Pourtant, depuis que monsieur Hitler, très à contrecœur, a cédé aux provocations du Japon et de Roosevelt — au point de déclarer la guerre aux États-Unis — depuis cette folie (ou bien était-ce une *dira necessitas* ?), l'Église du Christ, en tout cas, n'a plus à trembler devant lui. Il ne peut mettre à genoux l'Angleterre ET les États-Unis, même s'il élit domicile au Kremlin.

RICCARDO (*incrédule*) : S'il a battu la Russie, Excellence, c'est, n'est-il pas vrai, qu'il est économiquement inattaquable. QUI pourrait encore abattre Hitler ? Ses chars sont en Égypte et presque devant Stalingrad ; dans l'Atlantique, ses sous-marins...

LE NONCE (*l'interrompt de nouveau, bienveillant, ironique, supérieur*) : Tout doux, mon jeune ami, pas tant de fougue ! Dans un des nombreux livres que nous (*il se dirige vers une bibliothèque murale, cherche un livre, le feuillette*) mettons à l'index, dans *les Papes* de Ranke, j'ai trouvé récemment une parole pleine de réconfort. Voilà le livre. " Dans les moments — dit Ranke — où un principe quelconque aspirera, en Occident, à une domination absolue, une forte résistance lui sera chaque fois opposée, qui jaillira du plus profond des forces vives des peuples : c'est le génie de la vieille Europe. " Philippe II d'Espagne lui-même trouva son maître en Angleterre, Napoléon, chez les Britanniques et le Tsar. Pourquoi pas Hitler ? Le baron Von Weizsäcker m'a dit en confidence que même la Russie n'était pas encore vaincue. Et il y a les États-Unis. De quelque façon qu'il s'en tire, ce ne sera jamais qu'une victoire à la Pyrrhus.

RICCARDO : Pensez-vous, Excellence, que monsieur Hitler sera contraint de négocier ?

LE NONCE : Oh ! oui. Et même il en viendra à le désirer. On l'a déjà bien vu à Dunkerque. Il a laissé s'enfuir les Anglais, son principe était manifestement " la modération dans la force [1] ". Certes, monsieur Churchill ne lui en a pas su gré. Servez-vous, Monsieur le Secrétaire. Hitler ne peut provoquer un schisme des Espagnols, des Français, des peuples des Balkans, des Italiens, des Belges, et surtout de ses propres catholiques, ici même en Allemagne, qui tous, volontairement ou non, le soutiennent dans sa croisade contre Moscou. Il ne peut tout de même pas provoquer de force le schisme de la moitié de l'Europe. S'il nous proclame ennemis d'État, l'Axe Rome-Tokio-Berlin se brisera. Il est bon que le Japon se donne actuellement tant de mal pour conclure un Concordat. Le fait même que la Maison Blanche cherche à empêcher cela, montre à quel point nous sommes ménagés des deux côtés. J'ai vu aussi, le dimanche à Sainte-Edwige, au cours d'une cérémonie d'ordination d'un prêtre par l'évêque, un sous-lieutenant

1. En français dans le texte.

de S. S. se confesser et communier; non, en ce qui concerne l'Église, monsieur Hitler reste réaliste. Il a besoin que les peuples qui l'ont aidé en Russie soient à ses côtés quand il sera obligé de négocier avec les États-Unis et l'Angleterre. Pensez que le pouvoir des catholiques aux État-Unis s'accroît de jour en jour. Monsieur Hitler doit aussi compter avec cela. Il comprendra ce que ses amis Franco et Mussolini ont compris depuis longtemps : ce n'est qu'avec nous, avec l'Église, et non contre elle, que le fascisme est invincible. Monsieur Molotov l'a compris depuis longtemps : il a lui-même reconnu en 1934, que si, en Allemagne, l'union se faisait entre les catholiques et les hitlériens, — et c'est bien ce qui semblait alors se passer, car les débuts furent prometteurs — c'en serait fait du communisme en Europe.

Qu'est-ce ? Quel est ce bruit ? Ici ? Eh bien ! Qu'y a-t-il ? Que se passe-t-il donc dehors ?

Le Nonce s'est levé, il reste un moment debout, tend l'oreille et se dirige à présent en murmurant vers la porte qui mène à l'antichambre. De derrière la scène, une conversation animée parvient jusqu'à la salle, s'enfle en clameurs. On entend la voix du Père, dont l'accent bavarois augmente à mesure que sa voix devient plus haute. Entre des lambeaux de phrases qui ne sont qu'à demi compréhensibles, on distingue les paroles pressantes, suppliantes, d'un homme dont la voix trahit l'effort qu'il fait pour rester poli.

DEUX VOIX (*derrière la scène*) :

— Vous êtes en uniforme.

— Mais vous devez m'annoncer !

— La Nonciature jouit du privilège d'exterritorialité, disparaissez, ou j'appelle la Police criminelle.

— Je vous en prie, cinq minutes ! Monseigneur le Nonce...

— Il a un invité qui arrive de Rome.

— Il faut qu'il m'entende.

— Ce que vous voulez ne nous regarde pas ici, je vous dis...

Riccardo, amusé et sans rien dire, s'est placé près du mur, tandis que le Nonce ouvre à présent la porte menant à l'antichambre. Le lieutenant S. S. *Kurt Gerstein, la casquette à la main, entre aussitôt. Le Père essaie toujours de le retenir ou de le repousser au-dehors.*

GERSTEIN ET LE PÈRE (*en même temps*) :

— Excellence ! C'est-y pas inouï !

— Il faut que je vous parle, Excellence, rien que deux minutes. S'il vous plaît. Je vous en prie.

— Est-ce que je dois appeler Police-secours ? Ah, il est entré, alors...

LE NONCE : Qu'y a-t-il ? Que vous arrive-t-il ?

GERSTEIN : Mon nom est Gerstein, Excellence, je vous en prie, écoutez-moi. J'ai une information pour le Vatican, et qui...

LE NONCE : Monsieur, je suis extrêmement surpris que vous envahissiez cette maison d'une manière... Vos services sont bien dans les bureaux de la Prinz-Albert Strasse ?

Le Père a rapidement traversé la pièce, il est arrivé au téléphone, il décroche le récepteur : Gerstein court derrière lui et dit :

GERSTEIN : Excellence, je vous en prie, ne téléphonez pas ! Si mes services apprenaient ma visite...

LE NONCE (*qui fait signe au Père de laisser le téléphone*) : Vous appelez visite une telle entrée ?

LE PÈRE (*vite*) : Partez, enfin, quittez cette maison.

GERSTEIN (*aussi vite*) : Excellence, je vous apporte un message pour le Vatican, et qui ne souffre pas un jour, pas une seule heure de retard... J'arrive à l'instant de Pologne, de Belzec et de Treblinka, au nord-est de Varsovie. Là-bas, Excellence, chaque jour, des dizaines de milliers de Juifs, et davantage peut-être, sont assassinés, gazés.

LE NONCE : Pour l'amour de Dieu, taisez-vous ! Allez dire cela à monsieur Hitler. Partez. Aux yeux du Gouvernement du Reich allemand, je ne suis pas qualifié pour ouvrir la procédure contre... contre un état de choses quelconque en Pologne.

GERSTEIN (*dans un cri*) : Excellence !

LE NONCE : Qui êtes-vous, après tout ? Je n'ai aucun titre, vous dis-je, pour entrer en contact avec des ressortissants de l'Armée allemande... Êtes-vous catholique ? En tout cas, je vous ordonne de sortir d'ici à l'instant même... Partez, partez.

Il ne veut, résolument, rien entendre. Car il est un homme très bon ; la prise en considération officielle de ces informations rendrait plus difficile à l'avenir l'accomplissement de sa mission auprès de M. Von Weizsäcker.

LE PÈRE (*est arrivé à la porte ; il la tient ouverte et dit très doucement*) : Alors, vous allez partir à présent ?

GERSTEIN (*hors de lui, ferme la porte avec violence et dit d'une voix hachée, torturée, tout contre l'oreille du Nonce*) : Excellence, je vois d'heure en heure des convois... venant de toute l'Europe arriver dans ces usines de mort. Non, je ne suis pas catholique. Cependant, le pasteur Buchholz qui, à Plötzensee, a la charge des condamnés est mon ami. Je puis vous donner aussi comme référence le superintendant Otto Dibelius, et le conseiller au consistoire Hermann Ehlers, ainsi qu'avant son emprisonnement, le pasteur Niemöller de Dahlem...

LE NONCE (*poli, mais catégorique*) : Bien, oui, je vous crois, mais je dois malheureusement interrompre immédiatement cet entretien. Je regrette, vous devez partir.

GERSTEIN : Parlez à monsieur Von Otter de l'Ambassade suédoise, Excellence ! Je l'ai rencontré dans le wagon-lit du Varsovie-Berlin, il sait déjà tout. Il faut que le Vatican nous aide, Excellence, lui seul peut encore quelque chose.

LE NONCE (*irrité de ne savoir que faire*) : Pourquoi venez-vous me trouver ? Vous portez cependant l'uniforme des assassins ? Ne vous ai-je pas dit que je ne suis pas qualifié ?

GERSTEIN (*crie*) : Qualifié ! Vous représentez l'Église à Berlin, vous êtes le représentant du Christ — et vous fermez les yeux sur ces atrocités. Vous vous taisez tandis que d'heure en heure...

LE NONCE : Modérez-vous, ne criez pas, ou je romps l'entretien sur-le-champ.

GERSTEIN (*presque suppliant*) : Ah ! je vous en prie, non. Excusez-moi. Je sais bien, Excellence. Vous ne pouvez rien. C'est le Saint Père qui doit intervenir. Pour la conscience universelle, il doit...

Le Nonce se retire ; s'il n'a pas encore franchi complètement la porte menant à son bureau, c'est parce que Riccardo ne veut pas le suivre : il écoute, fasciné, les paroles de Gerstein.

GERSTEIN : Excellence, je vous en prie, entendez-moi... (*Très pressant*) : Je n'en peux plus ! J'ai vu ! Je le vois constamment. Cela me poursuit jusque dans cette pièce ! Écoutez. Il faut que je vous le dise...

Gerstein s'est laissé tomber sur un fauteuil, une main devant les yeux. Il se relève aussitôt, ne regarde personne, son regard reste en dedans de lui-même, et ses yeux ont une expression égarée, inquiète et vacillante. Comme un témoin, madame Bälz, le décrivit à l'Institut d'Histoire contemporaine de Munich.

(L'entretien nocturne avec cette madame Bälz eut lieu vers la même époque que la vaine démarche de Gerstein chez le Nonce. Le Secrétaire d'Ambassade suédois, le baron Von Otter, écrit que Gerstein lui avait fait un rapport oral dans le couloir du wagon-lit, " les larmes aux yeux et la voix brisée par l'émotion ".)

L'objectivité du discours de Gerstein n'est pas constante. Souvent, ses phrases se perdent en des murmures, des paroles inarticulées, puis il se remet à parler fort, comme traqué, ou bien sa voix s'élève en de brèves exclamations, comme chez un homme qui crie en rêve.

Après les premières phrases, le Nonce fait à nouveau quelques pas dans la pièce, dans sa direction ; le Père ferme doucement la porte sans quitter la pièce, tandis que Riccardo, d'un air si pénétré et si plein de reproches qu'il en est presque choquant, regarde fixement le Nonce.

GERSTEIN (*sans transition*) : Les chambres à gaz fonctionnaient jusqu'ici à l'oxyde de carbone des gaz d'échappement, mais souvent les moteurs ne démarrent pas. A Belzec, il m'a fallu voir des condamnés — c'était le 20 août — attendre deux heures quarante-neuf minutes l'arrivée du gaz. Quatre groupes de sept cent cinquante hommes dans quatre chambres de quarante-cinq mètres cubes. Il y en a qui prient, il y en a qui pleurent, qui crient. La plupart se taisent. L'asphyxie par les gaz dure vingt-cinq minutes. Maintenant, cela doit aller plus vite, c'est pourquoi on m'a appelé... Je suis ingénieur et médecin. (*Il crie*) : Je ne le ferai pas ! Je ne le ferai pas !... Les cadavres nus restent là comme des colonnes de basalte, même dans la mort on reconnaît encore les familles. Ils se sont enlacés, se sont serrés convulsivement, on les sépare les uns des autres avec des crochets : ce sont des Juifs qui doivent faire cela, et des Ukrainiens les mènent à coups de fouet [1]. (*Il n'est plus en état de se concentrer, il se perd dans les détails, son regard est vide.*) Il y avait ici un ancien chef de la K. D. W., un violoniste aussi, décoré au cours de la première guerre mondiale... Il a été au front pour l'Allemagne... Et les cadavres d'enfants, une jeune fille précédait la file, nue comme les autres... Des mères complètement nues, des nourrissons à leur poitrine... La plupart savent à quoi s'en tenir, l'odeur du gaz...

LE NONCE (*veut partir*) : Je vous en prie, je ne puis plus... entendre cela. Pourquoi vous autres Allemands ? Pourquoi... Cher Monsieur, mon cœur est avec les victimes.

1. Ce passage est un emprunt intégral aux Mémoires de Gerstein rédigés en 1945, peu avant la mort énigmatique de l'auteur dans une prison française.

GERSTEIN : Excellence, le Vatican pactise avec Hitler ! Vous voyez bien cela dans la rue, ici à Berlin, à Oslo, à Paris, à Kiev. Depuis plus d'un an, vous voyez, chaque prêtre voit les Juifs partir en déportation. La radio alliée annonce que d'innombrables Juifs sont assassinés. Quand, enfin, Excellence, quand dénoncerez-vous le Concordat ?

RICCARDO (*le cœur brisé*) : Excellence, ceci s'accorde parfaitement avec ce qui a été rapporté à notre compagnie, mais que personne ne pouvait croire.

LE NONCE (*plein d'un véritable intérêt, très agité, mais ne sachant que faire*) : Comte, je vous en prie, taisez-vous. Ne vous mêlez pas de cela... Pourquoi cet homme ne va-t-il pas trouver monsieur Hitler ?

Gerstein rit d'une façon terrible.

RICCARDO (*suppliant*) : Il n'est quand même pas un agent provocateur, Excellence... Le comte Ledochowsky a envoyé de Pologne des nouvelles toutes semblables.

LE NONCE (*ne se contenant plus*) : Pourquoi vient-il me trouver, moi ? La Curie n'est tout de même pas faite pour accroître le trouble dans le monde, elle a reçu de Dieu mission de servir la paix...

GERSTEIN : La paix, même avec des assassins ? Excellence ! (*Il montre l'image du Crucifié et crie*) : Dieu punisse les pacifiques ! Lui, il se sentait compétent, Excellence. N'êtes-vous pas son représentant ?

LE NONCE (*très agité, paternellement*) : Monsieur Ger-Stensteiner, reprenez-vous ! Je partage avec vous la souffrance de ceux qu'on assassine.

GERSTEIN (*un cri*) : Chaque heure, Excellence, chaque heure fait de nouvelles victimes. Ce sont des usines où l'on assassine. Des usines, comprendrez-vous enfin !

LE NONCE : Monsieur, je vous en prie. Ce que j'éprouve ici personnellement, je n'ai pas le droit de le dire. J'ai pris position dès 1939. Mais il m'est impossible, de par ma fonction, d'intervenir, d'être un sujet de conflit entre Rome et votre Gouvernement. Je n'aurais même pas dû vous parler. Je vous en prie, il faut que vous partiez. Partez, je vous en prie. Je prierai pour les victimes.

Le Nonce fait signe à Riccardo de le suivre, pendant qu'il marche vers la porte. Il l'ouvre.

LE NONCE : Comte, je vous en prie, je vous l'ordonne : venez !

RICCARDO : Votre nom, c'est bien Gerstein, n'est-ce pas ? Je vous retrouverai.

Gerstein n'écoute pas, un seul fait compte : il n'est arrivé à rien. Le Nonce frappe l'épaule de Riccardo et le traîne presque derrière lui, vers le bureau. Avant que le Nonce ait pu fermer la porte, Gerstein le suit encore une fois et s'écrie avec passion, hors de lui :

GERSTEIN : Excellence. Écoutez, écoutez les dernières paroles d'une vieille Juive. Elle hurlait, avant d'être poussée à coups de fouet dans la chambre à gaz, elle demandait que le sang versé là-bas retombe sur les assassins. Excellence, ce meurtre, nous en sommes coupables si nous nous taisons.

LE NONCE (*se retournant encore une fois, doucement*) : Reprenez-vous, priez !

Il s'en va, le Père ferme la porte derrière lui et murmure :

LE PÈRE : Prenez conscience du ton sur lequel vous parlez à Son Excellence. Est-ce qu'Elle y peut quelque chose ? S'il vous plaît, maintenant, partez, nous n'y pouvons rien.

Gerstein a perdu, il le sait. Une tentative insensée : il met la main dans sa poche, en retire des documents et s'efforce d'attirer l'attention du Père sur son problème.

GERSTEIN : Là, des preuves. Regardez donc ! Un ordre des Commandants de Belzec, de Treblinka, ma commande d'acide cyanhydrique. Je dois livrer de l'acide prussique. Je fais partie du service de santé S. S. Mais regardez donc !...

Il est seul dans la pièce, il tourne encore une fois sur lui-même, les papiers à la main. Le Père qui était sorti et rentre maintenant avec un plateau pour desservir les tasses à thé, dit d'une voix à la fois menaçante et secourable :

LE PÈRE : Ne savez-vous pas que la Nonciature est surveillée par la Gestapo ? Vous êtes ici en uniforme, et vous pourriez devenir suspect. Maintenant, partez, je vous en prie. Ah là là ! Quelle histoire, Marie, Joseph ! Si encore vous étiez Juif...

Gerstein est sorti avant la dernière phrase.

Rideau

« Parce qu'ils ont des pieds, on ne voit pas que ce sont des automates. »

Otto Flake

« Le couronnement de la Création : ce cochon, l'homme. »

Gottfried Benn

Scène II

Le soir du même jour, à 21 heures.

La *Taverne des chasseurs*, au bord du Falkensee près de Berlin : un petit hôtel, qui depuis quelques semaines, depuis que la capitale du Reich est bombardée régulièrement par les Alliés, est réquisitionné pour loger les hôtes du Quartier général S. S. du Gouvernement et de la Police allemande. La cave spacieuse qui a donné son nom à l'hôtel. La pièce est divisée en deux parties par un escalier praticable, suspendu, sous lequel un homme peut passer debout et qui s'étend assez loin jusqu'au premier plan (près de la rampe). Les places des buveurs, environ huit personnes à droite de l'escalier, au fond de la scène, ne sont pas visibles; à gauche, également dans le fond, l'emplacement, très visible, du jeu de quilles dont les boules passent sous une ogive et font tomber les quilles dans les coulisses de gauche. A côté, le grand tableau où chaque coup est marqué. On entend les bruits assourdis des boules qui roulent et des quilles qui tombent. Sur le mur du fond, à gauche, le rail sur lequel les boules reviennent à leur place. A droite, à peu près à mi-chemin entre la rampe et le coin d'un fauteuil presque invisible dans le fond, un buffet-froid, dont s'occupe Helga, une jeune femme blonde, mi-serveuse, mi-maîtresse de maison. Une photo de Hitler, à l'expression violente, des gravures de chasse de Riedinger, deux rapières croisées avec des casquettes d'étudiants datant d'une autre époque, et le dernier cri : une grande photo du masque mortuaire du protecteur de Bohême-Moravie Heydrich, assassiné deux mois auparavant.

Sans être naturellement obligés de suivre ce trajet, les joueurs de quilles se déplacent la plupart du temps de la façon suivante : lorsque le marqueur appelle leur nom — ce qui n'est pas toujours le cas (car ils peuvent jouer avant leur tour) — ils sortent de l'arrière-plan à droite, passent sous l'escalier, jouent, se dirigent vers le secrétaire au pied de l'escalier, tandis que celui-ci inscrit le résultat sur le tableau, traversant la scène au premier plan, arrivent au buffet et repartent ensuite vers le fond pour gagner leurs fauteuils.

Souvent, ils observent aussi leurs collègues en train de jouer, avec des exclamations et des éclats de rire.

Plus souvent encore, ils disparaissent, rarement seuls, tout à fait devant, à droite, par une porte sur laquelle est inscrit un " H ", et reviennent bruyamment au buffet, manifestement fortifiés dans leur sentiment communautaire, avec un geste significatif de la main : ils vérifient leur tenue.

Durant ce circuit, les entretiens se multiplient, soit que des isolés parlent avec l'homme au tableau, soit que plusieurs se groupent un instant sur l'escalier, ou qu'ils fassent du charme à Helga, ou encore qu'ils discutent à mots couverts, en petit comité, pour que les autres ne comprennent pas, un fait quelconque de leur travail, tout en dégustant de petites roulades de jambon au tout premier plan.

L'hôte est *Adolf Eichmann*, un aimable maniaque, dont la terrible efficacité a si peu à voir avec l'éclat lugubre d'un Grand Inquisiteur qu'en 1945 il ne sera même pas recherché. Ce sera seulement l'étude des dossiers qui le démasquera comme le plus laborieux expéditeur qui ait jamais existé au service de la mort. Ici aussi il reste terne, comme n'importe quel contemporain qui aime étudier les horaires de chemins de fer et qui veut à tout prix avoir de l'avancement dans sa spécialité.

Les autres personnes présentes sont : le baron *de Rutta*, un civil extrêmement distingué, issu de l'aristocratie de la Ruhr; il est froid jusqu'à paraître inhibé; il s'est efforcé de descendre " dans le peuple ", et son dialecte rhénan se renforce à mesure que sa voix monte. Représentant de ces milieux au sujet desquels M. Von Hassell notait en 1941, après un voyage dans la région de la Rhur : " Ambiance pas mauvaise, des *Heil Hitler* ! nombreux... C'est une caractéristique des milieux industriels, dont l'incapacité politique est notoire et constante, et dont l'unique thermomètre véritable est l'argent. "

Son fils, sous-lieutenant de l'Armée de l'Air, ayant à peine dépassé vingt ans; garçon sympathique, aux bonnes manières, qui vient de recevoir la Croix de Fer. Effrayé de se trouver soudain en cause, il se résigne à adopter le jargon de taverne des joueurs de quilles;

bien que le “ Front ” ne l’ait pas encore rendu cynique, c’est un soldat courageux; sa conduite, envers Helga et l’anneau de fiançailles qu’elle porte, est trop chevaleresque et trop timide au goût de celle-ci.

Le centre, le boute-en-train, est le professeur *August Hirt*, âgé de soixante-cinq ans, un homme grand et épais, médecin vêtu de l’uniforme gris verdâtre des Waffen. S. S., anatomiste et collectionneur de crânes à la “ Reichsuniversität ” de Strasbourg, un buveur gargantuesque qui remplit la pièce; il a une cage thoracique aussi vaste qu’un alambic; il accentue à dessein son accent souabe, à la fois cynique et cordial, les soirs où il boit de la bière, parce qu’il en apprécie exactement la vertu humoristique. Il ne fut jamais retrouvé et vraisemblablement jamais recherché non plus, bien que son idiotie, sa cruauté scientifiquement cultivée eussent dépassé la norme de beaucoup de médecins S. S. éminents dans leur spécialité. Comme il exerce encore actuellement son art médical sous un autre nom, nous lui laissons ici son nom d’origine (le Hirt historique était un cynique repoussant, avec une tête de vautour, une mâchoire fracassée par une balle).

Son assistant, le *docteur Littke*, qui n’est encore à l’époque que jeune médecin-chef à l’état-major d’un groupe d’armées, est un médecin militaire, raseur épris d’avancement, spécialisé uniquement dans les intérêts de sa profession, au point d’être complètement inculte dans tous les autres domaines scientifiques ou humains : il réussira de bonne heure à être professeur titulaire dans une Faculté.

Encore un officier d’active : le *colonel Serge*, de l’état-major général, section des prisonniers de guerre, ci-devant capitaine de cavalerie dans l’armée “ impériale et royale ” d’Autriche-Hongrie. A présent perdu dans la “ Bendlerstrasse ” à Berlin, il essaie avec embarras d’exercer sur les prisonniers de guerre torturés son humanité qui s’amenuise et se transforme en une résignation cynique, voire en actions irréfléchies qui pourraient lui coûter la vie. Il s’est dominé pour venir en ce lieu, parce que le baron de Rutta y descend depuis peu, lors de ses voyages à Berlin, afin de pouvoir dormir malgré les bombardements. La nervosité renfrognée de Serge se manifeste par une élocution qui le rend comique; il bégaie et ne termine pas ses phrases. Originaire de Krems, il parle le dialecte de la “ Wachau ” dont il est difficile de transcrire la phonétique à mi-chemin entre le “ bavarois ” et l’ “ autrichien ”; il parlera donc, ici, comme un Viennois.

Vêtu de la veste jaune du Parti et d'un pantalon noir, la croix gammée sur un cercle blanc, lui-même ressortant sur le brassard rouge, est apparu le conseiller *Pryzilla*, du Ministère du Reich chargé des Régions occupées de l'Est. C'est un Allemand de l'étranger, un " récupéré ", avec un fort accent polonais, une petite moustache à la Hitler, chauve et bien élevé, aussi petit et râblé qu'une table de nuit. C'est un homme qui aimerait mieux s'étouffer que contredire son supérieur et qui, ici aussi, n'ouvre la bouche — mais alors agressivement — que pour poursuivre, à la façon d'un chien courant, une piste qui aboutit à son ressort administratif. Avant de devenir en 1955 haut fonctionnaire ministériel à Bonn, il a appris à parler couramment allemand.

Le *Docteur*, qui même ici tient à la main à la façon d'un dandy, le petit stick avec lequel il joue au cours des séances de tri à Auschwitz, ne touche jamais aux quilles. Et, justement parce qu'il participe si peu au jeu, il fait figure, en ce club, de régisseur secret. Il ressemble à tous les autres, en mettant les choses au mieux, de la même manière que l'homme qui tire les ficelles de ses marionnettes ressemble aux poupées. Il n'est pas inquiétant comme Gerstein. Il est froid et joyeux. Quand il n'est pas invisible. Il a le format du mal absolu, il est beaucoup plus lucide que Hitler — qu'il ne méprise même plus, comme d'ailleurs les autres hommes. Un être qui ne s'intéresse à rien ni à personne; pour lui, jouer encore avec l'*homo sapiens* ne représente plus aucun intérêt, à l'exception, momentanément, d'Helga : avec elle il ne se montre pas arrogant, mais tout à fait charmant. Il y gagne aussitôt, d'ailleurs. Nous avons présentes à l'esprit les images insolites que l'Histoire a données de ce " chef " mystérieux. D'une manière caractéristique, il ne fut jamais inquiété, probablement grâce à sa cordialité insidieuse, qui le poussait à promettre aux enfants " un bon pudding " avant qu'ils passent à la chambre à gaz (*authentique*), ou bien, sur le quai de la gare, à demander à ceux que le voyage avait épuisés s'ils se sentaient malades; celui qui répondait affirmativement, soulagé par l'intérêt subit que lui portait cet homme aimable, passait aussitôt dans la chambre à gaz. On trouve tout cela dans le rapport de madame Grete Salus, la veuve d'un médecin, qui seule de toute sa famille survécut à Auschwitz. Il l'avait questionnée avec une " cordialité insidieuse ".

Presque un an après la première rédaction du dialogue entre Riccardo et le sélectionneur d'Auschwitz — qu'on n'imaginait pas être un homme — la lecture du rapport de madame Salus nous a vivement frappé. Nous y avons trouvé l'assurance que les détenus eux-mêmes désignaient toujours cet homme " beau et sympathique " comme le Diable; alors même qu'ils connaissaient son nom.

" Il était là, devant nous, celui qui décidait de la vie et de la mort, le beau Diable... Il se tenait là comme un maître à danser, aimable et élégant, qui dirige une polka. D'un geste sans importance ses mains indiquaient : à droite, à gauche, à droite... L'atmosphère autour de lui était légère, gracieuse, il contrastait agréablement avec la laideur brutale de l'entourage, il calmait nos nerfs mis à vif et donnait à l'ensemble sa signification... Un bon acteur ? Un possédé du démon ? Un froid automate ? Non, un spécialiste dans son domaine, un diable qui faisait son métier avec joie... Rien, rien qui vous avertît; aucun ange ne se tenait derrière lui. De manière tout à fait indifférente, comme des instruments du maître, les hommes allaient à gauche et à droite. Parfois, une fille ne voulait pas quitter sa mère, mais les paroles : " vous vous reverrez demain " les apaisaient complètement... "

Ce sont des scènes surréalistes; il est à peine croyable qu'elles se soient jouées dans notre monde, elles existent même photographiées en de brèves séquences, par exemple dans l'ouvrage de Gerard Schoenberner, *l'Étoile jaune*.

Et, parce que ce médecin-chef se détache si totalement, non seulement de ses camarades S. S., mais aussi et surtout des hommes, et aussi de toutes les expériences qu'à notre connaissance on a tentées jusqu'à présent sur des hommes, il nous a semblé licite, du moins avec cet être, de noter la réapparition sur scène d'une antique figure du théâtre et des mystères chrétiens. Comme cette inquiétante apparition d'un autre monde ne faisait manifestement que jouer le rôle d'un homme, nous renonçons à rechercher plus avant ses traits de caractère uniquement humains. Ils ne peuvent contribuer en rien à la compréhension de cette figure incompréhensible, ni à celle de ses actes. Ce phénomène ayant apparence humaine n'est comparable à personne, pas même à Heydrich que Carl-J. Burckhardt décrit en le stylisant, et en exagérant, comme le jeune, le cruel dieu de la Mort.

On entend des rires bruyants, tandis que le rideau s'ouvre. Verres en main, les personnes rassemblées observent le jeune Rutta qui enlève la Croix de Fer de son cou pour la remettre à Hirt qui, triomphant, la montre à la ronde : il a trouvé depuis longtemps à quoi les élégants officiers d'Hermann Gœring, lesquels se permettent depuis toujours avec leurs uniformes des extravagances choquantes, ont coutume de suspendre leurs décorations.

HIRT (*avec l'accent souabe*) : Regardez. N'avais-je pas dit que c'était fait avec une jarretière de femme ?

EICHMANN (*riant*) : La Croix de Fer, attachée à une jarretière. Impossible !

RUTTA Junior (*jeune, gauche, emprunté, compensera son manque d'aisance par des réponses mordantes qui ne peuvent que l'étonner lui-même et son orgueilleux père*) : C'est l'usage depuis très longtemps : simplement parce que c'est plus solide et plus pratique que des boutons-pression fixés sur le ruban noir-blanc-rouge.

HIRT : A présent, mon cher, répondez-moi en conscience. Premièrement : Est-ce seulement la Croix de Fer que vous avez gagnée au combat, ou bien aussi la jarretière ?

Des rires, des cris comme :" Hou ! Au corps à corps ! Trop indiscret ! "

RUTTA Junior : Les deux, Monsieur le Professeur. Et les deux dans des engagements de nuit.

Cris d'allégresse. Ils boivent. Des cris comme : " Vive le chasseur ! A la sienne ! La chasse est bonne ! Taïaut ! Taïaut ! "

HIRT : Et voilà la deuxième question : Quand avez-vous eu le plus besoin de courage : pour gagner la décoration, ou bien la jarretière ?

RUTTA Junior : Du courage ? J'ai eu peur les deux fois. Bien que, lors du combat pour la jarretière, il n'y eût plus matière à effusion de sang.

Cris d'allégresse. Rutta, troublé de sa propre trivialité, remet sa décoration à son cou.

EICHMANN : Et, chaque fois, vous vous êtes donné à fond, n'est-ce pas ?

RUTTA Junior : Pour ainsi dire, mon Colonel, oui certainement.

RUTTA Senior (*crispé, s'efforçant à la jovialité*) : Ne va pas me ramener un souvenir, Hans Bogislav !

RUTTA Junior : Je prendrai mes précautions, père !

HIRT : Troisième question : Votre Croix de Fer a-t-elle facilité de façon essentielle la conquête de la jarretière ?

RUTTA Junior : Permettez, Monsieur le Professeur, que je vous oppose une autre question. Avez-vous l'habitude, Monsieur le Professeur, de porter vos décorations lorsque vous vous apprêtez à conquérir une jarretière ?

Des rires.

HIRT : Sacrédié. A moi, touché ! Votre fils, Baron, est un rusé. Mais c'est réellement gentil de votre part, Lieutenant, de prêter encore de telles frasques à la vieille baderne que je suis.

EICHMANN : Allons, portons un toast à notre invité d'honneur et à notre " frère en quilles ", le sous-lieutenant Von Rutta — sans oublier son père ici présent, notre cher baron Rutta. Un triple ban... Hip, hip...

Tous : Hourra !

EICHMANN : Hip ! Hip !

Tous : Hourra !

EICHMANN : Hip ! Hip !

Tous : Hourra !

RUTTA Junior : Grand merci, Messieurs.

Il s'est tourné, les autres aussi, vers l'escalier, où Helga est apparue portant un plateau — consciente de l'effet produit sur l'assemblée : elle est la seule femme.

EICHMANN : Mademoiselle Helga, accordez-vous une danse au lieutenant, en l'honneur de sa Croix de Fer ?

Elle consent. Le jeune Rutta est allé vers elle, il s'incline. Fritsche court vers les fauteuils et met en route un phono. Eichmann prend à Helga son plateau et le porte, quand la valse commence, en dansant vers le buffet comme s'il avait une femme à son bras. Rutta commence à danser avec Helga d'une façon un peu raide ; le cercle s'élargit et se perd ensuite dans le fond. Quelques-uns battent la mesure.

HIRT (*au vieux Rutta*) : A son âge, cela n'a-t-il pas plus de valeur que toutes nos distinctions, Baron ?

RUTTA : Vraiment, c'est une créature à part. Elle racontait, en m'apportant le petit déjeuner, ce matin...

HIRT : Je voudrais bien aussi que cela m'arrive, là où j'habite. Vous a-t-elle servi le petit déjeuner au lit, Baron ?

RUTTA (*riant*) : Vous voulez vraiment en savoir trop. Oui, elle disait qu'elle était fiancée avec un lieutenant S. S. d'Auschwitz. Le connaissez-vous, Docteur ?

LE DOCTEUR (*froid*) : Mais certainement. Un bon ami à moi, son fiancé.

Ils s'éloignent des fauteuils, la danse s'achève, le jeune Rutta offre avec raideur son bras à Helga pour l'amener devant les fauteuils. Mais elle le tire vers le buffet.

HELGA : Il faut que je travaille, Lieutenant. A quoi pensez-vous donc ! Merci beaucoup.

RUTTA Junior (*gauchement*) : Nous devrions pouvoir danser plus souvent ensemble.

Il prend congé d'elle devant le bar. Eichmann, qui avec Fritsche a préparé le tableau noir, tire à présent un jeu de cartes de sa poche.

EICHMANN : Helga, présentez donc les cartes à la ronde, s'il vous plaît, que chacun en tire une.

LE DOCTEUR (*assis, sarcastique, sur l'escalier ; il bâille*) : Un Allemand doit jouer aux quilles ou tirer ! Le jeu de quilles, c'est la distraction-ersatz du bourgeois allemand, autorisée par le conseil de famille.

Le sous-lieutenant rit, jouer l'assomme aussi, mais il tire quand même la première carte. Lorsque Helga présente les cartes, le Docteur lui parle, tout en repoussant amicalement sa main, sans tirer de carte.

LE DOCTEUR (*doucement*) : J'appelle ensuite Auschwitz au téléphone, tu pourras demander à Gunter.

HELGA (*brièvement, anxieuse, tout en continuant à passer*) : Ah ! je vous en prie, cessez donc cette plaisanterie.

HIRT (*à voix haute, venant des fauteuils vers lesquels Helga se dirige à présent*) : Comment va-t-on jouer, maintenant ?

FRITSCHE (*au tableau noir*) : Et si on jouait à déblayer, Monsieur le Professeur ?

HIRT : Moi je suis pour le coup de grand cercueil, y a que des traits, on a pas besoin de tant calculer.

FRISTCHE : A déblayer, c'est encore plus simple, je trouve. Chacun a trois boules à lancer sur les neuf quilles debout. Les neuf en bas, ça compte douze; la couronne [1] : quinze. On joue souvent comme ça, à Auchswitz.

HIRT : Est-ce qu'on relève les quilles à chaque coup ?

EICHMANN : Oui, à chaque coup. Cependant, je trouve le grand cercueil plus attrayant, Monsieur Fritsche. Ainsi, chaque fois que quelqu'un est mort, on peut chanter le refrain : " Dans la plus belle des prairies " (*amicalement et ironique*), car nous avons parmi nous un magnifique baryton. J'ai nommé le professeur Hirt... N'est-ce pas, Professeur ? (*Rires. Hirt se met aussitôt à chanter, les autres suivent.*) " Ils portaient un mort hors des portes de la ville. O ma vallée tranquille, je te salue mille fois, car ils portaient un mort hors des portes de la ville. "

EICHMANN (*crie*) : S'il vous plaît, levez vos cartes ! Helga, vous n'en avez donc pas tiré une pour vous ? Vous devriez pourtant jouer aux quilles avec nous.

HELGA : Je me demande si je saurais.

LE DOCTEUR (*encore seul, assis dans l'escalier, lui murmure à l'oreille*) : Tu n'as pas fini de découvrir tout ce que tu sais faire !

Helga se détourne et va vers le buffet tout à fait à droite. Eichmann a écrit tout en haut de l'ardoise : " Helga ". Maintenant, il les appelle à leurs fauteuils :

EICHMANN : Qui a un as ? C'est l'as qui commence.

RUTTA Junior : Ici, mon Colonel, j'ai un as.

EICHMANN : Ah ! Ah ! Le lieutenant... Rutta Junior. Venez donc tous avec vos cartes !

(*Il écrit " Rutta Jr " sur le tableau, tandis que Fritsche met un nouveau disque ; la musique est assourdie. Quelques-uns restent dans leurs fauteuils, ils boivent et fument, lèvent leurs cartes et en annoncent la valeur à haute voix. La plupart forment un cercle autour d'Eichmann qui est au tableau. Cela se passe avec un ordre bien allemand, presque avec gravité. Eichmann écrit les uns sous les autres : " Helga, Rutta Jr, Hirt, Fritsche, etc. "*)

1. Coup du jeu de quilles : toutes les quilles sont renversées, sauf le " roi " qui occupe la position centrale.

LE DOCTEUR (*se lève lentement de l'escalier, va vers Helga, qui ne peut plus l'éviter*) : Ma petite chatte, es-tu réellement anxieuse de te rapprocher de ton fiancé ? Fais-toi donc muter à Auchswitz...

HELGA (*en préparant les couverts et les serviettes de papier*) : Laissez-moi donc tranquille; il ne faut plus que je vous voie, Docteur. Vous êtes diabolique. Comment avez-vous bien pu faire cela ce matin ? Je suis désespérée... Je lui avais toujours été fidèle jusqu'ici...

LE DOCTEUR (*cordialement, tournant autour d'elle, avec une ironie maintenant cachée*) : Nous avons besoin de secrétaires. On te mettra au télescripteur, et ton fiancé t'aura tout près de lui.

HELGA (*menaçante, sans croire à ce qu'elle dit*) : Mais il fera attention, lui, c'est moi qui vous le dis. Il me protégera.

LE DOCTEUR (*froidement*) : J'espère. Et si tu t'ennuies trop, je suis toujours là et je dors la porte ouverte. (*Il a pris une assiette et cherche, affectant une grande attention, quelques petits sandwiches.*)

HELGA : Moi, jamais plus. Maintenant, ma porte est fermée. Je n'irai jamais là où vous êtes, jamais ! Pourquoi faut-il justement que ce soit moi, alors qu'il y a tant de filles...

LE DOCTEUR (*avec une méchanceté charmante*) : Parce que tu sais encore te mettre en colère d'une manière magnifique. Ta façon d'enfouir ta tête dans tes mains, lorsque j'ai fait l'amour avec toi, était absolument charmante.

HELGA : J'étais horrifiée de l'avoir trompé... Il est si correct. Il ne m'aurait jamais trompée, lui ! Je ne vous connais que depuis douze heures...

EICHMANN : Ça y est, tout le monde est inscrit — il ne reste plus que vous, cher Docteur. N'avez-vous pas de carte ?

LE DOCTEUR (*monte ensuite l'escalier et s'éloigne*) : J'ai encore du travail. A bientôt.

EICHMANN : Helga, venez pour le premier coup.

HELGA (*après qu'Eichmann lui a tendu la boule*) : Oh ! mais c'est lourd...

HIRT (*lui tend une boule plus petite*) : En voilà une autre, Mademoiselle, c'est votre calibre : petite, légère, et dure malgré tout. Avec celle-là, vous êtes sûre de gagner.

FRISCHE : Maintenant, allez-y.

Personne ne parle pendant que la boule roule. Des cris de joie éclatent quand elle touche les quilles.

HIRT : Seul le roi tient encore. Le dernier qui règne en Europe.

EICHMANN : N'oubliez pas celui de Danemark, Professeur. C'est un gaillard qui nous donne du fil à retordre.

RUTTA Senior (*sérieusement intéressé*) : Réellement ? Qu'est-ce que ce Danois peut bien nous faire ?

EICHMANN : Au Danemark, il n'y a pas une seule étoile jaune de Juif : jusqu'à présent, le Roi a tenu le coup.

FRITSCHE (*appelle au tableau*) : Mon Colonel, c'est à vous.

EICHMANN : J'arrive. Venez, Baron.

Ceux qui ont joué les premiers se trouvent à présent près d'Helga au buffet, puis ils s'éloignent vers les fauteuils. Le jeu se passe de façon automatique. L'attention reste principalement fixée sur les personnes du premier plan, qui parlent tour à tour. L'intérêt des joueurs de quilles, qui ne parlent pas, est soutenu par des exclamations venant du point de départ et de derrière la scène, telles que :

« Allez, Fritsche, au départ... » « Vous êtes cuit. » « A votre tour. »
« Les voilà toutes dans le cercueil. »
« Non, pas moi, vous. »
« Encore deux coups, et je suis mort. »
« Allez, allez, vous n'allez pas dire que vous êtes fatigués. »
« Tonnerre de Dieu, rien encore. »
« Vous mettez une autre boule en jeu ? Allez, une autre ! »
« Mais aujourd'hui, ça passe toujours à côté. »
« Une pénalité. »
« Un tour d'honneur. »

Ces exclamations et d'autres semblables fusent de toute la scène. Tous continuent à jouer, sans trop interrompre les conversations qui se tiennent çà et là, entre les tables et le buffet, et même au point de départ, tandis que celui qui parle s'applique à jouer ou bien soupèse les boules.

Salzer, un officier assez effacé, a descendu l'escalier. Eichmann le regarde d'abord, puis s'avance cordialement vers lui.

EICHMANN : Heil Hitler ! Cher Salzer, qu'y a-t-il encore ?

SALZER : Heil Hitler ! Mon Colonel, pas une bonne nouvelle.

Ils se donnent une poignée de main. Eichmann l'attire au premier plan, le jeu continue, ininterrompu.

EICHMANN : Messieurs, je vous en prie, excusez-moi quelques minutes. Venez, Salzer. Vous arrivez tout juste de Slovaquie ? Je pensais que c'était Gerstein. Je l'attends ici.

SALZER : Oui, votre secrétaire m'a dit : " Allez tout de suite à Falkensee. " C'est agréable ici !

EICHMANN : Il était temps que nous ayons un hôtel. Les bombes ne tomberont pas ici. Alors, que se passe-t-il à Presbourg, les affaires ne marchent pas ?

SALZER : Non, elles ne marchent pas, mon Colonel. Nous avons beaucoup d'ennuis avec l'Église.

EICHMANN : Avec l'Église ! Impossible ! C'est justement à Presbourg que le Gouvernement met sur pied d'égalité les Juifs baptisés et les autres... Tout vient, je veux bien le croire, de ce que c'est un prêtre qui est chef du Gouvernement là-bas. Monseigneur Tiso est pourtant un homme profondément raisonnable.

SALZER : Je sais, mon Général. Le premier train pour Auschwitz venait de Presbourg.

EICHMANN (*plein de fougue*) : Bien sûr, et c'est la garde Hlinka, du parti démocrate-chrétien, qui avait arrêté les Juifs. C'est sur ces gens-là qu'il faut s'appuyer, Salzer.

SALZER : Ils ont eu peur parce que le Nonce, le Nonce apostolique, leur a interdit d'aider aux déportations.

HIRT (*interpelle Eichmann, tout en prenant une boule*) : Laissez donc un peu les affaires de côté, Eichmann. Le jeu de quilles est aussi un service national.

EICHMANN : Un moment, Professeur, j'arrive.

SALZER : Le Nonce a fait savoir à Tiso que nous avions fait passer les Juifs de Lublin au crématoire. Tiso exige maintenant une enquête. C'est pourquoi il m'envoie à vous. Que faisons-nous ?

EICHMANN (*agité, marche de long en large*) : Une enquête ! Sur quoi y a-t-il encore à enquêter ? Il ne reste que des cendres. L'ennui est que le Nonce de Roumanie commence, lui aussi, à s'inquiéter ; les évêques des pays étrangers sont moins dangereux. Mais un nonce, en tant que représentant du Vatican... ça ne nous aide pas... Il nous faut, avant tout, laisser la Slovaquie en paix. Il ne manquerait plus que les évêques du Reich à leur tour... Si maintenant, ils se mettent à jeter les hauts cris pour les Juifs comme pour les idiots... et si le Nonce de Berlin donne aussi l'alarme, alors ce sera un coup dur. Bon, Salzer, mangez donc quelque chose. Helga !... Où donc est-elle ? Venez... (*Il conduit Salzer au point de départ. Il le présente, passant très vite sur les formules de politesse habituelles : " Heil ! Salzer ", " Très heureux ", " Heil Hitler "*) : Messieurs, je vous présente le lieutenant Salzer : le professeur Hirt, de l'Université de Strasbourg; le baron Von Rutta, Commission de l'Armement du Reich; le sous-lieutenant Von Rutta; félicitez-le, Salzer, pour sa Croix de Fer.

SALYER : Tous mes compliments, Lieutenant, félicitations !

RUTTA. Junior : Je vous remercie, mon Lieutenant.

EICHMANN : Le docteur Fritsche, d'Auschwitz, vous le connaissez, hein ?

FRITSCHE : 'Jour, Salzer, c'est chouette que vous soyez ici.

EICHMANN : Le colonel Serge de l'O. K. H., le docteur Pryzilla, conseiller au ministère des Régions occupées de l'Est, et le docteur Littke, de l'état-major général des Armées de l'Est, en permission de front russe. (*A Fritsche au tableau*) : Allez, Fritsche, inscrivez Salzer. Salzer, nous jouons depuis peu de temps. Rattrapez les autres en jouant le même nombre de coups. Avez-vous mangé ? Helga, voulez-vous vous occupez un peu de monsieur Salzer, s'il vous plaît.

HELGA : Qu'est-ce qu'il y a ? Bonsoir.

SALZER : Bonjour. Ne nous connaissons-nous pas ?

HELGA : Nous nous sommes déjà vus, bien sûr. Je suis fiancée avec le sous-lieutenant Wagner d'Auschwitz. Nous nous sommes vus à Prague...

SALZER : Je m'en souviens. C'est vrai, au Hradschin.

Ils sont au buffet. Le colonel Serge, qui a joué, adresse la parole à Rutta Senior qui vient de jouer et revient au premier plan :

SERGE : J'ai entendu dire, Baron, que vous passiez la nuit ici ? Monsieur le Directeur, je voudrais vous dire quelque chose. C'est surtout pour cela que je suis ici. La très honorable maison Krupp maltraite un peu trop les prisonniers de guerre qu'elle emploie... Peut-être avez-vous déjà entendu dire qu'on a reçu au Commandement suprême des Forces armées des lettres anonymes émanant de la population, et concernant les saloperies qu'on fait chez Krupp...

RUTTA Senior (*piqué*) : Mais, colonel, pourquoi me le dites-vous à moi ? La direction de Krupp est pourtant...

SERGE (*renfrogné, nerveux, presque violent*) : C'est... c'est que je ne connais pas, moi, monsieur Von Bülow. Alors, il faudra que le général Von Schulenburg aille en personne à Essen pour prier monsieur Von Bohlen de faire interdire que les prisonniers de chez Krupp reçoivent des coups, oui — des coups — au lieu de pommes de terre... voilà... voilà... (*Lorsque Rutta veut se remettre à parler*) : Baron, ceci — ceci — je l'ai entendu dire accidentellement, il y a six semaines déjà, que les prisonniers de chez Krupp n'ont toujours pas eu de pommes de terre ?

RUTTA (*glacial et précis*) : On ne les bat que dans les camps disciplinaires de la firme, là où sont tenus les plus notoires voleurs de nourriture — pris en flagrant délit — ces gars-là sont des goinfres... vous n'avez pas idée ! D'ailleurs, monsieur Von Bülow a pris les dispositions les plus minutieuses...

SERGE (*exaspéré, ne veut pas en entendre plus*) : Ne parlons plus de cela, Baron ! Qu-quand-quand je ne donne rien à manger à mon cheval, il ne peut pas tirer la voiture. Et ce n'est pas tout ce qu'on entend dire sur Krupp : on dit qu'on a transféré dans la Ruhr des Ukrainiennes qui n'avaient pas du tout envie d'y aller.

RUTTA : J'en suis surpris, Colonel, ce sont pourtant bien souvent de pures Bolcheviks ! La firme a même établi un plan pour récompenser les bonnes volontés et pour les mettre sur la voie d'une formation culturelle et augmenter leur ardeur au travail.

SERGE (*avec une ironie fielleuse*) : Bon, c'est très bien : Krupp se charge de la culture des Russes !

RUTTA : Colonel, doit-on favoriser encore davantage les travailleurs de l'Est ? Nous sommes en guerre. Ils se reproduisent encore à Essen, bien qu'un médecin, un Russe, soit là pour les avortements, parce que ces femmes entretiennent constamment des relations...

SERGE (*ravi, imprudemment*) : Ah Ah ! des relations, des relations, Baron, ah ! oui, et je ne le savais pas : quand une jeune

Russe a déjà l'honneur, s'il vous plaît, d'être autorisée à fabriquer dix heures par jour des armes chez Krupp, alors, elle n'a pas besoin de dormir avec un Russe. Bien sûr, voyons. Vous êtes une ligue de vertu...

EICHMANN (*qui s'est approché, aux aguets*) : Messieurs, ne soyez pas si agressifs. Allons plutôt jouer, nous sommes ici pour nous amuser !

RUTTA (*réjoui, mais avec amertume et non sans préciosité*) : Monsieur le colonel Serge est réellement très soucieux de l'état hormonal des femmes russes qui travaillent chez Krupp. (*Grave, sévère, presque menaçant*) : Elles se font engrosser, Colonel, pour pouvoir ensuite échapper six semaines au travail; scandaleux ! Krupp fait naître les enfants dans un foyer à Voerde, on se charge d'eux d'une manière exemplaire, en leur donnant du beurre, du lait, des fruits...

SERGE : Ah bon, du lait, des fruits. Je voudrais bien y envoyer mes petits-enfants en convalescence, mais un affreux menteur m'a raconté qu'à Voerde, sur cent trente-deux enfants, quatre-vingt-dix-huit étaient morts... Ils n'ont pas supporté notre climat, les Russes ? Ou bien croyez-vous que le beurre leur a fait du mal ? (*Il rit jaune, car il a peur d'être allé trop loin*) : J'ai seulement été frappé par le fait que la plupart de ces enfants sont blonds; mais n'en parlons plus.

EICHMANN : Monsieur le Directeur, Krupp n'aura plus de tels soucis, quand sa filiale sera installée à Auschwitz : A Auschwitz, plus personne ne se plaint. Je n'ai (*il rit en parfaite connaissance de cause, Rutta fait chorus*) jamais entendu dire que là-bas des femmes aient été engrossées.

FRITSCHE (*du premier plan*) : Messieurs, s'il vous plaît, c'est à nouveau votre tour. Venez, Colonel.

SERGE (*reconnaissant, avec précipitation*) : Oui, j'arrive, j'arrive.

RUTTA Senior (*crie à son fils qui était au buffet*) : Petit, veux-tu jouer à ma place, je te prie.

EICHMANN : Et Helga à la mienne, vous voulez bien ?

HELGA : Mais je ne réponds de rien, Monsieur Eichmann.

EICHMANN : Vous allez me porter bonheur. (*A Rutta, avec un signe en direction de Serge qui cherche une boule*) : Ne vous laissez pas énerver, Baron, par de telles badernes humanitaires. Je peux dire qu'elles aussi disparaissent peu à peu de l'Armée.

HIRT (*crie à Serge*) : Placez-les en biais, en biais, cher Colonel, sinon vous êtes dans le cercueil !

On se moque de Serge, qui fait une figure ridicule.

RUTTA Senior (*à Eichmann, au buffet*) : Je voulais vous demander, Colonel, comment nos généraux acceptent vos mesures en Russie ? Le supérieur de mon fils (dans l'Armée de l'Air, il est vrai) donne, lui, un sérieux coup de main dans les Balkans.

EICHMANN : Voyez-vous, Baron, cela confirme ce que je dis si souvent à mes collègues : ne surestimez pas la rivalité entre l'Armée et les S. S. ! Certes, tel ou tel général se tourne contre le mur comme s'il ne voulait pas nous voir effectuer notre travail dans son secteur. Mais d'autres en mettent un coup, comme vous le disiez. Toujours est-il que, l'an dernier, quand Auschwitz ne fonctionnait pas encore, en l'espace de quatre mois, en Russie, nous avons pu travailler sur 350.000 Juifs : c'était l'Armée, il faut le reconnaître, qui nous en avait donné la possibilité... Entre nous soit dit, il est bien drôle de voir Himmler reprocher au maréchal Manstein " ses mésalliances slaves ", parce qu'il s'appelle en réalité Livinsky, ou quelque chose d'approchant.

RUTTA : Ça, vraiment, on pourrait attendre pour ça après la victoire !

EICHMANN : N'est-ce pas ? Manstein n'est assurément pas national-socialiste. On ne devrait que lui en savoir davantage gré d'avoir donné ouvertement à ses soldats l'ordre suivant : à l'Est ne pas combattre seulement selon les règles de l'ancien art militaire, mais admettre que les Juifs expient, et durement.

RUTTA (*ironique*) : Ne vous pressez pas trop de les faire expier, Monsieur Eichmann, sinon Krupp n'aura plus de main-d'œuvre quand sa production commencera à Auschwitz.

Ils vont partir, mais s'arrêtent : le Docteur apparaît dans l'escalier et est appelé par Hirt.

HIRT : Allons, Docteur, chantez une chanson ! Ces messieurs que voici parlent trop d'affaires. Mettez-nous en joie, vous n'êtes pas fier au point qu'il faille vous prier dix fois.

EICHMANN (*sort un harmonica de la poche de son uniforme*) : Oui, s'il vous plaît, Docteur, une chanson. J'ai même mon harmonica.

LE DOCTEUR (*montrant Pryzilla en uniforme jaune*) : C'est au canari de chanter.

PRYZILLA (*extrêmement intimidé*) : Impossible, Docteur. Déjà, à l'école, je ne savais pas chanter. Les méchants, ah, ah, n'ont pas de chansons, dit le poète...

LE DOCTEUR : D'accord. C'est pourquoi j'ai des chansons pour remplir un livre. (*S'adressant à l'auditoire qui s'installe en cercle au pied de l'escalier — Serge n'y est pas*) : Vous me donnez le trac, mes enfants. Pourquoi m'assiégez-vous ainsi ? J'étais récemment à Paris. (*Ironiquement*) : dans le Luna-Park de la Grande Allemagne, comme dit le Führer... Pas du tout chrétien là-bas, le bitume ! Eichmann, connaissez-vous la mélodie de la brave petite Hélène près du petit arbre vert ? Saisissant ! Approprié aux Fêtes de Noël pour nos pisseuses de « Foi et Beauté (1) ». J'ai là une chanson qui malheureusement a été composée pour la jeunesse mûre par des curés des deux sexes, je voulais dire des deux confessions...

Rires crasseux. Le docteur fredonne une mélodie, Eichmann chante en duo avec lui, puis improvise. Le Docteur commence, avec une candeur graveleuse... (C'est une de ses caractéristiques de pouvoir choquer, avec des rimes, des hommes aussi blasés, des spécialistes de l'horreur, qui gardent toujours assez de sang-froid, comme le relate Reitlinger, pour discuter des plans de chambres à gaz pendant leurs repas quotidiens : « Le ton cruel, cynique, qui dominait dans ces discussions éprouvait tellement Nebe qu'il dut à deux reprises demander un congé de maladie pour dépression nerveuse. » Et ce Monsieur Nebe n'était pas une « poule mouillée » : « Il se distingua en Russie dans un groupe d'extermination dont il était le chef, avant de se joindre aux conjurés du 20 juillet. »)

Son stick à la main, le Docteur parle et chante. Les premiers mots sont dits d'une manière diaboliquement anodine, les autres, cyniquement, mais si nonchalamment qu'on dirait qu'il vient juste de les composer. Ce faisant, il a descendu lentement l'escalier.

« Elle n'avait pas de chambre, elle n'avait pas de tente...
Pas un hôtel de libre, pas de banc au bord de la Seine,
Les parcs étaient pleins de gens et indécemment éclairés.
Où allons-nous, Madeleine ?

1. Nom donné à une section spécialisée de la Ligue des Jeunes Filles allemandes (B.D.M.) On y pratiquait la gymnastique rythmique.

Sa crainte qu'un de ses compatriotes pût la voir
(Car nous avions envie de collaborer)
Inspira à ma Madeleine-aux-hanches-rebondies l'idée
De me conduire au Père Lachaise,
C'est le cimetière de l'Est de Paris,
C'est là que reposent les grands Français,
Balzac, Molière, Abélard, Héloïse,
C'est là-bas que je l'ai culbutée.
Avec une légèreté digne de l'antique, ma nymphe
Suspend à la figure noble d'un Christ de Thorwaldsen
Sa petite chemise, sa culotte et ses bas,
Mais pose enfin un mouchoir sur son visage. "

(Les couples chrétiens étaient de vrais porcs, d'oser mettre des crucifix au-dessus de leur lit. Qu'est-ce que le Sauveur devait être obligé de voir ! Elle ne pouvait pas comprendre, réellement que ces gens-là fussent à ce point impudiques.)

" Pour tant de pureté, je baisai son cœur,
Elle l'a juste à mi-chemin entre le cou et les orteils...
Soudain, je sursautai — Une mauvaise plaisanterie
Je voyais se dresser là le fantôme de Proust !
Oui, Chopin et Wilde épiaient notre acte,
Le Polonais ricanait insolemment avec l'Anglais,
Et ils battaient la mesure de leurs mains
Tandis que Madeleine, nue, éblouissante, chevauchait
Mon corps enflammé par le génie de trois nations,
Dans le crescendo d'une joie vertigineuse.
Je me sentis entraîné
Dans de froides visions et Madeleine s'abattit sur ma poitrine... "

L'assurance avec laquelle il provoque à présent l'assemblée, ce qu'il est le seul à pouvoir se permettre, prouve qu'il est bien une figure mythique, incompréhensible, qu'aucun supérieur humain ne pourrait contrôler. Il s'approche de chacun tour à tour et lui sert quelques paroles qui sont comme un jugement. Ce pisse-froid de baron Rutta lui est particulièrement antipathique. Ce n'est que " pour l'amour " de Rutta qu'il a imaginé ce repoussant blasphème : sinon, un blasphème lui semblerait sans objet. Sa manière nonchalante de dire la chanson, surtout les cinq dernières lignes : " chevauchant mon corps ", correspond au jugement qu'il porte sur les criminels présents, dont il est le maître.)

" Ah ! ne me demandez pas la vision dont les trois
Génies me firent don ! Je termine mon poème car

Je veux, par faveur, vous taire la morale de l'histoire
(Cassandre n'avait pas un pire visage)
Vous êtes encore transportés de joie.
J'en ai l'âme pendante,
La langue également, comme si j'avais soif
De boire une belle bière fraîche,
Comme en a soif le ventre de tout Allemand...
Ou bien comme si ma tête était déjà, comme la vôtre, prise
Dans le nœud coulant ! “

Pas d'applaudissements. Après le dernier vers, le docteur a rapidement disparu. Eichmann ne l'a pas accompagné jusqu'au bout. Silence pénible,

EICHMANN (*embarrassé*) : Il aime remonter le moral des gens. pour pouvoir le mieux démolir ensuite. Bien. Continuons à jouer.

RUTTA Senior (*extrêmement piqué*) : Dieu sait que je ne pouvais pas trouver ça spirituel. C'est un manque de goût total que d'évoquer ici le génie de trois pays ennemis. J'aimerais bien savoir ce qu'il voulait dire avec cette vision...

HIRT (*changeant de ton*) : Cher Baron, ne cherchez pas si loin ! C'était une plaisanterie, c'était une blague, quoi, une chanson qui ne voulait rien dire. Allons... (*Il a joué, et crié, lorsque Fritsche marque son coup sur le tableau*) : Deux traits. Est-ce que réellement j'en ai deux ? Plus qu'un encore, et je suis mort. (*Il revient au tableau, où se trouve Rutta senior tout seul*) : Pensez-vous toujours à la vision du Docteur ?

RUTTA Senior (*d'un ton catégorique et froid*) : Professeur, est-il possible, surtout ici, de parler sincèrement quand ce Docteur est dans les parages ?... N'est-il pas un agent provocateur ?... Un citoyen allemand ne se conduit pas de telle façon, tant que son honneur national...

HIRT : Mon cher, l'opinion des gens est toujours insondable. Laissez parler les faits. (*Familièrement*) : Le rôle du Docteur est de trier les Juifs sur le quai de la gare d'Auschwitz, et de désigner ceux qui doivent passer par la cheminée. Ça vous va ?

RUTTA Senior : Quoi ? et il chante ensuite cette chanson démoralisante ! Une énigme, cet homme, une énigme, Professeur..

Littke, Serge, Pryzilla et d'autres ont joué.

HIRT (*à Rutta*) : Allons, Baron, plus de soucis ! Comment, Monsieur Fritsche, vous êtes muet ? Qu'est-ce qui ne va pas ?

(*Hirt qui a joué avant Littke saisit celui-ci aux épaules*) : Par ici, Littke remplacez donc voir un peu Fritsche au tableau.

FRITSCHE : Oui, je mangerais bien un petit pain.

LITTKE : Mais bien sûr, Monsieur le Professeur, naturellement, Fritsche.

HIRT (*vient en avant de la scène avec Fritsche, puis va au buffet*) : Alors, que se passe-t-il ? Vous ne parlez jamais très fort, mais aujourd'hui, qu'y a-t-il donc ?

FRITSCHE : Rien de précis. Seulement, je dois repartir après une magnifique permission dans ma famille à Tegernsee. Je me demandais si je ne ferais pas mieux de me porter volontaire pour le front russe : Auschwitz, j'en ai marre.

HIRT (*apaisant*) : Vous avez simplement vos jours d'humeur, Fritsche. Les hommes aussi ont de ces jours-là. A quoi cela servira-t-il à votre famille que vous vous fassiez tuer en Russie ? Non, restez à Auschwitz, cher ami, ou mieux encore : venez donc passer huit jours à Strasbourg, rendez-moi visite à l'Institut. Mais oui, j'organiserai pour vous une tournée de service; vous aurez très certainement déniché quelques crânes intéressants. Amenez-moi les gaillards vivants pour ma collection, ça vous fera un motif pour voyager. Ils ne seront liquidés qu'à Strasbourg, parce que je dois prendre des photos et des mensurations pour ma documentation. (*Il montre Littke qui vient de jouer et repart vers le tableau.*) Littke doit s'occuper de me trouver, dans son groupe d'armées, des crânes de commissaires du peuple.

FRITSCHE : Je viendrai naturellement avec plaisir vous voir un jour à Strasbourg, Professeur, dans la mesure où on me donnera un ordre de mission à cet effet.

HIRT : Bien sûr ! Je vous changerai les idées : Rien que pour la cathédrale de Strasbourg, je donnerais bien tout Berlin. Vous êtes musicien, à ce que j'ai entendu dire, Fritsche ?

FRITSCHE : Je peux le dire ; Heydrich au violoncelle (*il montre le masque mortuaire. Ils vont devant la photo*), moi à l'alto. Encore peu de temps avant son assassinat, en mars au Hradschin nous avons joué un quatuor.

HIRT (*contemple le masque sans rien dire, puis, à voix basse*) : Oui, Heydrich avait, soit dit entre nous, un soupçon de sang juif dans les veines pour ce qui est de la sensibilité artistique, mais épuré, s'entend, par la rigueur de la composante aryenne. Un homme extraordinaire ! Je l'ai entendu, un jour, déclamer de façon magistrale une nouvelle de Kleist. (*Maintenant, plus haut*) : Oui, merveilleux : vous me rendrez visite. Peut-être un concert à la cathédrale tombera-t-il à ce moment-là, et vous pourrez entendre la Messe en Si mineur : c'est sublime. Le texte, c'est un bredouillis, mais un bredouillis en latin, qui ne tape pas sur les nerfs. Mais le *Gloria*, mon cher : c'est le sommet en soi ! C'est avec ça que je veux fêter, à ma manière tranquille, la victoire finale. Oui, rien qu'avec la Messe en Si mineur. Mais à Strasbourg, nulle part ailleurs qu'à Strasbourg ! Et pas de discours, pas de discours après pareille offrande. Mais ensuite, une fois seulement, montrer mes crânes au Führer. Littke !

LITTKE (*empressé*) : Monsieur le Professeur ? (*A Rutta junior qui vient de jouer*) : Voudriez-vous venir au tableau, lieutenant.

RUTTA Junior : Mais bien sûr, très volontiers, donnez-moi la craie.

LITTKE (*à Fritsche, lorsqu'il est près de Hirt*) : Monsieur Fritsche, c'est à vous. A vous aussi, Professeur, vous devez jouer.

HIRT (*prêt à lancer*) : La prochaine boule et je suis mort. Je n'ai pas la main aujourd'hui.

Fritsche est allé jouer, puis revient en avant, vers Hirt et Littke.

HIRT (*sévèrement*) : Êtes-vous aussi musicien, Littke, comme monsieur Fritsche ?

LITTKE (*effrayé, il voudrait bien produire la meilleure impression*) : Non, Professeur, malheureusement pas, à peine.

HIRT (*sévèrement*) : Mais vous n'êtes pas, j'espère, uniquement médecin. Vous avez bien d'autres sujets d'intérêt ?

LITTKE (*sans qu'on croie ce qu'il dit*) : Autrefois, je dessinais fort convenablement, Professeur, j'avais...

HIRT (*réconcilié*) : Bien, très important. Entretenez votre main ! Un chirurgien doit savoir dessiner, doit... (*Il ouvre une bouteille de bière*) ... ou devrait, je me dis, avoir la main sûre, la main d'un bourreau ! Vous pourriez dessiner mes crânes, et la cathédrale, et les toits pittoresques — Gœthe les a déjà dessinés — mais d'abord vous devez (*c'est dit avec la cupidité d'un philatéliste*) m'apporter encore des crânes. Vous êtes en somme la chance, la dernière chance de la Science, Littke. On a encore très peu de crânes de commissaires politiques utilisables !... Et à quoi peut servir encore l'ordre supérieur concernant les commissaires? (*Il verse aussi de la bière à Littke, mâche et parle*) : Vous recevrez des ordres directs du Reichsführer Himmler ; le commandement de votre groupe d'armées ne s'y opposera pas. Tout ce qui sera ramassé là-bas dans l'avenir, en fait de commissaires judéo-bolchéviks...

LITTKE : Mais ne faut-il pas qu'ils soient Juifs, Professeur ?

HIRT : Absolument pas, non ! Il faut qu'avant tout ils soient commissaires politiques. Il est tout à fait indifférent qu'ils soient Russes ou Juifs. Naturellement les Juifs sont plus intéressants que les autres. L'essentiel : à l'avenir, vous ne devez pas liquider un commissaire immédiatement, mais le remettre vivant à l'état-major de la Feld-Gendarmerie au Quartier général de votre groupe d'armées. Vous avez une voiture personnelle avec chauffeur, et vous êtes seul responsable de la sauvegarde du matériel. Et surtout (*d'un ton anxieux, extrêmement pénétrant et prudent*), surtout ne pas abîmer la tête. Pour l'amour de Dieu, ne pas la blesser ! Je vous donnerai à emporter des formulaires, sur lesquels vous noterez, dans la mesure du possible, s'entend, l'origine, la date de naissance et les autres renseignements personnels. Puis, vous vous occuperez des mensurations et des documents photographiques et anthropologiques. Ensuite seulement, vous liquiderez le Russe. Vous séparerez la tête du tronc...

LITTKE (*avec des sueurs froides*) : Certainement, Professeur. Puis-je me permettre de vous demander, avec le plus grand respect, si... c'est moi (*il hésite, parce qu'il craint à nouveau de produire une mauvaise impression*) qui devrai me charger de l'exécution après les mensurations.

EICHMANN : Professeur, le service est le service. A vous de jouer.

HIRT (*à Littke, en se rendant au point de départ*) : Bah ! La Gendarmerie résoudra le problème. Ne vous faites pas de mauvais sang, Littke. Oui, j'arrive, j'arrive. C'est, je le crains, le dernier coup avant le cercueil.

Il joue : on pousse des cris de joie, car Hirt est " mort ". Cris provenant de l'arrière-plan.

" Professeur, un tour d'honneur !
" O, ma calme vallée, je te salue mille fois.
" Pas cette bière de guerre qui n'est que de la pisse d'âne ! "

HIRT : Oui, bien sûr. Helga, qu'y a-t-il ? Reste-t-il encore du raide ? pour tout le monde ?

HELGA : Vous buvez aussi ? Pourtant, vous êtes mort !

Elle sert. Eichmann a entonné une chanson que presque tous les autres reprennent.

" O ma verte vallée, je te salue mille fois, car ils portaient un mort hors des murs de la ville... "

RUTTA Senior (*s'efforçant de se mettre au diapason, déclame des vers de commis-voyageur*) :

" Que bravoure et vertu guident toujours tes pas
Et si à l'occasion t'as du vent dans les voiles
Ne te dégonfle pas. "

On continue à jouer avec une ardeur accrue.

RUTTA Senior (*au buffet avec Hirt*) : ... Suis très content, Professeur Hirt, de vous rencontrer un peu ici, je suis las de n'être encore et toujours qu'un spécialiste. Culture générale. C'est au fond, même à l'heure actuelle, pendant la guerre, mon but. Nous autres, les industriels, sommes beaucoup trop pris par les choses matérielles et ne pouvons, pour ainsi dire, que lire les statistiques... Dites-moi, dans quel dessein faites-vous, à Strasbourg, votre collection de crânes ? Qu'espère la Science ?

HIRT : On est des idéalistes, Baron, et ne commencez surtout pas par demander le but. Même à l'heure actuelle, le véritable scientifique ne doit pas être prisonnier des seules considérations utilitaires. Mais savez-vous qu'avec des photos et des mesures de la tête et enfin du crâne, je peux accomplir des recherches d'anatomie comparée, très précises. L'appartenance raciale, les phénomènes pathologiques de la morphologie et des dimensions du cerveau seront ramenés à une formule, et nos descendants pourront savoir plus tard comment la solution définitive du problème juif s'imposait tout naturellement par des arguments scientifiquement incontestables.

RUTTA Senior : C'est absolument évident, naturellement.

HIRT : Vous allez assez souvent à Auschwitz, Baron ?

RUTTA Senior : A l'occasion, je vois là-bas ces messieurs de l'I. G. Farben. Le bâtiment pour Krupp en est seulement au stade des plans.

HIRT : Parfait. Parfait. Votre intérêt me comble. La prochaine fois que vous serez à Auschwitz, transmettez au docteur Beger, commandant S. S. Bruno Beger (oui, prenez-en note), transmettez-lui le bonjour de ma part. Il vous montrera ses squelettes. Exceptionnellement intéressant. Ainsi que les personnes sur lesquelles il est en train de travailler. Il vous montrera soixante-dix-neuf Juifs, trente Juives, deux Polonais et même quatre Asiatiques bon teint, en quarantaine. Ah ! Ah ! voilà qu'arrive ce cher collègue qui me blague parce que moi, en tant que pathologiste... Qu'y a-t-il de nouveau, collègue ? Il bourlingue toujours autour de la table, narquois, avec la tête de qui ne dit jamais tout ce qu'il sait. Que savez-vous donc, espèce de scélérat endurci ?

LE DOCTEUR (*très charmant, et " défaitiste "*) : Je ne sais rien du tout, seulement que mon travail a été tout aussi inutile que n'importe quel héroïsme.

HIRT (*avec une conviction d'autant plus grande qu'il est fort éméché*) : De quoi ? La science n'est jamais... n'est jamais, jamais inutile !

LITTKE : Baron Rurra, au départ, s'il vous plaît.

HIRT : Bon, allez-y, j'ai fini, ceux qui sont morts sont bien heureux. Bonne chance, Baron.

RUTTA (*allant vers le départ, avec une feinte stupéfaction*) : Personne n'a encore renversé les neuf quilles ? Quels héros nous faisons ce soir !

HIRT : Il était plutôt piqué, après votre méchant refrain !

LE DOCTEUR (*amusé*) : Ce pisse-froid ! C'est ce que j'espérais. Je voudrais bien un jour le disséquer vivant avec ses ciseaux à coupons... Qu'est-ce qu'il peut gagner à la guerre, en moyenne, par jour ?

HIRT : Foutez-lui la paix à ce jean-foutre. Vous avez naturellement blessé en lui le catholique. Noblesse rhénane !

LE DOCTEUR : Oui, vénérien depuis l'an 1018, preuves en main, n'est-ce pas ? Oui, il écrit encore dans son Grand Livre : avec Dieu ; avec Dieu, pour le Führer et pour le peuple et pour le dividende.

HIRT (*riant*) : Vous êtes bougrement vache, ce soir. Toujours est-il qu'il a fait un fils magnifique. J'attends encore vos enfants, mon cher...

LE DOCTEUR : Idéaliste, comme je suis, récemment, je me suis moi-même stérilisé. Je voulais voir ce que c'est.

HIRT : Sérieusement, jusqu'où êtes-vous allé dans cette voie ?

LE DOCTEUR (*objectif, mais désinvolte*) : Quant à moi, ça peut marcher. Chez les femmes, c'est sans souffrance et par des procédés de série. On avait surtout pensé aux Juives mariées à des Aryens. Je pourrais les stériliser à la chaîne.

HIRT : Réellement ? Alors, je vous félicite !...

LE DOCTEUR : Félicitez ces dames. Il faut dire qu'on n'ose pas d'emblée s'en occuper. Au ministère de la Propagande, le 6 mars, on a eu des scrupules à dissoudre d'autorité ces mariages, car il fallait craindre une protestation du Vatican.

HIRT : Une protestation du Vatican ? Comment ça ?

Rutta est revenu.

LE DOCTEUR : Pensez donc que ces mariages, dans beaucoup de cas, ont été bénis par des prêtres de l'Église du Christ.

HIRT : Et Gœbbels craint le Vatican ?

LE DOCTEUR : Un vieux Jésuite n'oublie pas à quel point Rome est puissante.

Tous trois rient et Rutta rit jaune, car il n'aime pas cette plaisanterie.

RUTTA : Le Groupe Armement du Reich a d'autres problèmes. Mais même à l'heure actuelle, je peux être, en tant que Rhénan, un bon catholique : le Pape par son attitude sage m'évite d'être un mauvais Allemand. Il ne se mêle — je veux dire — en rien des affaires intérieures de l'Allemagne.

Eichmann s'approche, le Docteur va à la rencontre d'Helga, qui parlait avec le jeune Rutta, et l'entraîne vers le point de départ. Helga joue.

HIRT : Pacelli, Baron, est un gentilhomme, bien sûr. Le fait d'avoir conclu le Concordat après la prise du pouvoir par Hitler était sans prix pour nous. Car, pensez à Galen, ce bavard : je me suis extrêmement ému de ce que le Führer ait empêché l'euthanasie pour faire plaisir à ce misérable agitateur en chaire.

EICHMANN : Lorsque nous avons voulu l'emmener pour un interrogatoire, le vieux renard a mis ses ornements sacerdotaux, crosse en main, et mitre en tête (c'est déjà normalement un géant, dans le genre du monument d'Arminius). « Je n'irai qu'à pied, je ne monterai pas de plein gré dans votre voiture. » Alors, la Gestapo est repartie, elle redoutait avec raison les habitants de Münster. Quels cris le peuple aurait-il poussés ! Je trouve génial de la part du Führer de respecter en temps de guerre les sentiments religieux du peuple. Mon père, par exemple, est un prêtre, de la communauté évangélique de Linz : lui non plus n'a pas compris qu'on ait voulu se débarrasser des malades mentaux. Provoquer les gens en temps de guerre, pourquoi faire ? Nous avons le temps, ça ne nous coûte rien.

RUTTA (*riant*) : Oh ! ça coûte toutes sortes de choses à l'économie nationale, Monsieur Eichmann, d'avoir encore à nourrir les malades mentaux ! J'oserais même dire que le Juif, aussi longtemps qu'il est capable de travailler, devrait être et rester nourri. Car, Messieurs, nous le voyons tous les jours : un seul Juif est plus utilisable dans la machine de guerre que deux Ukrainiens, et tout cela parce qu'il nous comprend. Il parle tout de même notre langue et ne sabote pas son travail. Et il revient moins cher aussi : il n'y a pas besoin d'aller le chercher à trois mille kilomètres...

EICHMANN : Va-t-on toujours chercher des Ukrainiens ? J'entendais dire, pourtant, qu'on faisait maintenant l'inverse, Baron : ce n'étaient plus les Ukrainiens qui allaient chez Krupp, mais Krupp qui allait en Ukraine.

RUTTA (*rusé, mi-horrifié, mi-flatté, montrant les autres*) : Je vous en prie, Messieurs, la plus grande discrétion est de rigueur. Vous pouvez bien penser que le jeune Bohlen, Flick, Rochling et l'Union sidérurgique (Dieu le sait) n'ont pas envie d'aller investir des capitaux en Russie : ça je vous l'affirme. Un pareil parrainage coûte les yeux de la tête. Ce qu'il faut investir, je vous le dis !

HIRT (*rit fort, puis dit d'une voix sourde, au moment où Rutta met le doigt sur sa bouche*) : N'est-ce pas, Eichmann, que nous aussi, nous aimerions bien gratter notre petit bout de Bassin du Donetz ?

Des rires. Pryzilla, qui a joué, est resté derrière Rutta, puis il va vers le buffet.

HIRT (*si fortement éméché qu'il a oublié qu'il devait être " discret ", appelle Pryzilla*) : Regardez-le, celui-là, dès qu'on parle de partager il est là. Eichmann, n'aurons-nous pas notre part ? Venez, buvez encore un coup...

PRYZILLA (*parle d'une manière dure, saccadée, décousue*) : Baron, êtes-vous allé en Ukraine, avec Alfried Von Bohlen, et le conseiller commercial Rochling ?

RUTTA (*froid, ironique*) : Mais non, Docteur, non, non. Ne surestimez pas, je vous prie, mes rapports avec ces messieurs haut placés. Je n'ai rien à faire avec Krupp directement...

PRYZILLA (*agressif*) : Alors, laissez-moi vous dire qu'Alfried Von Bohlen saura bien mettre des hommes à lui dans les postes officiels allemands à pourvoir en Ukraine. Personnellement, je le sais avec précision. Ce que cela signifie, vous le savez, Baron. Le nom de Krupp suffit parfaitement ! Tout le monde fait la chasse aux meilleures industries pour qu'existe déjà, en quelque sorte, un fait accompli, si plus tard on doit partager.

RUTTA (*glacial, condescendant*) : Mais, cher Docteur, je ne sais pas ce qui vous irrite de la sorte. Monsieur Von Bohlen...

PRYZILLA (*tremblant d'indignation, profère les syllabes d'une façon encore plus saccadée*) : Savez-vous que l'Union est déjà installée ? L'U-ni-on est à Stalino déjà établie. Les Krupp inspectent Dniepropetrovsk, donc les entreprises Molotov. C'est idéal, i-dé-al !

RUTTA (*avec un orgueil illimité*) : Oui, oui, mais pourquoi pas ? Je ne vois pas...

PRYZILLA : Nous autres, au ministère, excusez, nous visons aussi le bien du Reich, le bien de l'État. C'est le peuple qui paie de son sang. Le peuple doit, lui aussi, profiter de cela. Et pas seulement les firmes privées. Qu'est-ce qu'il restera — si on partage dès maintenant — pour, disons, les Aciéries nationales Gœring ? Qu'est-ce qui restera pour, disons, Volkswagen ? Qu'est-ce qui restera pour, disons...

EICHMANN (*très haut*) : Un moment ! Silence, Messieurs. S'il vous plaît, silence pour une fois ! Alerte !

On entend des sirènes dans le lointain. Tous écoutent, puis quelques-uns se lèvent avec précipitation. A présent, le grand hurlement de la sirène de Falkensee entre en action. Eichmann est venu au premier plan.

SERGE (*va vers lui*) : Colonel, je vous remercie de votre hospitalité. J'ai été très heureux de pouvoir parler avec le baron, mais à présent — ma famille, rue de Wilmersdorf — je peux, je voudrais maintenant prendre congé...

EICHMANN (*lui donne la main*) : J'ai été très heureux. Mais voulez-vous vous lancer au milieu de l'attaque, Colonel ?

PRYZILLA (*rapidement, à Serge*) : M'emmenez-vous avec vous, Colonel ? J'habite à Charlottenburg, et je veux absolument... Heil Hitler, Monsieur Eichmann ! Baron, vous couchez bien ici, à Falkensee ? Je vous téléphonerai demain, vers neuf heures.

RUTTA (*d'un ton glacial*) : Oh ! je vous en prie, Docteur, Mais, comme je l'ai dit, je n'ai aucune sorte d'information. Heil Hitler ! Heil Hitler, Colonel Serge. Au revoir, à Essen.

PRYZILLA (*pivote sur lui-même et dit à plusieurs reprises d'une voix saccadée*) : Heil Hitler, Heil Hitler, Heil Hitler...

SERGE : Bonne nuit, Messieurs.

Ils sortent tous les deux. Litke et Salzer n'ont pas reparu. Le Docteur et Helga ont disparu juste au moment où la sirène se déclenchait.

RUTTA Junior : Ce soir, les avions sont à l'heure. Père ! C'est diablement enfumé ici. Je vais devant la maison avec Monsieur Fritsche. Je suis curieux de savoir comment ils s'y prennent pour aborder Berlin. Veux-tu m'accompagner ?

RUTTA Senior : Oui, je vais seulement chercher mon pardessus.

HIRT (*d'un ton fortement enivré leur crie*) : Voyez donc où sont passés le Docteur et Helga, qu'ils n'attrapent pas tous deux un rhume de cerveau. (*Il rit vulgairement, puis tape sur l'épaule d'Eichmann.*) Je vais jouer encore une fois, aucune bombe ne peut tomber ici. Je ne m'énerve pas, moi, je joue.

EICHMANN : Oui, jouez, Professeur, je suis de la partie.

Il s'est tourné vers Gerstein, qui vient d'entrer dans la pièce, et a entendu les paroles de Hirt à propos d'Helga.

GERSTEIN : Mon Colonel, je reviens de mission spéciale, Treblinka, Belzec, Majdanek. Vous voulez absolument me parler aujourd'hui ?

EICHMANN : Oui, bougre de Gerstein. Où étiez-vous ? Je suis curieux de les avoir. Est-ce que ça a marché ? (*S'adressant à Hirt, qui s'est approché, une boule à la main*) : Lieutenant Gerstein — Professeur Hirt, de l'Université de Strasbourg. Monsieur Gerstein est médecin, ingénieur, et directeur du service technique de désinfection. Il a, les années passées, enrayé les poussées de typhus exanthématique dans nos casernes.

HIRT : J'ai entendu parler de cela, mon cher, vous êtes un génie de la technique ! Je suis très heureux de vous rencontrer. Heil, Monsieur Gerstein !

GERSTEIN (*plein d'arrière-pensées*) : Heil Hitler, Monsieur le Professeur. Quand ferez-vous enfin imprimer, pour le cercle des spécialistes, une publication sur votre collection de crânes ?

HIRT : A quoi pensez-vous ? Ce serait beau. C'est le rêve de ma vie, mais malheureusement je dois encore garder le secret.

GERSTEIN : Ah, on exagère : vous devriez tranquillement imprimer une brochure pour les patrons de Faculté.

HIRT : Je suis très heureux de l'intérêt que vous y portez : je vais essayer...

EICHMANN : Au fait, Messieurs, Gerstein a été à Belzec pour voir si nous ne pourrions pas exterminer les Juifs avec plus de facilité, et surtout plus rapidement, avec du zyklon B.

HIRT : Je pensais que vous le faisiez à l'oxyde de carbone.

GERSTEIN : Jusqu'ici oui, mais ce gaz d'échappement de Diesel est inutilisable : les générateurs sont (*d'une voix tranchante, qui va en s'indignant*) constamment en panne. J'en ai été témoin, mon Colo nel : des hommes ont attendu près de trois heures, dans les chambres à gaz, que les moteurs Diesel soient mis en marche. Et puis, c'est impensable, ils ne mouraient qu'au bout d'une demi-heure !

Eichmann en reste muet d'indignation.

HIRT (*s'écrie*) : C'est atroce, mes enfants ! Faites-le donc de façon humaine ! Pourquoi ne les abattez-vous pas tout simplement d'un coup de fusil, comme en Russie.

EICHMANN (*avec agitation et sans pédanterie*) : Les exécuter au fusil, avez-vous dit, Professeur ? Essayez donc de fusiller quarante wagons d'êtres vociférants ! c'est-à-dire... ils crient rarement. La plupart ont, devant les fosses, une attitude fataliste et ne savent qu'ouvrir de grands yeux... qu'on leur ait réellement fait ça ! C'est encore pire ! Leur attitude est, en masse, tout simplement aryenne. Pensez qu'il y a là la grand-mère avec son petit-fils sur les bras ; la petite jeune fille qui fait penser à la première jeune fille qu'on a déshabillée, alors qu'on était encore à l'école. Et la femme enceinte ! Les fusils ? L'homme le plus solide ne pourrait pas tenir le coup moralement, même s'il avait 90 % d'eau-de-vie dans le sang. Non, les fusiller, c'est impossible. Ça empêche de dormir et ça rend impuissant, Professeur. Nous en avons bien, en Europe, huit millions à opérer, et cela d'ici la fin de la guerre.

HIRT (*sur un ton plaintif*) : Il faut trouver un moyen plus efficace. De toutes façons, ça ne peut pas continuer de la manière qu'a décrite Gerstein ! Impossible ! Vous devriez vous en remettre à un médecin pour tout cela, Eichmann.

EICHMANN : C'est pourquoi Gerstein vient de faire un essai avec l'acide prussique. Comment ça a marché, Gerstein ?

GERSTEIN : Mon Colonel, je n'ai pas pu faire l'essai.

EICHMANN (*avec agitation*) : Ah oui, c'était pourtant l'ordre que vous aviez ! Vous n'avez pas même essayé ?

GERSTEIN : Ce n'était pas possible, mon Colonel. D'abord le capitaine Wirth, à Belzec, s'est opposé à ma demande. Il m'a instamment prié de ne présenter à Berlin aucune requête de modification de son installation.

EICHMANN : Mais c'est insensé ! Voilà déjà un an (oui, c'était en septembre) que j'ai donné l'idée à Höss, à Auschwitz, d'essayer le Zyklon B sur six cents Russes. Nous avons calfeutré hermétiquement, avec de l'argile, les fenêtres du bloc disciplinaire et nous avons lancé les cristaux par la porte...

GERSTEIN (*qui se reprend violemment*) : Mais, au cours de ce... ce jour-là, mon Colonel, ainsi que le capitaine Wirth me l'a dit hier, quelques Russes ont résisté jusqu'au lendemain après-midi.

EICHMANN : Voyons, Gerstein, c'était la première fois que nous essayions ! Ce n'est pas sorcier d'aller vite. La chambre était bourrée de Russes, comme une caque de harengs.

Il se tait, il a désigné le haut-parleur, derrière lui, qui transmet maintenant la nouvelle suivante :

« Attention, attention. Annonce d'alerte aérienne : la formation légère de combat anglaise, survolant la région d'Osnabrück et faisant route vers le sud-est, s'approche de Hanovre. L'unité lourde de combat, volant du sud-ouest vers Berlin, a atteint la zone de barrage de la capitale du Reich. »

EICHMANN : Ça devient un inquiétant feu d'artifice. Quelle idée les autres ont-ils eue de rentrer à Berlin ? C'est idiot ! Où est Helga ?

HIRT (*hilare*) : Demandez donc au Docteur où elle est... Il voulait l'aider à porter sa valise dans la cave... Elle voulait encore se mettre à trier le linge !... (*Il bâille comme une benne à ordures, boutonne son uniforme, s'assied dans un fauteuil, les jambes sur une chaise. Il dit d'une voix très ensommeillée, plutôt pour lui-même*) : Est-ce que ça commence déjà à ronfler ? Quand les autres vont-ils enfin descendre ?

EICHMANN (*à Gerstein, d'un ton de reproche*) : Votre voyage a donc été complètement inutile ?

GERSTEIN (*avec assurance*) : Pas du tout, mon Colonel. L'acide prussique était d'ailleurs déjà en décomposition; je n'aurais pas pu faire l'essai. Il a été enterré sous ma surveillance... Mais, dans le propre domaine de mes affaires, de la désinfection, je pus...

Le grondement des unités de bombardiers survolant Berlin s'accroît de plus en plus. Puis, tout à coup, on entend le crépitement des batteries anti-aériennes faisant barrage autour de la capitale. La lumière vacille, s'éteint, se rallume. Eichmann, d'un geste inquiet, désigne le plafond. Personne ne parle.

EICHMANN (*méfiant, et même un peu ironique*) : De l'acide prussique que vous avez reçu la semaine dernière sortant de fabrique, ne doit pas se décomposer si vite. C'est étrange, Gerstein !

GERSTEIN (*soutient son regard et commence une longue explication*) : Voyez-vous, mon Colonel, si l'acide, par suite de la forte chaleur et du transport — du transport là-bas avec les routes polonaises défoncées... c'est seulement une fois que...

EICHMANN (*lui pose la main sur l'épaule*) : Oh oui, je ne doute pas de votre démonstration, c'est vous le chimiste, pas moi. Mais avouez, Gerstein, que vous, ancien déporté, ne le prenez pas en mauvaise part, (*riant*) avouez que vous n'étiez pas fâché de ne pas pouvoir expérimenter le matériel !

GERSTEIN (*avec une indignation absolument* " *authentique* ", *très* " *service* ") : Mon Colonel ! Si je dois interpéter votre allusion à ma détention en camp de concentration comme une preuve de méfiance, je vous demande d'intenter contre moi une action disciplinaire. (*Très vite, comme Eichmann effrayé fait signe que non, et apparemment profondément peiné*) : Je croyais qu'après le travail accompli dans le service de la désinfection, ma période de mise à l'épreuve...

EICHMANN (*sans méfiance*) : Mais Gerstein, ne comprenez-vous pas la plaisanterie ! J'ai en vous une confiance complète. Helga ! Ne pensez plus aux affaires ! Mangez, Gerstein. Helga aura l'amabilité de...

Helga est apparue dans l'escalier, en manteau léger, portant une valise qu'Eichmann lui prend aussitôt des mains.

HELGA : M'avez-vous cherchée ? J'ai téléphoné à mon fiancé à Auschwitz. Le Docteur avait de toutes façons une communication là-bas, alors j'ai pu en même temps parler à Gunter.

Elle sourit, montre Hirt qui ronfle avec délices.

EICHMANN : On l'envie. Il peut dormir comme Napoléon.

GERSTEIN : Bonjour, Mademoiselle, comment allez-vous ?

HELGA : Ah ! Monsieur Gerstein. Bien, si les bombardiers (*elle montre le plafond, puis prépare rapidement pour Gerstein une assiette avec des tranches de pain et de viande*) ne me faisaient pas si peur... Le grondement est terrible ce soir. Monsieur Eichmann, mon fiancé dit que je dois aller à Auschwitz comme auxiliaire dans les transmissions... A cause des alertes, je dois quitter Berlin.

EICHMANN : Eh bien ! Voyons ! Le désir du fiancé est un ordre. Mais nous serons tristes ici... Où sont (*il se détourne nerveusement*), où sont donc...

GERSTEIN (*à Helga*) : Restez à Berlin. Auschwitz n'est... pas pour vous. Ici, à Falkensee, il ne tombera pas de bombes.

La conversation s'interrompt, le grondement est formidable.

EICHMANN (*reprenant le fil*) : Où sont donc les Rutta et tous les autres) ? Ils feraient mieux... Mille tonnerres, ce sont des escadres entières, des centaines...

La lumière vacille brièvement, très claire ; les autres descendent à présent avec précipitation l'escalier, sans le Docteur. A peu de distance, chute d'une torpille aérienne. On entend le sifflement caractéristique qui s'enfle en ouragan.

EICHMANN (*crie*) : Attention !

Au moment de l'impact, la lumière s'éteint complètement.

Rideau

Scène III

Le lendemain matin. L'appartement de Gerstein, Berlin W. 35.
Gerstein, dans un vieil uniforme S. S., se tient sur une échelle, occupé à crépir une longue fissure dans le mur. Il manie une truelle de maçon et prend le mortier dans un vieux seau à marmelade, tout en fumant. Sous l'échelle, il a étendu des journaux.

La pièce porte de nombreuses traces de la dure attaque aérienne de la nuit passée. La lampe renversée est encore par terre; un portrait déchiré a le visage tourné contre le mur. La fenêtre au fond de la scène, donnant sur la rue, est masquée à l'aide de carton; pour le moment, elle est ouverte et permet de voir une maison qui doit être en ruines depuis un certain temps. La fenêtre, sur l'autre mur extérieur de la pièce, à droite de la porte, est intacte, y compris ses rideaux. Un grand tapis est roulé en travers de la pièce. Les meubles simples d'une chambre d'homme sont empilés de telle sorte que le plancher peut être nettoyé des éclats de vitres, de plâtre, de chaux, et des lambeaux de tapisserie.

Un civil d'environ trente ans, qui fait plus vieux que son âge, s'occupe de ce nettoyage : un Juif nommé Jacobson que Gerstein a caché. Il parle prudemment, intimidé, ses mouvements sont maladroits. On remarque que la liberté lui manque. On voit aussi qu'il n'est pas sorti depuis longtemps à l'air libre. Tous deux travaillent en silence, Jacobson fume. On entend — d'une façon à peine perceptible — le bruit de la grand-ville puis, d'abord lointaine puis se rapprochant, la fanfare des Jeunesses hitlériennes.

Gerstein : Pouvons-nous fermer la fenêtre, maintenant ?

Jacobson : Il y a encore beaucoup de poussière. Un instant, je vous prie. (*Il passe dans la pièce voisine, où il va chercher deux seaux remplis de gravats, puis une pelle.*) Maintenant, de l'autre côté, tout est à nouveau propre, ça va très bien comme ça, Monsieur Gerstein, laissez-moi crépir le mur, je n'ai plus rien à faire. La fenêtre est condamnée, personne ne peut me voir sur l'échelle.

GERSTEIN : Merci bien. Oui, si vous voulez, volontiers. Je descends les gravats dans la cour. (*Il descend de l'échelle et ferme la fenêtre, donne la truelle à Jacobson qui monte à l'échelle et commence le travail.*) Diable, Jacobson, j'étais très ennuyé que, cette nuit, vous n'ayez même pas pu aller à la cave au cours de l'attaque.

JACOBSON (*souriant*) : Il est heureux que chez eux mes parents aient encore l'autorisation d'entrer dans la cave. Est-ce que vous pourrez passer devant la maison, pour voir si elle est debout ?

GERSTEIN (*se détournant*) : Je le ferai volontiers, Monsieur Jacobson.

JACOBSON : Merci à vous. Ce n'était pas gai, non, d'entendre les fenêtres voler en éclats à mes oreilles, mais j'aime mieux être tué ici qu'à Auschwitz. Pardonnez-moi, c'est égoïste : combien de temps ça pourra-t-il encore durer dans votre appartement ?

Gerstein lui donne une nouvelle cigarette. Ils ne peuvent plus se parler : les fanfares sont devenues trop bruyantes. Mais à présent la fanfare est terminée et, lorsque la colonne passe à hauteur de la maison, elle entonne la chanson que l'on entend, malgré la fenêtre fermée.

“ Les os pourris du monde tremblent
Devant la grande guerre.
Nous avons brisé les chaînes.
Ce fut pour nous une grande victoire.
Nous continuerons à marcher.
Quand tout tombera en morceaux
Car aujourd'hui c'est l'Allemagne qui nous écoute,
Demain ce sera le monde entier [1]. ”

GERSTEIN (*plein de dégoût, après un bref regard dans la rue*) : Ils ne savent rien faire sans musique. A Auschwitz, il y a maintenant un orchestre, des Juives de Vienne, qui doivent jouer des valses viennoises quand on choisit les victimes pour la chambre à gaz. (*Tous deux se taisent. Au bout d'un moment, Gerstein dit, rassurant*) : Avant que la maison ne soit détruite, j'aurai un laissez-passer pour vous.

1. Texte authentique d'un chant de la Jeunesse hitlérienne.

Il est impensable qu'on vienne vous chercher ici, dans mon appartement. A moins que je ne devienne moi-même suspect, en tant qu'ancien interné. (*Riant*) : Vous êtes un peu trop noiraud pour figurer le Suédois moyen, mais jusqu'ici, je n'ai pas pu approcher un Espagnol ou un Italien.

JACOBSON (*en crépissant le mur*) : Si vous retournez chez le Suédois, ici à l'Ambassade, faites-vous établir plutôt un passeport pour vous-même. Allez en Suède. Seule, votre femme saura où vous serez si mystérieusement parti. Au bureau, on vous tiendra simplement pour disparu.

GERSTEIN (*s'arrête devant la porte et se retourne*) : Émigrer tout simplement, alors que je vois à chaque heure des hommes mourir dans les chambres à gaz ? Aussi longtemps que je garderai le moindre espoir de pouvoir sauver même un seul d'entre vous, je prendrai le risque de rester ici. Quitte à être confondu, plus tard, avec les tueurs !

JACOBSON : Votre démarche auprès du Nonce était le dernier risque que vous pouviez prendre. Passez donc en Angleterre par la Suède. Ici, on a déjà dû, vraisemblablement, vous soupçonner.

GERSTEIN (*sourire de sphinx*) : Me soupçonner ? Non, pas moi. Personne ne l'a encore fait. Peut-être me surveille-t-on ? J'en ai souvent peur, surtout à cause de ma famille et de vous.

JACOBSON : Il faut téléphoner à votre femme avant que le communiqué des Forces armées annonce que Berlin a été bombardé. Ne lui dites pas comment l'appartement a été démoli. Elle se fait assez de soucis à votre sujet.

GERSTEIN : J'appellerai Tübingen de mon bureau. J'aurai la liaison tout de suite. J'espère pouvoir aller chez moi pendant le week-end. Au fait, vous mangez à votre faim ?

JACOBSON : Oui, merci, tout à fait.

GERSTEIN : Il faut me dire réellement si vous avez faim. Vous savez bien que vous ne me privez pas. J'ai des rations suffisantes à mon bureau.

JACOBSON : Merci, Monsieur Gerstein. Mais pourriez-vous me rapporter deux nouveaux livres ? Voici de l'argent... (*Il a sorti son porte-monnaie.*) Pouvez-vous essayer encore une fois de me procurer une grammaire russe ?

GERSTEIN : Ah oui, gardez l'argent jusqu'à ce que je sache combien elle coûte. J'en trouverai bien une d'occasion. Continuons.

Jacobson prend la truelle. Gerstein soulève les seaux pour les descendre. Juste au moment où Gerstein va quitter la chambre, on sonne à la porte du couloir. Tous deux deviennent visiblement nerveux. Jacobson sans un mot saute à bas de l'échelle et disparaît dans la pièce contiguë. Gerstein tire la porte derrière lui. On sonne encore une fois, Gerstein sort, on l'entend ouvrir la porte du couloir et dire :

GERSTEIN : Heil Hitler ! Ah ! c'est vous, Docteur ?

LE DOCTEUR : Dieu vous garde, Gerstein. Vous avez entendu ? épouvantable !...

GERSTEIN : Qu'est-il donc arrivé ?

Il l'a fait entrer dans le vestibule. Il ferme la porte, on entend des pas rapides. Ils entrent dans la chambre. Le Docteur est vêtu d'une élégante cape noire, retenue par une broche et une chaîne d'argent. Il est hors d'haleine.

LE DOCTEUR : Votre radio a été bombardée, elle aussi ? Oui, vous ne savez pas, alors...

GERSTEIN : Parlez donc, Docteur, je n'ai aucune idée.

LE DOCTEUR : L'attentat contre Hitler ? Goering et Himmler étaient à bord de l'avion qui s'est abattu.

GERSTEIN (*bouleversé par cette nouvelle, sincèrement troublé*) : Pour l'amour de Dieu ! Tous les trois ? Ce n'est pas possible, Docteur ! Aucun de sauvé ?

LE DOCTEUR (*ricanant diaboliquement*) : Sauvé ? Si ! Devinez qui...

GERSTEIN : Qui ?

LE DOCTEUR : L'ALLEMAGNE !

Son rire démoniaque résonne comme un chargement de tôle ondulée. Gerstein s'est laissé tomber sur une chaise, d'abord terrifié de l'incursion du Docteur, deuxièmement déconcerté par la désillusion du démenti.

GERSTEIN (*lentement*) : De telles plaisanteries, Docteur, ne sont pas drôles.

LE DOCTEUR : Allons, est-ce drôle, peut-être, que l'on vous ait arrangé votre appartement avec tant de style ? La maison de mon amie est détruite jusqu'à la cave.

GERSTEIN (*en amenant une deuxième chaise près de la table*) : Asseyez-vous, Docteur, c'est aimable d'être venu.

LE DOCTEUR (*encore ses deux bras sous la cape*) : Non merci, je n'ai pas le temps, je ne m'assiérai pas. J'ai essayé de vous appeler. Votre téléphone semble avoir été atteint, lui aussi ! Je pars demain matin pour Tübingen et vous offre une place dans ma voiture. Vous serez de cette façon plus vite dans votre famille et nous pourrons palabrer en paix. Vous êtes le seul avec qui ça vaille la peine.

GERSTEIN (*souriant pour cacher son angoisse*) : Comment ça, le seul ? C'est trop gentil de votre part.

LE DOCTEUR : Le seul. Nos collègues sont, sans exception, des ivrognes abrutis, de lourds hétérothermes allemands, à la rigueur des intelligences techniques. Je voulais partir à sept heures, c'est d'accord ?

GERSTEIN : Très bien, je serai devant la porte, si elle est encore debout demain matin ! Quel motif vous conduit à Tübingen ? Voulez-vous toujours être professeur de Faculté ?

LE DOCTEUR (*s'est assis, se relève aussitôt*) : Doucement, doucement, je dois d'abord soutenir ma thèse.

GERSTEIN : Aurez-vous la possibilité d'utiliser le résultat des expériences que vous avez tentées à Auschwitz ? Je vous pose la question à cause du caractère secret de ces expériences.

LE DOCTEUR (*perdu dans ses pensées, regarde le tableau déchiré*) : Ah ! mais non — pas en tant que médecin. C'est en tant que philosophe que je veux être nommé à Tübingen. La médecine, ce n'est que mon métier, pas mon plaisir. D'ailleurs les expériences humaines faites sur des prisonniers ne sont pas tellement secrètes. Récemment, ici, à Berlin, au mois de mai, des grosses nuques et des prébendiers, y compris l'Armée de Terre et de l'Air, ont été invités à prendre part à la démonstration. Même le grand Sauerbruch a fait un laïus... A propos... En guise de fleurs, est-ce que je peux... (*A l'improviste, il a sorti sa main dissimulée sous sa cape. Il tenait sous son bras un bocal de verre, ayant un peu la forme d'une bombe glacée. Il montre dans la préparation une matière organique d'un gris blanchâtre, le cerveau de deux enfants juifs jumeaux, à Gerstein, horrifié, qui ne cache pas sa répugnance. Le Docteur, qui s'est arrêté de parler en regardant le bocal, reprend négligemment*) : déposer... ces cerveaux chez vous ? Une préparation de matière cérébrale, trempée dans du formol, de deux petits jumeaux de Calais; coupes comparatives tout à fait intéressantes. Je voulais apporter les cerveaux à une amie, qui doit justement faire son premier cours de préparation histologique. Mais voilà, la maison a été détruite par le bombardement, et je n'ai aucune idée de l'endroit où les cours de première année ont été repliés. J'avais déjà fourni récemment un crâne à cette amie; maintenant, il est certainement enterré sous la maison.

GERSTEIN : Ainsi, votre petit présent... des cerveaux de jumeaux.

LE DOCTEUR : Dès que je saurai si elle vit encore, je pourrai venir chercher l'objet chez vous, n'est-ce pas ?

GERSTEIN (*prend en hésitant le récipient, hésite aussi à le poser sur la table et le place sur une chaise*) : A Auschwitz, c'est sûrement plus facile à obtenir que les fleurs ?

LE DOCTEUR (*Il ne paraît que railleur*) : Cela vous révolte beaucoup, témoin du Christ ?

GERSTEIN (*torturé*) : Oh ! Je sais ce que vous faites... c'est effrayant.

LE DOCTEUR : Mais dites-moi, ça m'intéresse; comment est-il encore possible, de nos jours, de concilier cela : être intelligent et être, malgré tout, chrétien ?

GERSTEIN (*avec une prudence totale, lentement*) : Il y a la position de Bismarck qui, après une jeunesse vide, à la Byron, cherchait un détour d'intellectuel : aller à Dieu par le néant. C'est ce qu'il disait. Et, bien sûr, je n'en sais pas davantage, moi non plus. Je crois que notre ultime sagesse est de rester à un certain stade de l'évolution, tout en étant pleinement conscients.

LE DOCTEUR : Et c'est cela qui a permis à Bismarck de machiner en toute tranquillité trois guerres ? Et il a su qu'il se trompait lui-même — tous les grands hommes ont su qu'il y avait un élément illusoire dans leurs schémas conceptuels, même Hegel. Et vous, aujourd'hui, vous le savez aussi : celui qui dit ce qu'il pense perd la vie; celui qui pense ce qu'il dit n'a pas de bon sens.

GERSTEIN (*riant*) : Alors, je n'en ai pas. Je pensais ce que je vous ai dit et je dis toujours ce que je pense.

LE DOCTEUR (*près de lui, diabolique*) : Parfois, Gerstein, parfois... Gros malin ! Je ne m'y trompe pas. Qui dupez-vous réellement ? L'Église et vous-même ? ou bien nous, les S. S. ?

GERSTEIN (*pressent qu'il n'est pas à la hauteur de l'interrogatoire. Il fait donc comme s'il montrait confidentiellement ses cartes, il joue l'idéaliste un peu ahuri*) : Comment ça, duper ? Je dis ce que je pense. Laissons le chrétien de côté, Docteur; bien sûr, je suis chrétien, et même avec la bénédiction d'Himmler. Mais faut-il donc être chrétien pour avoir des doutes ? (*Changeant de conversation*) : Voyez-vous, avant-hier, j'ai reçu une nouvelle : mon cousin a été massacré en Russie par des partisans. Or lorsque nous nous enfoncions en Russie, il n'y avait pas de partisans. Celui qui est réellement fidèle au Führer...

LE DOCTEUR (*machiavélique*) : Comme vous ! Aussi fidèle que vous, Gerstein !

GERSTEIN (*à peine déconcerté*) : Comment ? Oui, mais je ne peux pas le lui dire. La politique raciale exclut la politique de conquête. Je l'apprenais déjà en sixième. On choisit l'un ou l'autre : les deux n'ont jamais été compatibles. Alexandre avait marié ses Macédoniens avec les filles des vaincus. Nous exterminons les vaincus. Croyez-vous donc que ce soit une politique d'avenir ?

LE DOCTEUR (*riant, la main déjà sur la poignée de la porte*) : Croire ! Qui croit encore en la foi, bon Dieu ! et en l'avenir ! Comme vous me dévisagez ! Je sais, je personnifie pour vous le principe du mal.

GERSTEIN (*essaie d'échapper en riant à ces pièges*) : Le principe du mal ! c'est de qui ?

LE DOCTEUR (*cite amusé*) : D'Otto Weininger : " Le mal consiste à désespérer de donner un sens à la vie. "

GERSTEIN (*riant*) : Il faudra que je vous dénonce à Eichmann : vous lisez les Juifs viennois.

LE DOCTEUR (*non sans vanité*) : Allons, je les fricasse également. Mardi, j'ai expédié la sœur à Sigmund Freud par la cheminée. (*Son rire caractéristique. Il est déjà de l'autre côté de la porte et crie encore*) : Alors, à sept heures. Je me réjouis d'avance...

GERSTEIN (*dehors*) : C'est très bien que nous ayons l'occasion de nous rencontrer plus longuement. Au revoir, Docteur. (*Il revient lentement dans la chambre, s'appuie contre la porte en respirant profondément, il veut aller voir Jacobson, mais aperçoit le récipient de verre, le prend, ne sait pas qu'en faire et cite*) : " En guise de fleurs. " (*On sonne à nouveau, Gerstein sursaute violemment et dit, sans pouvoir bouger*) : Que me veut-on à présent ! (*Il veut ouvrir, ne peut pas y arriver, et n'y parvient que lorsque l'on sonne pour la deuxième fois. On l'entend dire au-dehors*) : Heil Hitler. Plaît-il ?

RICCARDO : Bonjour, Monsieur Gerstein... (*Gerstein l'a manifestement laissé entrer, on entend la porte se refermer, puis des pas dans le couloir. Riccardo entre dans la chambre, précédant Gerstein et dit, tout aussi embarrassé que lui, et extrêmement réservé*) : Oh, mais le bombardement vous a fait de gros dégâts.

GERSTEIN (*froid*) : Qu'est-ce qui vous amène ici ? A qui ai-je l'honneur ?

RICCARDO (*encore plus gêné*) : Nous nous sommes rencontrés hier à la Nonciature, Monsieur Gerstein...

GERSTEIN (*lui coupe la parole. Il ne veut pas se souvenir*) : Où ? Où, dites-vous ? Je ne vous connais pas, je ne vous ai jamais vu. Qu'est-ce qui vous amène ici ?

RICCARDO (*vivement*) : Je vous ai dit hier chez le Nonce que je viendrais. J'aurais voulu vous suivre immédiatement. Je suis le Comte Fontana et appartiens à la Secrétairie d'État du Saint-Siège.

GERSTEIN (*avec une méfiance évidente, sans le regarder en face*) : Que voulez-vous me dire ?

RICCARDO : Que le Vatican va vous aider, vous et les victimes d'Hitler. J'ai eu honte, croyez-moi, en voyant l'attitude du Nonce. Cependant c'est contre son gré qu'il est resté impassible.

GERSTEIN (*impersonnel*) : Comment pourrais-je croire encore que le Vatican s'intéresse à la souffrance des Juifs ? Depuis les informations de Londres, deux mois se sont bien écoulés sans que le Pape soit intervenu. (*Brusquement*) : Qui venez-vous de rencontrer dans l'escalier ? Avez-vous vu un officier en cape ?

RICCARDO : Oh oui, je l'ai remarqué, mais c'était devant la maison, il montait dans sa voiture.

GERSTEIN (*agité*) : Bon. Bon, il ne vous a pas vu dans l'escalier, c'est le principal. Savez-vous qui vous avez rencontré ?

RICCARDO : J'avais le sentiment qu'il me suivait des yeux.

GERSTEIN (*s'efforce de rester calme*) : Il est vrai que c'est un grand immeuble de rapport. Vous pouviez rendre visite à vingt autres familles. Allons au fait, Comte Fontana. Sans doute le Gouvernement Polonais en exil a-t-il déjà informé personnellement le Pape. Le général des Jésuites à Rome est depuis des années informé de façon détaillée et précise par des agents polonais : depuis des années.

RICCARDO (*embarrassé*) : D'ici ce soir partira une lettre à mon père. Mon père est un des laïques les plus proches du Saint-Siège. Je vous garantis, Monsieur Gerstein, que Sa Sainteté protestera. J'ai l'honneur de bien connaître personnellement le Pape.

GERSTEIN (*presque cynique*) : Usez prudemment de votre garantie ! Vous pourriez vous faire tort, malheureux. Pourquoi n'a-t-il pas sauvé le vieux Lichtenberg, le Prieur du Chapitre de Sainte-Edwige ? Les salauds l'ont mis en prison pour le seul motif que les Juifs étaient inclus dans sa prière. Vos prêtres prient bien pour le Führer. Comment le Pape peut-il ensuite accepter qu'ils soient déportés quand ils prient pour les Juifs ? Il observe; il observe déjà depuis 39. Lichtenberg, dont le temps de détention est écoulé, a demandé à la Gestapo de pouvoir partager le sort des Juifs de l'Est. Êtes-vous au courant ?

RICCARDO : J'ai entendu parler de Lichtenberg, Monsieur Gerstein. Mais je vous en prie, vous devez comprendre que tous ces problèmes douloureux sont nouveaux pour moi... Croyez-moi, le Pape vous aidera, le commandement de l'amour du prochain...

GERSTEIN (*à présent amicalement, le prenant par l'épaule*) : J'ai été tellement déçu dans les espoirs que j'avais fondés sur l'Église. Personnellement, je fais partie de l' " Église confessante " et je suis un ami du pasteur Niemöller, qui est déjà depuis près de cinq ans dans un camp de concentration... Il disait que j'étais un saboteur par nature, et il a très bien compris pourquoi je m'étais faufilé dans la S. S., car ce n'est pas avec des brochures, comme je l'ai fait autrefois, que l'on peut combattre les nazis.

RICCARDO : Vous portez volontairement cet uniforme ?

GERSTEIN : Oui. Il fallait que je — asseyez-vous donc, dans la mesure du possible... ici, s'il vous plaît. (*Il prend deux chaises, les essuie : ils s'assoient. Mais Gerstein se relève bientôt, comme un lion en cage*) : Oui, l'année dernière, on a découvert que j'avais déjà été emprisonné à deux reprises, pour distribution de tracts chrétiens. Je suis allé d'abord en prison, ensuite dans un camp de concentration. J'ai caché cela lorsque je suis entré dans la S. S. J'ai subi les pires avanies; cependant, je fus épargné grâce à une consigne venant de très haut. On me muta : En 1940, j'avais enrayé une épidémie de typhus exanthématique dans les casernes et les camps de concentration : en tant qu'ingénieur et médecin, je suis spécialisé dans ce genre de choses. C'est ce qui me sert actuellement. On me prend pour un fou. Aux yeux des bandits, je suis un mélange de génie technique et d'idéaliste ahuri. Ahuri parce que chrétien : on en rit, et on me laisse tranquillement aller au temple. On sait aussi que des protestants haut placés sont mes familiers. Cependant, (*tout à coup très agité, changeant de ton*) voilà l'explication Comte... comment vous appelez-vous ?

RICCARDO : Comte Fontana...

GERSTEIN : Fontana ! Comte, pourquoi êtes-vous chez moi ? Nous devons pouvoir raconter quelque chose si un collègue survenait maintenant. Ce sont de beaux collègues que j'ai là, tous des assassins portant des titres de docteurs. (*Il réfléchit, puis prend Riccardo par le bras*) : Écoutez, vous parlez parfaitement l'allemand ?

RICCARDO : Enfant, j'ai vécu un certain temps à Königsberg, ma défunte mère était allemande, protestante.

GERSTEIN : (*froid, presque impertinent, mais calmé aussitôt*) : Fort bien : vous êtes un mouchard de la S. S., contre-espionnage à l'étranger, deuxième section, Italie.

RICCARDO (*avale sa salive, blessé, puis, d'un ton tranchant*) : Bon. Cela semble plus qu'invraisemblable. Je suis un Jésuite. Pensez-vous qu'on... qu'on vous croira quand vous réciterez votre fable ?

GERSTEIN (*impénétrable, peut-être heureux de pouvoir dire cela*) : C'est l'explication la plus plausible, mon Père. Vous ne seriez pas le premier religieux qui rende des services occultes aux bourreaux. Au Vatican aussi siège un espion. Le plus proche collaborateur d'Heydrich me racontait qu'il fut contacté par un Père jésuite, mais oui, pour entrer dans la Gestapo, quand il étudiait à Bonn. Himmler est un grand admirateur de votre Organisation : il a conçu l'ordre des S. S. suivant les règles de Loyola, et a étudié, avec le pédantisme qu'il met dans tout ce qu'il fait, toute une bibliothèque jésuitique.

RICCARDO (*blessé*) : Ne pouvez-vous pas connaître le nom du prêtre qui est agent S. S. au Vatican ?

GERSTEIN : Impossible, car je n'appartiens pas à la Gestapo. De toutes façons, il n'y a pas de noms, seulement des numéros matricules. (*Soudain, très inquiet à nouveau*) : Non, tout cela n'a aucun sens si celui que vous avez rencontré revient.

RICCARDO : L'officier en cape noire ?

GERSTEIN : Oui, et ce n'est même pas la peine que j'essaie de le rouler. Je n'y parviendrais pas.

RICCARDO : Qui était donc cet homme ?

GERSTEIN (*épuisé d'énervement*) : Ah ! Ce n'est pas un homme, pas un homme. Vous avez rencontré l'ange de la mort d'Auschwitz. Il n'est venu que pour me faire parler. Son but est de me livrer au bourreau. Laissons cela pour l'instant. Je vous en prie : si on devait sonner à l'instant même, passez aussitôt dans cette pièce. Et ne dites pas un mot. Il y a déjà quelqu'un à côté. (*Rassuré, seulement en apparence*) : Il fallait d'abord que je vous prévienne. Comment me considérez-vous ? Vous trouvez horrible mon jeu déloyal, n'est-ce pas ? Oui, celui qui joue au poker avec des assassins doit singer leurs grimaces.

RICCARDO : Mais pourquoi, Monsieur Gerstein, jouez-vous au poker avec des assassins ?

GERSTEIN : Seul, celui qui est aux commandes peut gouverner. On ne peut éventrer les dictatures que de l'intérieur. Venons *in medias res* : mon intrusion chez le Nonce et chez l'attaché juridique de votre Évêque était un crime de haute trahison... (*Souriant*) qui vous choque.

RICCARDO (*qui ne comprend pas, réservé*) : Comment pourrais-je vous juger ! Cela représentait sûrement pour vous une décision très grave, je pense, ce crime de haute trahison. Vous avez prêté serment à Hitler, n'est-ce pas ?

GERSTEIN : Mon Père, je vais vous décevoir : ce n'était pas une décision, ce n'était pas une torture de ma conscience, pas du tout. Hitler lui-même a écrit : “ Le droit de l'homme prime le droit de l'État. ” Ainsi, avec ou sans serment... un homme qui édifie des usines exclusivement destinées à gazer des hommes doit être trahi — doit être anéanti à tout prix. Oui, à tout prix. Son meurtrier ne serait que son juge.

RICCARDO : Si l'on ferme les yeux sur ce qu'Hitler fait des Juifs et des prisonniers russes...

GERSTEIN (*révolté*) : On ne doit pas fermer les yeux. Comment vous, qui êtes prêtre, pouvez-vous...

RICCARDO : Excusez-moi... Ce n'est pas ce que j'ai voulu dire. Une seule chose me préoccupe, Monsieur Gerstein, autant que l'effroyable destin des victimes : comment est-il possible que cet homme fasse cela, cet homme qui est sans doute le dernier en Europe, et avec l'Europe, à suivre les traces de Napoléon ? Cet homme qui a livré à Kiev la plus grande bataille de l'histoire mondiale, a fait six cent mille prisonniers, et a envahi la France en six semaines, comment lui contester une certaine grandeur !

GERSTEIN : Vous parlez, mon Père, comme les historiens de l'avenir qui peut-être épuiseront réellement en deux phrases le sujet des victimes d'Hitler. Je ne peux pas dire à quel point cela me révolte, me répugne.

RICCARDO : Mon père aussi, bien sûr, considère les victoires d'Hitler avec le plus grand souci. Mais le ministère des Affaires étrangères d'Espagne est passé récemment chez nous, il venait de voir Hitler; il raconta toute une soirée ce qu'il avait vu à la Chancellerie du Reich. Il cherche par toutes les ruses possibles à tenir son pays hors du conflit. C'est un patriote. Bref ! il n'aime pas monsieur Hitler. Mais de quelle façon il parlait de lui ! d'une façon très impressionnante : un homme qui suit sa détermination avec l'intangibilité de l'élu, comme un messie et qui, s'il devait faire naufrage, entraînerait dans sa perte le continent tout entier. Il est déjà parvenu à ses fins : il est déjà un mythe.

GERSTEIN (*ne peut plus l'écouter*) : Pour l'amour de Dieu, ne parlez pas ainsi ! Aucune légende ne s'attachera à son nom, croyez-moi. (*Hésitant*) : Gardez-vous de faire d'un simple criminel, certes de taille, un prince des Ténèbres, uniquement parce que — parce que quelques contemporains insensés et indécis, des ministres, des parlementaires, des généraux, des prêtres, ont livré pour un moment à cette canaille l'Europe tout entière. (*Peu à peu plus convaincant, plus pénétrant*) : Ne nous détournez pas de cette vision : Pensez qu'à chaque heure... je vous en prie, représentez-vous cela : chaque heure coûte la vie à un millier de personnes; des gens sont brûlés avec leur famille, après une mort horrible. Agissez, allez à Rome — si vous n'espérez plus convaincre le Nonce.

RICCARDO : Évidemment... Seulement, comprenez-moi : comment puis-je faire la description de votre personnage ? Qui êtes-vous, qui est mon informateur ?

GERSTEIN : Je comprends : un traître à son pays est trop suspect aux yeux de Rome, pour...

RICCARDO : Pardon, non, je pensais...

GERSTEIN : Je vous en prie, je suis indifférent à cela, complètement, Dieu le sait ! Ce sont les traîtres, et eux seuls, qui sauvent à l'heure actuelle l'honneur de l'Allemagne. Car Hitler n'est pas l'Allemagne, il n'est que son corrupteur. Le jugement de l'Histoire nous absoudra [1]. Je ne survivrai pas à ma mission. Un chrétien, de nos jours, ne peut pas survivre s'il veut aller jusqu'au bout. Je ne pense pas aux chrétiens du dimanche, il faut se méfier des bigots. Je pense aux chrétiens dont Kierkegaard a parlé : " Des espions de Dieu. " Je suis son espion dans la S. S. Mais les espions sont exécutés, je m'en rends compte.

RICCARDO : Non, je vous en prie, tâchez de vous préserver ! Je ne mentionnerai pas votre nom dans la conversation !

GERSTEIN : Ne me ménagez pas. Cependant, ma personnalité mise à part, vous avez davantage de chances en invoquant les informations de Londres et de Pologne. Cela suffira, vous n'apprendrez rien de nouveau à Rome. Attisez la révolte contre les assassins. L'âme de ceux qui savent est aussi en jeu.

RICCARDO : Vous pouvez vous reposer sur moi. Je pars sur-le-champ, pour ne pas vous compromettre davantage.

GERSTEIN : Non, restez, s'il vous plaît. Je voudrais vous poser encore une question...

RICCARDO (*vivement*) : Moi aussi, Monsieur Gerstein, moi aussi, il y a une question qui ne me laisse pas de repos...

GERSTEIN : Oui, je vous en prie.

RICCARDO : Pourquoi le peuple allemand, la nation de Gœthe, Mozart, Menzel... Pourquoi les Allemands peuvent-ils à ce point retourner à la brute ?

GERSTEIN : Nous autres Allemands, ne sommes pas pires que les autres Européens, mon Père. D'abord, la grande majorité ne sait rien de précis sur les assassinats. Bien sûr, beaucoup de soldats ont assisté aux massacres de l'Est; et le peuple entier voit bien

1. Dernière phrase du plaidoyer *pro domo* prononcée par Hitler lui-même au procès de Munich en 1924, après le putsch manqué de novembre 1923.

que l'on parque les Juifs hors des villes comme du bétail. Mais que peut faire l'homme secourable ? Qui pourrait juger un homme qui ne veut pas mourir pour d'autres ? Récemment, les travailleurs juifs devaient être refoulés hors des industries berlinoises vers Auschwitz. La police n'est pas intervenue immédiatement, mais elle a auparavant averti les industriels Résultat : quatre mille Juifs ont pu se terrer, ils sont cachés, nourris par des Berlinois. Quatre mille : et chaque Berlinois qui les aide risque sa vie ! et même celle de toute sa famille. Vous voyez que tous les Allemands n'ont pas oublié tout ce qui s'attache au nom d'Allemand. Et des salauds, il y en a partout : en Hollande, la police nationale collabore très largement à l'arrestation des Juifs. En France, elle n'y met pas autant de zèle, mais elle collabore quand même. En Hongrie aussi, mais surtout en Ukraine... Les Ukrainiens abattent eux-mêmes les Juifs. Lorsque, récemment, dix-sept mille Juifs furent abattus à Majdanek, de nombreux Polonais se saoulèrent pour fêter ce jour. Un Juif ne peut que rarement se cacher en Pologne, dans le plat pays : ses aimables voisins le livrent pour de l'argent aux assassins allemands. Ne parlons plus de cela, Comte. Les Allemands portent la faute la plus lourde. C'est leur Führer qui a établi le programme. Mais les autres peuples ne sont pas meilleurs que notre Volk, le peuple par excellence !

RICCARDO : Je suis bouleversé, Monsieur Gerstein. Cependant, je dois vous contredire en tant qu'Italien et prêtre : chez nous, à Rome (*avec orgueil*, *presque avec emphase*) ce serait impossible ! Depuis le Saint-Père jusqu'aux marchands de marrons de la « Piazza » : la nation entière se dresserait contre la terreur, si des concitoyens juifs étaient emprisonnés; ou, du moins, emprisonnés par les policiers d'un autre État.

GERSTEIN : C'est émouvant, mon Père, et même enviable, de pouvoir être aussi sûr de son peuple. Je vous crois ! avec d'autant plus d'amertume (*à présent*, *il est cynique*) que l'attitude de l'Église est très ambiguë : dernièrement le docteur Edith Stein, la plus célèbre religieuse d'Europe, a été gazée à Auschwitz. Elle était convertie depuis des années, c'était un écrivain catholique qui faisait autorité. Je vous le demande, comment la Gestapo a-t-elle pu savoir, en fin de compte, que cette nonne avait du sang juif ! On est allé la chercher dans son couvent de Hollande. Je ne peux pas comprendre qu'une nonne ne puisse pas être cachée dans un quelconque cloître de son ordre ! Pauvre femme ! Elle non plus ne l'aura pas compris.

RICCARDO : L'attaque a été vraisemblablement trop soudaine.

GERSTEIN (*sarcastique*) : On voit ce qu'un Juif peut attendre, lorsqu'il se convertit au christianisme, n'est-ce pas ? On a livré une douzaine de religieux de couvents hollandais.

RICCARDO : Mais par la force ! Les évêques et les travailleurs de Hollande ont protesté ! Cependant, cela n'a fait qu'aggraver encore la situation.

GERSTEIN (*irrité, très violemment*) : Aggraver ? On a manqué d'esprit de suite ! Rome a laissé tomber les évêques ! Je ne fais aucun reproche aux Hollandais. Mais comment Rome peut-elle se taire quand on déporte les moines et les religieuses ! Et cela, le monde ne l'a jamais appris ! (*Silence.*) A la question qui me tourmente en ce moment seul un prêtre peut répondre. Voici les faits : je dois, d'ici la fin du mois prochain, stocker dans un hangar, ici à Berlin, plus de 2.000 kilogs de gaz toxiques, du Zyklon B, le même avec lequel on tue les Juifs, et cela dans un dessein obscur. Je ne sais pas ce que l'on compte en faire. Je crois qu'on ne le sait même pas encore. Il faut seulement que le poison soit prêt à servir. Il se peut que l'on veuille s'en servir pour éliminer, à l'occasion, des ouvriers étrangers ou des prisonniers. (*Une pause, Riccardo reste interdit.*) Alors, je suis devant le dilemme, mon Père : est-ce que je dois adresser la facture des fournisseurs à mon nom, ici même ?

RICCARDO : En aucun cas ! Pourquoi donc ?

GERSTEIN : Parce que c'est la seule chance qui me reste de surveiller le poison après sa livraison. Je pourrai, peut-être, dans un proche avenir, le faire disparaître dans quelque endroit discret, pour désinfection par exemple. Je peux affirmer également qu'une partie s'est décomposée. J'ai déjà obtenu que ce poison ne soit pas stocké à Berlin, en invoquant les bombardements.

RICCARDO : Des factures pour ce poison, à votre nom ! N'y a-t-il pas d'autre possibilité...

GERSTEIN : Bien sûr, je pourrais facilement fuir en Suède, je vais avoir bientôt à faire à Helsinki. Une seule chose m'arrête : que ferait de cette commande un criminel fanatique !...

RICCARDO : C'est vrai, on n'ose y songer ! Que dit donc votre conscience, Monsieur Gerstein ?

GERSTEIN : La conscience ? Qui peut s'y fier ? Conscience ou Dieu, d'ailleurs. Jamais l'homme ne s'est si méchamment déchaîné que lorsqu'il se réclamait de Dieu — ou d'une idée : la conscience est une entité extrêmement problématique. Je suis persuadé qu'Hitler aussi suit la voix de sa conscience. Non, je cherche une réponse en dehors de moi. Nous autres, protestants, sommes beaucoup trop repliés sur nous-mêmes ; on ne le supporte pas toujours. Et nous avons beaucoup de raisons de doute. Répondez-moi avec l'objectivité du prêtre : dois-je faire cela ?

RICCARDO (*après une pause*) : Vous prêtez votre nom à quelque-chose de monstrueux.

GERSTEIN (*effrayé, et par conséquent indigné*) : Mon nom ! Qu'est-ce qu'un nom ? Cela dépend-il de mon nom ? Seuls, les tièdes qui ne valent pas plus cher que les assassins arrivent, dans les époques troublées que nous vivons, à garder un nom aussi immaculé — pardonnez-moi, Comte — aussi immaculé que la robe du Pape.

RICCARDO (*s'efforcant de cacher qu'il est blessé*) : Vous me posiez une question, Monsieur Gerstein ? Si vous fuyiez vers l'Angleterre, vous devriez (*avec vivacité*) à la radio de Londres, vous, le lieutenant Gerstein, du service de santé S. S., faire *ex officio* un rapport détaillé, avec des chiffres, des dates, des factures de poison, et tous les détails de ce qui arrive ici. (*Enthousiaste et naïf*) : Il vous faudra dire ouvertement qui vous êtes, ce que vous avez fait et empêché... et ce que vous n'avez pas pu empêcher.

GERSTEIN (*passionné*) : Mon Dieu ! Avez-vous seulement une idée de ce que vous demandez là ? Je ferai tout, mais cela, je ne peux pas le faire. Un mot de moi à la radio de Londres, et, en Allemagne, on extermine ma famille.

RICCARDO : Oh ! excusez-moi, je ne savais pas.

GERSTEIN (*plus calme*) : Non seulement, ils assassineraient ma femme, mes enfants, mais mes frères, également, seraient torturés dans un camp jusqu'à ce que mort s'ensuive.

RICCARDO : Pardonnez-moi.

GERSTEIN (*devenant plus froid*) : D'ailleurs, ce ne serait pas non plus nécessaire de faire cela, mon Père, non, ce ne serait pas du tout nécessaire ! Radio-Londres a depuis longtemps annoncé ce qui se passe en Pologne. On le sait ! Ou, du moins, chaque être sensé doit le soupçonner. Thomas Mann, lui aussi, a récemment rappelé ces chiffres. N'a-t-il pas aussi rapporté que les Juifs de Paris et de Hollande étaient gazés ? Je ne pourrais que dire la même chose avec des détails que personne ne croirait. Qui suis-je donc ? On ne me connaît pas. Je serais un déserteur suspect, rien d'autre. Pourquoi l'homme qui, aujourd'hui encore, est le seul en Europe sur lequel ne pèse pas le soupçon de propagande, pourquoi le Pape ne dit-il rien de tout cela ?... (*Riant de façon hystérique*) : Oh ! Dieu, Oh le Bon Dieu ! Je lui cherche querelle comme du temps où j'étais étudiant. Savoir s'Il n'est pas devenu chrétien justement pour, comme Son Vicaire, calmer sa conscience, en prétendant que les Juifs ne sont pas de son ressort ?

RICCARDO (*plein de compréhension, mais décidé*) : Laissez cela, Monsieur Gerstein. Ne doutez pas de Dieu, même à présent.

GERSTEIN : Il faut qu'Il me pardonne, après m'avoir donné cette leçon de choses en Pologne... et après qu'à Berlin le Nonce m'a mis à la porte...

RICCARDO (*très sûr, solennel*) : Le Vatican agira, Dieu le sait. Il se passera quelque chose, je vous le promets.

GERSTEIN (*impassible*) : Comment puis-je encore vous croire ?

RICCARDO (*stupéfait*) : Monsieur Gerstein, je vous en prie, comment ai-je mérité cela ?

GERSTEIN : Excusez-moi, je ne voyais en vous que le représentant de vos supérieurs. Je n'ai jamais douté de vous personnellement. Ma franchise avec vous en est la preuve. (*Sans transition*) : Est-ce que vous mettriez sur-le-champ votre soutane et votre passeport à ma disposition ?

RICCARDO (*choqué*) : Que voulez-vous faire de mon passeport, de ma soutane ?

GERSTEIN (*impénétrable*) : Une preuve de votre bonne volonté.

RICCARDO (*avec une répulsion croissante, puis excédé*) : Une preuve ? Non, Monsieur Gerstein. J'ai juré, lors de mon ordination, de ne jamais enlever ma soutane. Qu'exigez-vous ?

GERSTEIN : Je ne suis plus méfiant. Alors, voici la vérité : votre passeport et votre vêtement doivent aider un Juif à passer le Brenner. En tant que diplomate, vous pourrez vous procurer facilement un nouveau passeport, je pense ?

RICCARDO (*hésitant beaucoup, à contrecœur*) : Peut-être. Est-ce que... est-ce que ce serait urgent ?

GERSTEIN (*a ouvert la porte de la pièce voisine*) : Monsieur Jacobson ?

JACOBSON : Oui, Monsieur Gerstein ? (*Il apparaît rapidement, recule instinctivement, se reprend et entre dans la pièce*) : Bonjour.

RICCARDO : Bonjour.

GERSTEIN (*très habilement, très rapidement*) : Comte Fontana — Monsieur Jacobson. Messieurs, ne nous faisons pas d'illusions : des cheveux noirs, et à peu près de même âge sont de bien minces prémisses à un échange de passeports, mais d'un autre côté, Monsieur Jacobson, une soutane et un passeport diplomatique du Saint-Siège sont une chance qui ne se présentera qu'une fois : voulez-vous essayer de franchir ainsi le Brenner ?

JACOBSON (*moins sèchement, comprenant soudain*) : Comment, si je comprends bien, il y aurait une chance de... (*A présent aimablement, à Riccardo*) : Vous m'offrez le moyen de me sauver ?

RICCARDO (*s'efforcant de ne pas montrer sa répugnance*) : Oui, bien sûr, oui. Quand vouliez-vous...

GERSTEIN (*vite*) : Je vous propose de le faire ce soir. Dans la mesure où vous trouverez une place de wagon-lit, Monsieur Jacobson. Je ne peux pas m'occuper du billet si je dépose le Comte en voiture à proximité de la Nonciature. (*S'adressant à Riccardo*) : Il vaut mieux que vous ne traversiez pas la ville sans passeport, dans le costume de Monsieur Jacobson. (*Souriant*) : Je me demande, Jacobson, si vous pourrez vous passer complètement de lunettes. Surtout s'il y a un contrôle. Espérons que le col de prêtre vous ira. Nous pouvons essayer tout de suite. Jacobson, qu'avez-vous ? Mon Dieu ! Votre réclusion est pourtant terminée !

Jacobson est assis sur une chaise, il est " mort " d'émotion. Il tire son mouchoir, sourit, puis, embarrassé, essuie ses lunettes.

JACOBSON (*lentement*) : Ce n'était que la surprise, pardonnez-moi. Je vous ai entendu parler. Après les angoisses de la dernière nuit où, pendant l'attaque, je me disais que si la chambre brûlait, si des gens venaient pour éteindre et me trouvaient chez vous... Tout officier S. S. que vous êtes, vous seriez mis en pièces.

GERSTEIN : Mais maintenant, c'est du passé, Monsieur Jacobson.

JACOBSON : Oui, du passé, c'est facile à dire. Il y a cinq minutes, je pensais encore qu'à la prochaine attaque aérienne, il me faudrait abandonner ma cachette pour ne pas vous... dans...

GERSTEIN (*à Riccardo*) : Vous voyez, il ne pouvait plus supporter la réclusion ici, il était grand temps...

JACOBSON : Comment pourrais-je vous remercier de cela et vous (*à Riccardo*) à présent, c'est vous que je compromets, sachez-le !

RICCARDO (*complètement bouleversé, cordialement*) : Je remercie Dieu de pouvoir vous aider, à présent. Assez peu, il est vrai. J'habite à la Nonciature, et là, Monsieur Hitler en personne ne pourrait rien me faire. Vous m'enverrez une carte de Rome, n'est-ce pas ?

GERSTEIN (*amicalement, mais pressé, regarde l'heure*) : Jacobson doit savoir qui est votre père, Comte, et connaître sa position et la vôtre au Vatican... C'est important. Il faut que vous sachiez tout cela pour faire face à la police allemande des frontières. Le reste est un risque à courir. Changez de vêtements.

Il montre la porte de la chambre voisine.

JACOBSON (*s'est repris*) : Le wagon-lit, Messieurs, est-il obligatoire ?

GERSTEIN (*souriant, impatient*) : Autant que possible, oui, car vous êtes diplomate.

RICCARDO : Et puis vous ne serez ainsi contrôlé qu'une seule fois, et très poliment, je crois.

JACOBSON : Très bien. Alors, je peux naturellement ne partir que demain soir, Monsieur Gerstein ? Ce soir, quand il fera nuit, j'irai à la maison dire au revoir à mes parents. (*Il est presque heureux et ne remarque pas l'embarras de Gerstein. D'un ton décidé*) : A Rome, je mettrai tout en mouvement pour les placer tous deux sous la protection d'une puissance neutre. Il faut les faire sortir d'Allemagne. Peut-être est-il possible de sortir d'Allemagne...

GERSTEIN (*assez convaincant*) : Ne compromettez pas vos parents. Partez aujourd'hui sans faute. Je vous conduirai en voiture à la gare. (*Avec moins d'assurance.*) Mais n'allez pas chez vous avant votre départ.

JACOBSON (*déconcerté, inquiet*) : Je ne dois pas leur dire au revoir ? Monsieur Gerstein, jamais encore vous n'avez été aussi anxieux. (*Il l'examine attentivement, effrayé*) : Ou bien — dites-moi... a-t-on... je vous en prie, la vérité ! A-t-on déjà emmené mes parents ? Je vous en prie. Vous devez me...

GERSTEIN (*doucement*) : Oui, votre lettre de mardi, je n'ai pas pu la leur faire parvenir. (*Il tire une lettre de sa veste, soulagé de pouvoir montrer quelque chose de tangible, il parle vite et pourtant en s'interrompant.*) Mais je ne pouvais pas vous le dire : on a apposé des scellés sur la porte. J'ai failli ne pas m'en apercevoir et jeter la lettre dans la boîte; maintenant, on doit vous rechercher. Les gens qui gèrent le commerce m'ont regardé partir. Ils voulaient me faire une commission. La femme, par la vitrine, me faisait signe d'entrer.

JACOBSON (*luttant contre ses larmes*) : Madame Schultze. Oui, elle a toujours été bonne. Sinon, mes parents seraient morts de faim. A-t-elle, a-t-elle pu leur parler ?

GERSTEIN (*ne peut tout d'abord répondre, puis*) : Je suis parti. J'ai eu peur tout à coup. J'ai détourné mon regard. Je devais me forcer à marcher lentement. (*Il prend Jacobson par le bras, il est hors de lui* :) Je regrette. Je... j'avais pourtant cru que je pourrais retourner encore une fois, ces jours-ci, chez cette femme, dans la boutique... et lui demander ce qui... Je vais y aller tout à l'heure...

Jacobson tourne et retourne la lettre dans ses mains.

RICCARDO : Puis-je essayer de savoir où on les a emmenés ? Le Nonce arrivera à le savoir.

JACOBSON : Laissez cela. A présent, ils vont tous à Auschwitz. Mardi... ça fait déjà trois jours... Pensez-vous, Monsieur Gerstein, que ça s'est passé mardi, ou bien avant ? Combien de temps dure un tel transport. Ah, savoir ! (*S'adressant à Riccardo, il fait un gros effort pour maîtriser sa voix*) : Il n'y a plus rien à demander. Mes parents — C'est bien cela, Gerstein ? — ont dû être aussitôt gazés ?

GERSTEIN : Pas toujours, non. Il y en a qui... Votre père, comme grand blessé de la première guerre mondiale, est sûrement allé à Theresienstadt.

JACOBSON (*qui s'est repris, d'une voix changée*) : Allemagne, voilà ton remerciement. Gerstein, vous m'avez sauvé la vie. Mais vous n'avez plus besoin de me mentir. Je... vous comprenez, je... ne veux pas de consolation. J'ai toujours su comment cela se terminerait, depuis longtemps. (*Violent, torturé, mais fort*) : Je ne vais pas me tuer. Je ne ferai pas ce plaisir aux assassins. Je vais... à présent... Je dois maintenant — partir d'ici... partir d'ici. (*Il froisse la lettre, puis la déchire deux fois, ses mouvements sont résolus et crispés, il est complètement changé, d'un calme qui n'est pas naturel — et dit, avec une grandeur digne de l'Ancien Testament, tandis que son pâle visage de bibliothécaire, respirant la bonté, prend un aspect cruel*) : Gerstein, réfléchissez encore une fois, si vous voulez m'aider à franchir le Brenner, car maintenant — depuis cette nouvelle — je ne suis plus Allemand. Que vous le compreniez ou non, tout Allemand est mon ennemi. Il ne s'agit plus de fuite. Je veux partir d'ici, et revenir en vengeur. En vengeur. Quand je serai en Italie, je pourrai facilement gagner l'Angleterre. (*Sauvagement inquiétant*) : Personne ne doit dire que nous, les Juifs, nous laissions mener comme des veaux à l'abattoir. Je reviendrai en assassin, en pilote de bombardier. Crime pour crime. Phosphore pour gaz, feu pour feu. Gerstein, je vous préviens. Voici mon remerciement pour cette cachette : je vous le dis honnêtement, c'est un ennemi que vous aidez à fuir. Chassez-moi simplement, jetez-moi à la rue, car jamais... jamais, je n'oublierai que les Allemands, que tous les Allemands ont tué mes parents — de bons Allemands.

Il a posé les morceaux de la lettre sur l'un des seaux d'ordures. Gerstein les reprend sans un mot et les fait brûler, l'un après l'autre, dans sa main, avec son briquet et jette les cendres dans le seau.

RICCARDO (*à Jacobson, d'une voix froide mais sincère*) : Ne vous durcissez pas. Vous simplifiez. (*Il montre Gerstein*) Combien d'Allemands aident vos frères ! Voulez-vous bombarder leurs enfants ? La haine n'est pas le dernier mot.

JACOBSON (*refusant de l'entendre, froid*) : La haine nous aide à tenir debout. A présent, je ne peux pas tomber.

GERSTEIN (*sombre, d'une voix rauque, sans regarder Jacobson*) : Chacun à son poste. Tous deux, nous ne survivrons pas à la guerre. Changez de vêtements, il est temps...

Il prend les deux seaux et les porte dans le couloir. Lorsqu'il revient, Jacobson tend à Riccardo sa carte d'identité sur le côté intérieur duquel on peut voir un " J " en caractères gras, et l'étoile jaune, en tissu, grande comme la paume de la main).

JACOBSON (*souriant*) : Vous ne gagnez pas au change, mon Père : vous me donnez la soutane et moi... cela. C'est tout ce que je possède. Je n'ai rien d'autre à vous offrir que le stigmate des hors-la-loi.

Tous trois se taisent. Riccardo a pris l'étoile jaune dans sa main et l'examine. Il regarde l'étoile, puis regarde Gerstein et Jacobson. Il secoue la tête et demande alors, tandis qu'il place un instant l'étoile sur sa soutane, au niveau de son cœur, et que le rideau se ferme rapidement :

RICCARDO : Ici ?

Rideau

Acte II

LES CLOCHES DE SAINT-PIERRE

Scène I

Rome, le 2 février 1943.

Dans la maison Fontana, sur le Janicule. Un grand salon. Sous un tableau conventionnel représentant la Mère de Dieu, se trouve un prie-dieu Renaissance. A gauche et à droite, des portraits de famille : des femmes d'époques différentes, des soldats, un cardinal. Et, entouré de fleurs, au premier plan, un portrait en pied d'une femme d'un certain âge : la mère de Riccardo qui est morte depuis peu.

Sur presque toute la largeur de l'arrière-plan, des fenêtres qui vont jusqu'au plancher, et la porte de la véranda : on aperçoit un jardin descendant en pente raide, planté de pins parasols et de cyprès; au-dessus du mur de ce jardin, la coupole de Saint-Pierre se détache, immense, d'un gris crayeux. Ses contours se dessinent nettement sur le ciel d'un bleu froid.

La porte de la véranda est ouverte. Les cloches de Saint-Pierre sonnent avec force.

Le comte Fontana, 60 ans, binocle et forte moustache. Il appartient, comme d'autres aristocrates distingués d'Europe, dont le vice-chancelier Von Papen, aux camériers secrets du Pape « *di spada e cappa* » et a l'insigne faveur de pouvoir, dans les occasions solennelles, se tenir près de Sa Sainteté en costume de cour espagnol. Ce vêtement n'est, pour lui, qu'un attribut folklorique, mais nécessaire au prestige du Vatican.

Fontana est un manager. Il est surmené, intelligent, cultivé, capable d'initiatives, de sentiments, et rompu aux exigences sociales du XXe siècle, d'où l'ennui qu'il éprouve à se laisser photographier dans son merveilleux et sombre costume de cour datant d'Henri II. C'est un financier calme, conscient de sa valeur, il sait bien avoir rendu des services uniques à la Curie et, pour ce motif, ne veut à aucun prix être confondu avec les autres camériers qui, souvent, doivent de porter leurs chaussures à boucles, leurs bas de soie, leurs culottes, leurs fraises, leurs manches bouffantes, leurs manchettes de dentelles, leur barrette, leur épée et la chaîne de l'Ordre au seul fait qu'ils descendent d'une famille autrefois puissante. Les Fontana ont encore un sang sain dans les veines. Comme les Pacelli qui ne furent anoblis qu'au milieu du XIXe siècle. Ils sont encore capables de travailler et sont, de ce fait, un peu méprisés de leurs pairs.

Cependant, Sa Majesté Victor Emmanuel III, à la demande de Sa Sainteté Pie XI, a nommé de bonne heure chevalier de l'ordre du Saint-Sépulcre le patron catholique exemplaire qu'était Fontana puis l'a élevé en 1939, ainsi que sa descendance, à la dignité comtale.

Au lever du rideau, un photographe à la mode d'autrefois, portant barbiche et costume de velours, à demi caché sous un tissu noir, dirige son appareil de photo compliqué sur la porte de la véranda ouverte, pour mettre au point. Puis il va lui-même sur le seuil de la véranda, où son sujet s'installera ensuite, et prend une pose à la Garibaldi. Il est tout à coup surpris par un vieux serviteur entré sans bruit. Celui-ci le regarde, en hochant la tête, avec dédain; jusqu'à ce que le photographe s'affaire à nouveau auprès de son appareil.

LE SERVITEUR (*arrosant les fleurs*) : Ne retardez pas Monsieur le Comte, sinon il vous chassera. Il ne sait pas encore que le jeune maître est revenu d'Allemagne. Il aura peu de temps à vous consacrer, je vous le dis tout de suite.

LE PHOTOGRAPHE (*ironiquement agressif*, *pathétique*) : Qui pourrait m'interdire de féliciter Monsieur le Comte, mon noble protecteur, pour sa nomination dans l'ordre de Jésus-Christ ? En outre, son portrait doit être en première page ! En outre...

LE SERVITEUR : Soit, mais maintenant je ferme la porte. Je ne chauffe pas le jardin, et le bruit...

Il ferme la porte de la véranda, le son des cloches devient beaucoup plus sourd.

LE PHOTOGRAPHE : Vous devez rouvrir immédiatement la porte, car il faut que Monsieur le Comte soit dehors pour avoir la coupole de Saint-Pierre derrière lui.

LE SERVITEUR : Je n'y peux rien. Le voilà...

Il s'en va. Le photographe s'essuie la moustache et la bouche du revers de la main. Lorsqu'on entend des pas derrière la scène, il tire nerveusement sur sa manche et bat en retraite derrière son appareil où il se met au garde-à-vous.

FONTANA (*nerveux, réjoui, entrant rapidement*) : C'est merveilleux, quelle surprise ! Quand est-il donc arrivé, Vittorio ? Laisse-le dormir.

LE SERVITEUR (*le suivant*) : Il y a une petite heure, Monsieur le Comte. Mais je dois le réveiller quand Monsieur le Comte rentrera à la maison. Il se réjouit aussi, notre jeune maître, je suis sûr qu'il ne dort pas encore.

FONTANA (*qui a découvert le photographe, distrait*) : Oui, alors c'est bien, dis-lui que je suis là. (*Le serviteur sort, il dit au photographe*) : Bonjour ! Es-ce bien nécessaire ? Vous avez pourtant de nombreuses photos de moi.

LE PHOTOGRAPHE : Mais je n'ai pas encore de portrait montrant Monsieur le Comte avec l'ordre de Jésus-Christ. Permettez-moi, Monsieur le Comte, de vous adresser mes respectueuses félicitations. La première page du journal de demain doit en outre... doit absolument...

FONTANA (*qui allume avec plaisir une cigarette, assez aimable*) : Ah bon... où dois-je me mettre ? Ici ?

LE PHOTOGRAPHE (*il a rapidement ouvert la porte de la véranda. Le son des cloches redevient très fort*) : Ici, si je puis me permettre, ici sur le seuil, pour qu'en outre, Monsieur le Comte ait la coupole de Saint-Pierre derrière lui. (*Il tourne autour de lui, embarrassé.*)

FONTANA : Vous avez bien tout mis en place. Qu'attendez-vous encore ?

LE PHOTOGRAPHE : Permettez, Monsieur le Comte, si j'ose parler franchement. La cigarette avec l'habit de cérémonie...

FONTANA : Comment cela ? Vous voulez avoir également les mains sur la photo ? Le costume entier, quoi ? Je pensais qu'il ne s'agissait que d'une photo de buste. (*Il pose la cigarette plus loin.*) C'est bien, c'est bien. Finissons-en rapidement.

LE PHOTOGRAPHE : Peut-être la main sur l'épée, et la tête un peu plus haute. Un peu plus à gauche, encore. Très bien. (*Il presse la poire de caoutchouc.*) Je vous remercie et vous suis très obligé. Peut-être pourrais-je faire une autre photo de Monsieur le Comte à sa table de travail, une photo qui le conservera pour la postérité : une photo de Monsieur le Comte dans toute sa force créatrice.

FONTANA (*s'efforçant de ne pas rire*) : Pour la postérité ? Croyez-vous qu'elle s'imaginera que j'ouvre des lettres ici, avec mon sabre, dans ce costume ? (*Il montre le serviteur qui vient d'entrer à nouveau, reprend sa cigarette et dit vivement*) : Faites, s'il vous plaît, un portrait de notre Monsieur Luigi. Il va bientôt avoir 70 ans, et il enverra le portrait à sa femme. Allez-y !

LE SERVITEUR : Mais, Monsieur le Comte, je vous en prie, je ne saurais ! (*Méchamment au photographe, tout en fermant la porte*) : Est-ce que je chauffe le jardin ? Fermez la porte.

FONTANA : Allons, Vittorio, ta femme sera contente. Allez, ne fais pas cette tête. Mon petit, quelle surprise !

RICCARDO (*est entré, serre dans ses bras son père, qui l'embrasse*) : Père, je te félicite. Comme c'est solennel ! (*Nerveusement*) : Pourquoi les cloches ne se taisent-elles donc pas ?

FONTANA : Comme c'est bien de n'être plus seul ! Combien de temps peux-tu rester ?

RICCARDO (*qui, maintenant, comme son père, tourne le dos à la scène, au photographe et au serviteur*) : C'est bien, Vittorio.

LE SERVITEUR : C'est du gaspillage. Et mes dents sont en réparation.

LE PHOTOGRAPHE : Un, deux, trois... Encore un cliché de Monsieur le Comte Riccardo Fontana ? Je recommanderais...

RICCARDO (*amicalement*) : Merci, je suis trop mal rasé... une autre fois...

FONTANA : Merci, merci, remballez votre matériel, s'il vous plaît.

LE PHOTOGRAPHE (*tandis que le serviteur range déjà ses instruments*) : C'est moi qui vous remercie, Monsieur le Comte.

FONTANA : Mon garçon, es-tu malade ? Tu sembles très fatigué. Oui, vraiment, on pourrait s'inquiéter.

RICCARDO : Je n'ai pas pu fermer l'œil en wagon-lit. Ce n'est pas le voyage qui m'a fatigué, père : personnellement, je vais bien... Pourquoi (*il est nerveux et irrité*) sonnent-ils donc continuellement.

FONTANA : Parce que, ce matin, le Pape a voué le monde au Cœur-Immaculé de Marie. Il y a eu une cérémonie très fatigante. Avec mon audience, et la remise de la décoration à laquelle je ne m'attendais absolument pas.

RICCARDO : Maman aurait été contente. Comme elle nous manque à la maison, et surtout...

Tous deux regardent la photo. Le photographe a rangé ses affaires et dit :

LE PHOTOGRAPHE : Mes remerciements les plus respectueux, Monsieur le Comte ! Monsieur le Comte ! Bonjour. Bonjour.

FONTANA : Merci également. Au revoir.

RICCARDO : Au revoir.

Le photographe sort.

LE SERVITEUR : Dieu vous le rende, Monsieur le Comte.

FONTANA : Ne dis rien à ta femme.

Le serviteur sort.

FONTANA (*tout en préparant un cocktail, sceptique, ironique*) : Oui, mon garçon, à la fin de la guerre, le dogme de l'Assomption de Marie nous attend maintenant pour tout de bon. Et chaque histoire des papes devra lui consacrer un important chapitre...

RICCARDO (*amèrement amusé, accepte un verre de son père*) : A quoi ne pense-t-on pas à Rome ! Un exemple : la pauvreté augmente chaque jour, le nombre des filles croît dans les pays avec le nombre des églises. Naples et la Sicile sont des citadelles du vice devant les fenêtres du Vatican. Et, au lieu d'agir, nous examinons combien de fois un couple a la permission de dormir ensemble, ou si une veuve peut se remarier. Et aujourd'hui, c'est le dogme de Marie. N'a-t-il donc réellement rien d'autre à faire ?

FONTANA : Mon garçon, ne sois pas si agressif. Il y a une heure, le Pape me disait — il me demande presque toujours de tes nouvelles — qu'à l'heure actuelle, tu pouvais acquérir beaucoup d'expérience à Berlin, plus que dans aucune autre Nonciature... Apportes-tu encore de mauvaises nouvelles de la part du Nonce ?

RICCARDO : Absolument aucune. Je suis venu ici sans mission. Je n'en pouvais plus. Vous savez (*d'un ton plein de reproche*) que, depuis des mois, les Juifs de toute l'Europe sont exterminés en suivant le Bottin. Quotidiennement. Je t'en prie, Père, imagine-toi, quotidiennement, six mille...

FONTANA : C'est aussi ce que j'ai lu ; ce doit être monstrueusement exagéré !

RICCARDO : Et même si c'est exagéré ! (*Désespéré*) : J'ai donné ma parole que le Pape allait protester par un grand cri, qui lancera dans l'action la pitié du monde entier.

FONTANA (*agité*) : Tu n'avais pas le droit de faire cela, Riccardo. Qu'as-tu eu l'audace de faire là ?

RICCARDO : Audace, dis-tu ? Mais pouvais-je soupçonner que le sachant, il se taisait ? Les enfants d'un peuple entier en Europe de Narvik au Don, de la Crète aux Pyrénées, ne naissent que pour être assassinés en Pologne. Hitler conduit la vie elle-même méthodiquement *ad absurdum*. Lis donc les détails horribles qui, il y a quinze jours, sont parvenus de Pologne et de Roumanie. Comment jamais nous excuser de notre silence ? Et ces cloches ! (*Il crie presque, tout en se bouchant les oreilles.*) Elles sonnent, sonnent, comme si le monde était le Paradis. Quelle stupidité : vouer encore cette terre à la Mère de Dieu ! Le Pape qui a en main un demi-milliard de catholiques — vingt pour cent sont sujets d'Hitler — n'a-t-il pas sa part de responsabilité dans l'abaissement moral du monde ?

FONTANA (*d'une voix sonore, réprobateur*) : Riccardo, je t'interdis ce langage. Est-ce là ta façon de remercier le Pape qui... constamment, constamment, t'a protégé !

RICCARDO : Père, je t'en prie, que vient faire ici la vie privée !

FONTANA (*le mettant en garde*) : Tu es très ambitieux. Lucifer, le favori de son Maître, tomba aussi par ambition.

RICCARDO (*triste, souriant*) : Ce n'est pas par ambition, c'est par désillusion que je dois devenir un contradicteur. Père... (*le conjurant d'une façon aussi émouvante que possible*) : c'est la plus grande chasse à l'homme de l'Histoire universelle. La création tourne elle-même au naufrage. La foi en lutte avec de nouvelles conceptions du monde, avec les connaissances de la Science. Il y a des naufragés sur toutes les mers, dans tous les pays. Des gens sont sacrifiés sur tous les fronts, dans le feu, sous la potence, dans le gaz, et l'Ambassadeur de Dieu veut vaincre sans risque ? Est-ce que Dieu, pour cette heure qui est sans précédent dans l'Histoire, lui a fait savoir qu'il échouerait ? Est-ce qu'au Vatican personne ne s'en rend compte ? Ici, on se cramponne à l'espoir que tout était déterminé d'avance, et les plus grands bûchers qui furent jamais dressés ne semblent que les caprices d'un dictateur provisoire. Avouons-nous donc enfin que ces flammes sont, pour nous aussi, l'épreuve du feu. Qui pourra encore nous respecter un jour comme une instance morale, si, aujourd'hui, nous refusons aussi lamentablement d'agir ?

Ils se taisent tous les deux, fatigués par la discussion ; on entend toujours le son plus faible de la grosse cloche de Saint-Pierre. Fontana essaie avec peine de dominer son agitation, il jette de côté son épée ridicule, puis allume pour lui et Riccardo des cigarettes, en donne une à son fils et dit, revenant au fait :

FONTANA : Parlons de façon réaliste. Je te demande, en tant que collaborateur de la Secrétairerie d'État : comment le Pape pourrait-il, sans réviser sa politique de neutralité, forcer Hitler à ne pas déporter les Juifs ?

RICCARDO : En se servant du fait qu'Hitler redoute son influence. Ce n'est pas par piété qu'Hitler a interdit, pour la durée de la guerre, toutes mesures contre l'Église.

FONTANA : Cela peut changer d'un jour à l'autre. Combien de prêtres a-t-il déjà tués !

RICCARDO (*passionné*) : Oui ! Et malgré cela, Rome ne rompt pas avec Hitler ! Pourquoi ? Parce que Rome ne se sent pas du tout attaquée ? C'est pourtant bien cela : le Pape détourne les yeux lorsqu'on tue son prochain en Allemagne. Les prêtres qui se sacrifient là-bas n'agissent pas sur ordre du Vatican. Ils commettent plutôt une infraction à son principe de non-intervention. Comme il sont abandonnés par Rome, leur mort ne sera pas comptée pour l'expiation de la faute de Rome. Tant que Rome permettra que ses prêtres prient encore pour Hitler... prient pour cet homme ! Aussi longtemps...

FONTANA : Je t'en prie, reste objectif : pourquoi oublies-tu les protestations de l'Évêque de Münster ?

RICCARDO : O père, l'exemple de Von Galen me donne justement raison ! Il a protesté contre les assassins, au milieu de l'Allemagne, pendant l'été de 1941, alors que la gloire d'Hitler était à son apogée, et regarde : on lui a laissé toute liberté de parole. Il n'a pas été emprisonné, même une heure ! Sa protestation a eu pour effet que les malades ne soient plus assassinés. Un seul évêque n'eut qu'à s'insurger pour qu'Hitler reculât. Pourquoi ? Parce qu'il craint le Pape, le Pape qui n'a même pas soutenu les paroles de Galen ! Hitler ne craint plus que le Pape, père. A Potsdam, j'ai rencontré monsieur Von Hassell, il te présente ses respects. Voici, presque textuellement, sa première question : « Pourquoi Rome laisse-t-elle Galen combattre en enfant perdu ? » Et voilà ma question, à moi : Pourquoi Galen n'a-t-il pas encore pris parti pour les Juifs ? Parce que les malades mentaux sont baptisés ? C'est une question effroyable, père, admettons-le.

FONTANA : Riccardo ! Ne juge pas. Tu oses reprocher à un évêque de ne pas risquer sa vie pour les Juifs comme il le fait pour les chrétiens ? Sais-tu, Riccardo, ce que cela demande, de risquer sa vie ? Moi, je l'ai appris pendant la guerre.

RICCARDO : J'admire Galen, je le vénère. Seulement, père, nous autres, à Rome, au Vatican qui est inattaquable, nous ne devons pas nous contenter de l'intervention de Galen, alors qu'en Pologne...

FONTANA (*parant le coup*) : Mon garçon, ton orgueil me déconcerte : le Pape, dans sa confrontation quotidienne avec le monde, avec Dieu, sait ce qu'il fait. Il sait pourquoi il doit se taire. Mais il ne se taira pas toujours. La fortune des armes changera pour Hitler. Le temps travaille pour la Grande-Bretagne. Dès le moment où la raison d'État permettra au Pape de se dresser contre Hitler sans compromettre l'Église, alors...

RICCARDO : Alors, il ne restera plus un seul Juif vivant en Pologne, ni en Allemagne, ni en France, ni en Hollande. Comprenez donc enfin : chaque journée compte. J'ai donné ma parole, j'ai garanti à cet officier...

FONTANA (*hors de lui*) : Mais aussi, pourquoi as-tu fait cela ?

RICCARDO (*bouillant, il perd toute mesure*) : Parce que, parce que je n'ai pas été assez cynique pour parler encore de raison d'État en entendant ette nouvelle.

FONTANA : Comme tu simplifies ! Mon Dieu, crois-tu donc que le Pape puisse voir un seul homme avoir faim et souffrir ! Son cœur est avec les victimes.

RICCARDO : Et sa voix ? Où est sa voix ? Son cœur, père, est parfaitement inintéressant. Himmler aussi, le chef de la police d'Hitler, ne peut pas supporter la vue de ses victimes, m'a-t-on assuré; pour lui, ce n'est qu'une affaire administrative. Le Pape ne voit pas les victimes; Hitler non plus.

FONTANA (*s'avance, menaçant, vers Riccardo*) : S'il te plaît, je romps l'entretien immédiatement, si tu fais un parallèle entre Pie XII et Hitler.

RICCARDO (*méprisant*) : C'est ce qui se fait pour des alliés. Père, n'ont-ils pas conclu un pacte l'un avec l'autre ? Pie XI aurait dénoncé le Concordat depuis longtemps.

FONTANA : Ce n'est pas à toi de le dire.

RICCARDO (*après une pause, doucement, presque insidieux*) : Père ? Crois-tu que le Pape... Es-tu tout à fait certain que le Pape est partagé entre la raison d'État et l'amour du prochain ?

FONTANA : Que veux-tu dire, Riccardo ?

RICCARDO (*doit se dominer*) : Je pense qu'il se tient très haut, au-dessus des destinées du monde et des hommes. Depuis quarante ans, il n'est qu'un diplomate, un juriste. Il n'a jamais été — ou du moins pas plus de deux ans, et c'était au siècle passé — il n'a jamais été directeur de conscience, prêtre parmi les hommes. Jamais il n'a accordé un mot à un Suisse devant sa porte. Ni dans son jardin ni à table il ne peut supporter le visage d'aucun de ses semblables... Le jardinier a reçu l'ordre de lui tourner toujours le dos ! Oh Père ! Aime-t-il enfin autre chose que ses dictionnaires ou le culte de la Madone ? (*Soudain plein de haine, avec une raillerie romaine éblouissante.*) Je le vois épousseter avec la dernière précision son calame. Et commenter en outre ce rituel. Et je me demande — ah, je ne me demande déjà plus ! — s'il a jamais pu dans une seule victime d'Hitler voir son frère, un pareil à lui.

FONTANA : Riccardo, je t'en prie; c'est déplacé, c'est de la démagogie, pas moins. Malgré sa froideur, il reste toujours soucieux d'aider, de comprendre et, si égocentrique qu'il soit, les victimes...

RICCARDO : Les victimes ? Crois-tu donc qu'il les a réellement devant les yeux ? La presse mondiale, les ambassadeurs, les agents de renseignements, tous rapportent des détails effroyables. Tu crois que non seulement il étudie des statistiques, ces nombres abstraits, sept cent mille morts, la faim, les asphyxies par le gaz, les déportations... mais aussi qu'il est avec eux ? Le regard tourné à l'intérieur de lui-même, a-t-il vu les déportations de Paris, et ces trois cents suicides, déjà, avant le départ ? Sait-il qu'on arrache les enfants de moins de cinq ans à leurs parents, et puis qu'à Konin, près de Varsovie, onze mille Polonais enfermés dans des chambres à gaz mobiles hurlent et prient ? Entend-il le rire des bandits S. S. ? Onze mille malheureux... Imagine-toi... moi... si c'était nous !

FONTANA : Riccardo, je t'en prie. Je sais, tu te tortures...

RICCARDO (*disant, comme un ultimatum*) : Ma question, père, je t'en prie, réponds à ma question : le Pape se représente-t-il de telles scènes ?

FONTANA (*incertain*) : Sûrement, certainement. Mais qu'est-ce que cela peut changer ? Car il ne peut pas obéir à ses seuls sentiments.

RICCARDO (*hors de lui*) : Père ! Ce que tu dis là ne peut pas être tu ne peux pas le dire. Vous ne comprenez donc rien ici ! Toi, Père, tu dois comprendre cependant... (*Les cloches se sont tues. Le calme devient complet. Ils se taisent. Puis Riccardo extrêmement agité parle, appuyant sur chaque mot, d'abord très doucement, puis en haussant le ton*) : Un Vicaire du Christ qui a cela sous les yeux et se tait quand même par raison d'État, qui balance seulement un jour, qui hésite simplement une heure à élever la voix en une malédiction qui fait encore frissonner de peur le dernier homme de cette terre : un tel Pape... est un criminel !

Riccardo se laisse tomber dans un fauteuil et est pris d'une crise de larmes. Fontana, après avoir hésité, va vers lui. Son indignation qui était d'abord muette, s'adoucit à la vue de son fils " prodigue ".

FONTANA : C'est à cela qu'on arrive en tenant de tels propos, mon garçon, comment peux-tu...

Le vieux serviteur entre en hâte, mais silencieusement, des dossiers à la main, et dit :

LE SERVITEUR : Enfin, Monsieur le Comte, voici qu'arrive...

FONTANA (*hurlant, hors de lui à un point dont personne ne l'aurait cru capable*) : Laissez-nous en paix ! (*Tandis que le serviteur, épouvanté, ne retrouve que lentement le chemin de la porte, Fontana parvient tout de même à dire*) : Vittorio, pas maintenant, excuse-moi. Je n'y suis pour personne... (*Le serviteur sort. Fontana dit avec une violence contenue, après un long regard à Riccardo*) : Ta monstrueuse offense au Pape, et à tous ceux qui le servent...

RICCARDO (*toujours ébranlé*) : Ma responsabilité, — car moi aussi, je suis coupable —, me donne le droit...

FONTANA : Tu n'es pas coupable.

RICCARDO : Si, coupable comme chaque spectateur, et en tant que prêtre...

FONTANA : Même la contrition peut être de la présomption. Tu dois obéir. Tu es trop, bien trop insignifiant pour porter cette faute... ne comprends-tu pas qu'aussi fort que tu te tourmentes, tu ne vois que la surface des choses, tu en as une vue partielle, humaine, pitoyable et contemporaine ? De cette façon, tu ne pourras jamais comprendre le sens profond de cette épreuve.

RICCARDO : Le sens ! Seule, l'âme d'un loup affamé de chair peut encore trouver un sens à tout cela. (*Se dressant d'un bond.*) Dois-je, suivant Hegel, par le fameux hublot du concept... souverainement et... par esprit d'accommodement introduire la raison dans ce massacre ?

FONTANA : Même si l'Histoire n'enregistre pas les victimes, elles n'en ont pas moins existé. Dieu y veille. Comment peux-tu simplement, en tant que prêtre, douter de cela ! C'est dans cette assurance que vit aussi le Pape. Il ne peut agir que si cette croyance l'anime, et il doit se refuser à suivre aveuglément la voix de son cœur. Il ne peut pas compromettre le siège de Pierre ! (*Après une pause*) : N'oublie pas une chose, Riccardo : quoi qu'Hitler ait fait contre les Juifs, il est seul à pouvoir sauver l'Europe des Russes.

RICCARDO (*presque furieux*) : Un assassin n'est pas un sauveur ! Voilà bien les théories d'Occident, de Christianisme ! Le diable peut bien venir nous prendre si un meurtrier, qui a tué des millions de fois, est agréable au Pape en tant que Chevalier teutonique. Les Russes sont pourtant battus depuis longtemps. Hitler est sur la Volga.

FONTANA (*très catégorique*) : L'histoire du monde n'est pas encore jouée, l'occupation de la Russie, pas encore une victoire. Le Pape doit avoir la certitude que sa protestation sera sans effet ou bien retombera dangereusement sur l'Église allemande.

RICCARDO (*violent*) : Il ne sait pas cela, il ne peut pas le savoir. Le succès de Galen pouvait faire espérer qu'une protestation du Pape montrerait d'abord à Hitler quelles étaient ses limites. Il aurait continué à tourmenter, à utiliser les Juifs comme esclaves dans ses usines, mais ne les aurait plus tués. C'est très problématique, je le sais, mais en dehors d'une simple opportunité...

FONTANA (*vivement*) : On ne peut pas détourner les yeux de cela, quand on est responsable de cinq cents millions de fidèles sur cette terre.

RICCARDO : Nulle part il n'est écrit que le successeur de Pierre sera témoin du Jugement dernier en qualité de plus grand actionnaire du monde. Si maintenant le Vatican devait perdre, par son combat avec Hitler, son pouvoir sur des banques, des industries, des ministères, père, il n'en pourrait remplir que plus dignement la mission de Dieu. Ne crois-tu pas que les souffrances et la faiblesse du pêcheur qui le premier porta la clé sont plus conformes au rôle du Pape ? Un jour, père, le Vicaire du Christ, sans nul doute, retrouvera la voie du martyre.

FONTANA : Comme tu es extravagant, Riccardo ! Tu dédaignes la puissance. Mais devons-nous nous attaquer à Hitler ? Si le Pape avait été un pauvre pêcheur, qu'est-ce que Napoléon aurait fait de lui ? Sans même parler d'Hitler... Non, le Pape ne peut remplir sa mission que tant qu'il sera du côté du vainqueur.

RICCARDO (*passionné*) : Du côté de la vérité !

FONTANA (*souriant, faisant signe que non, puis sèchement*) : La vérité est chez le vainqueur, qui gouverne aussi ceux qui écrivent l'Histoire. Et comme l'histoire humaine — c'est une vieille sagesse — ne fait connaître qu'un sens, celui que les historiens lui donnent, tu peux déjà calculer combien de notes explicatives Hitler, le vainqueur, accordera aux questions juives pour se justifier. Tout cela n'est supportable, Riccardo, qu'à la condition de conserver l'assurance que Dieu dédommagera un jour les victimes.

RICCARDO : Piètres consolations ! Le Christ se serait-il dérobé, lui ?

FONTANA : Je ne suis pas un prêtre, mais je sais que le Pape n'est pas, comme toi et moi, un homme isolé, qui peut tout simplement suivre sa conscience et son sentiment. Il doit maintenir l'Église en sa personne.

RICCARDO : Mais c'est précisément la personne de ce Pape, de ce Pie XII, qu'Hitler redoute : le prestige de Pacelli en Allemagne est plus grand que partout ailleurs. Il y a peut-être des siècles qu'aucun Pape n'a joui de cette renommée en Allemagne. Il est...

(*Le serviteur est entré, encore visiblement intimidé. Il annonce*) :

LE SERVITEUR : Son Éminence, l'Éminentissime Cardinal...

On ne comprend plus le nom, car Fontana dit très vite, et légèrement effrayé :

FONTANA : Oh ! oui, s'il te plaît, fais-le entrer. (*A Riccardo*) : Peut-il te voir ici ?

RICCARDO (*vite*) : Il finira bien par apprendre qu'officiellement il n'y avait pas de mission pour motiver mon voyage : invite-le à déjeuner.

Derrière la scène, on entend le rire sonore et sympathique d'un gros homme. Apparemment, Son Éminence a daigné plaisanter doucement avec le personnel.

(Le prince de l'Église, tout rond, tout rouge, et nerveux cependant même irritable, tant au travail que dans la conversation, est un grand horticulteur. En outre, c'est un être constamment inquiet de toutes les maladies sévissant dans son vaste cercle de relations. Au premier coup d'œil, mais seulement au premier, il produit l'effet d'une sœur garde-malades parce que, l'âge venant — il est cependant à peine plus âgé que Fontana — il est devenu plus efféminé, mais l'apparence est trompeuse. Le Cardinal est un diplomate averti, voire sans scrupules. Ses yeux bleus peuvent être tour à tour, aussi froids que les yeux de Gœring ou de Churchill ; ou aussi amicaux que possible, dans un visage capitonné, empreint d'une cordialité de vieille dame. L'horticulture est pour lui un plaisir aussi invraisemblable que la passion de Gœring pour les trains électriques. Il sait se taire et écouter d'un air engageant ses partenaires, aussi longtemps qu'il est nécessaire, pour obtenir d'eux le maximum de renseignements. C'est parti d'un milieu très modeste que le cardinal est parvenu à ces hautes fonctions. Il dut avoir beaucoup à faire pour échapper aux femmes lorsqu'il était encore mince, et que ses boucles noires formaient avec ses grands yeux clairs, toujours rieurs, un contraste troublant. On racontait sur lui des tas de choses. C'était peut-être à tort, et sûrement par envie. Aussi longtemps qu'Eros l'avait troublé, il était craint pour ses mots d'esprit mordants. A présent, l'acerbe ironie a cédé le pas à une gaieté pétillante.

Cependant, l'intelligence peu commune du cardinal contrôlait toujours ses sarcasmes et, encore à présent, elle était trop en éveil pour se déployer dans tout son éclat en présence de Sa Sainteté. Le Prince reste toujours derrière le Pape, qu'il appelle " le Patron " et qu'il aime peu. Il aime encore mieux passer pour obtus que paraître jamais supérieur. Il a ses raisons.

Cependant, il est une faiblesse que même son intelligence n'a jamais vaincue — et, comme toutes les tendances innées, elle grandit avec les années : le Cardinal adore les histoires, bonnes ou mauvaises, de même qu'il adore colporter des potins. Aujourd'hui, une nouvelle lui démange la langue, et il cherche un auditoire, bien qu'il sache que, le soir même, elle sera connue du monde entier.

Comme beaucoup de personnes fortes, le Prince s'agite beaucoup, il est même très leste.)

Il apparaît maintenant avec un rire contagieux, et avec sa promptitude caractéristique. Sa tête puissante est penchée à droite. Son chapeau est encore posé sur sa calotte ; il porte un léger manteau de soie. Le Prince étend ses deux bras pour étreindre cordialement le comte Fontana qui est venu à sa rencontre. Pour célébrer l'événement du jour, il porte le chapeau rouge. Sa main droite tient une merveilleuse orchidée. Le Prince rit encore, tout en prononçant quelques phrases qu'il achève à moitié, à celui qu'il a embrassé. Il rit après chaque mot, même quand il est surpris de la présence de Riccardo, non pas d'une façon vraiment désagréable, mais irritante. Sa jovialité bruyante plaide aussitôt pour le Cardinal, car elle est sincère : Son Éminence est hic et nunc *un homme très bon qui, en ce jour solennel pour la Mère de Dieu et le comte Fontana, se réjouit en toute simplicité de n'être pas tracassé par son hypertension.*

LE CARDINAL : Mon cher Comte — n'est-ce pas — que Dieu vous bénisse — oui, doit-on donc — n'est-ce pas — oui, c'est bien juste ! — oui, n'est-ce pas — Permettez-moi pour la Croix de l'Ordre de Jésus-Christ ! Oui ! Non ! C'est — vraiment — de tout cœur — oui. Je ne m'en doutais réellement pas. De tout cœur — n'est-ce pas ! Voici, ma *Bletia Verecunda*, n'est-ce pas.

FONTANA : Merci, Éminence. Comme vous êtes plein d'attentions. Mes remerciements les plus chaleureux. Oh ! cette fleur, elle est ravissante. Comment appelez-vous cette orchidée ?

LE CARDINAL : Riccardo ! Non, quelle joie ! Oui, n'est-ce pas. Quelle surprise : juste à point à Rome pour féliciter votre papa, n'est-ce pas ?

RICCARDO (*qui s'est incliné sur l'anneau*) : Mes respects, Éminence. Juste après le repas, je voulais faire demander une audience à votre Éminence.

FONTANA : Vous resterez bien pour déjeuner, Éminence ?

LE CARDINAL : Comment ? Oui, oh oui, volontiers. Voyez-vous, Comte : ce garçon a de nouveau une forte tension. Riccardo a le visage tout rouge, je vous assure. N'y a-t-il donc plus de médecin à Berlin ?... (*Il parle, tandis que le serviteur prend son chapeau et son manteau de façon rapide, s'adressant tantôt au fils, tantôt au père, sans attendre de réponse aux questions entamées.*) Comme c'est bien, n'est-ce pas, quelle surprise. Et juste aujourd'hui, oui, surtout aujourd'hui, où votre père est toujours si seul. Le Nonce n'a pas annoncé du tout votre arrivée ? L'orchidée vous plaît-elle, Comte ? Oui, n'est-ce pas, c'est ma chère *Bletia Verecunda*. Oh ! il ne faut pas la mettre aux courants d'air, n'est-ce pas, il lui faut beaucoup de lumière, n'est-ce pas, et pas de vent ! Oui, je la réussis si rarement, seulement en quelque sorte pour l'attribution de l'Ordre du Christ. Elle est en Italie depuis longtemps. C'est en 1732 que pour la première fois nous l'avons cultivée en Angleterre.

FONTANA (*qui manifestement, ne sait pas bien ce qu'il doit faire de la noble fleur, très poliment*) : C'est une attention très aimable, Éminence. Et c'est extrêmement intéressant. Cela ne vous a pas fait de la peine de la couper pour moi ? Mais je vous en prie, prenons place, je vous en prie, Éminence, je vous en prie.

Ils sont encore debout, Fontana, en même temps que l'orchidée, donne une indication au serviteur qui sort. Fontana offre des cigares au cardinal. Son Éminence manipule avec plaisir et cérémonie le coupe-cigare, Riccardo lui donne du feu. Tout cela se passe tandis qu'ils continuent de parler.

LE CARDINAL : Riccardo semble très éprouvé, n'est-ce pas ? Berlin a pourtant un air toujours si limpide ! Ici, en septembre, n'est-ce pas, personne ne peut plus seulement marcher, alors j'ai toujours souhaité être Nonce à Berlin. Quelle est votre tension ?

RICCARDO (*avec une ironie très prudente*) : Mais, Éminence, je suis en bonne santé, je me porte très bien. Il y a un an que je ne suis pas allé chez le médecin.

FONTANA : Mais tu devrais. Il s'énerve trop à Berlin, Éminence.

LE CARDINAL : Il est trop jeune pour cela ! Pas de misères autrement, le cœur, l'estomac ? Non, vraiment ?

RICCARDO : Je suis en pleine santé, Éminence.

LE CARDINAL : Et aujourd'hui, il y a le changement de climat, la différence d'altitude. Pas été congestionné dans le train ?

RICCARDO (*poliment*) : Si en effet, un peu. Mais cela venait uniquement de ce que j'ai été couché tout le temps.

LE CARDINAL (*calmé*) : J'avais donc bien vu, n'est-ce pas. Bon. Remettez-vous. Et votre bile. Comte ?

FONTANA : Ah, cela ne vaut pas la peine d'en parler. Mais je vous en prie, Éminence, nous avons encore un moment avant le repas, asseyez-vous donc.

LE CARDINAL : (*avec un grand cigare ; prend le Comte sous le coude*) : Oui, asseyons-nous, asseyons-nous. Je pense souvent à une soirée à Paris, j'étais alors aussi jeune que Riccardo, et personne ne m'avait vu, j'étais dans un coin. N'avez-vous rien pour vous asseoir ? me lança finalement la maîtresse de maison. Pour m'asseoir, j'ai bien quelque chose, Madame, criai-je à travers le salon, pour m'asseoir, oui, mais je n'ai pas de chaise. Oui, n'est-ce pas...

L'Éminence se réjouit longtemps de son bon mot, dont les Fontana rient avec respect. Tandis que la nervosité de Riccardo croît et que les vieux messieurs sont en train de prendre place dans les fauteuils, le serviteur apporte de l'asti et pour l'orchidée un précieux cristal de Venise.

LE CARDINAL : Votre nervosité, Riccardo, oui, n'est-ce pas, suggère une forte tension. Asseyez-vous donc ici, près de nous... ah oui, l'asti, je le supporte très bien le matin, oui, n'est-ce pas, ainsi donc, Comte, encore une fois : portez cette décoration longtemps, très longtemps.

FONTANA (*tandis qu'on trinque*) : C'est si aimable à vous d'être aussitôt venu. Éminence...

RICCARDO (*après s'être incliné*) : Éminence, à votre santé. Père, reste en bonne santé !

FONTANA : Merci, mon garçon.

LE CARDINAL : " *Prosit* ", Riccardo. (*Le Cardinal tient à la main la coupe d'asti. Il boit avant de la reposer sur la table. Le serviteur remplit à nouveau la coupe. Le Cardinal annonce maintenant sa nouvelle, comme si elle lui revenait tout à coup à l'esprit, pour produire un plus grand effet*) : Londres vient de confirmer ce que Moscou avait déjà dit hier, n'est-ce pas : à Stalingrad, le combat est terminé. Un Feldmaréchal allemand est prisonnier de Staline. La Volga ne sera pas franchie, oui, c'est...

RICCARDO (*violemment, surpris, joyeux*) : Ils ont capitulé ? Réellement ! Et tout le monde croyait, à Berlin, que tout se passerait comme le voulait la propagande, qu'aucun Allemand ne se rendrait !

FONTANA : Que pouvaient-ils donc faire d'autre ?

LE CARDINAL : Moscou dit que quatre-vingt-dix-mille Allemands se seraient rendus. Oui, le maréchal d'Hitler avec le reste de ses vingt-deux divisions. C'est un mauvais tour, et non seulement pour Hitler.

FONTANA : Au point de vue militaire, ce n'est pas catastrophique, Éminence, uniquement au point de vue psychologique...

RICCARDO : Au point de vue psychologique, c'est merveilleux pour nous !

LE CARDINAL (*qui n'apprécie pas les paroles de* Riccardo) : Riccardo ! vous êtes bien étourdi. Qui sait donc déjà, à l'heure actuelle, si à Stalingrad n'a pas été remportée une victoire qui va, nous les chrétiens, nous mettre en grand péril ! (*Avec emphase*) : N'est-ce pas, l'Occident, oui... Tout le frond sud d'Hitler va chanceler à présent. Il a besoin du pétrole du Caucase. Peut-être maintenant va-t-il tenter à nouveau de maîtriser la situation.

RICCARDO (*prudent*) : Éminence, vous souhaitez pourtant aussi qu'Hitler vienne à Canossa.

LE CARDINAL (*jovial, s'efforçant de ne pas montrer son impatience*) : Mais pas devant les Russes, Riccardo. Il doit être battu par les Anglais et les Américains. Il doit comprendre qu'il ne peut pas régir le monde à lui tout seul, n'est-ce pas, il doit recevoir des coups, oui, certainement. Il ne doit pas tourmenter et assassiner plus longtemps les Polonais et les Juifs, les Tchèques et les prêtres. Sinon, aucune paix n'est possible, oui.

Fontana fait signe au serviteur de s'éloigner.

RICCARDO : La paix avec Hitler, Éminence, ne sera jamais possible.

LE CARDINAL (*il rit d'abord, amusé par les réflexions irréfléchies de Riccardo, puis dit, comme s'il allait se mettre à pleurer d'irritation*) : Jamais ? Il ne faut jamais dire jamais en politique ! Comte, avez-vous entendu votre fils ? Un garçon si intelligent et maintenant, n'est-ce pas, lui aussi est contaminé par cette folie de Casablanca...

oui. Qui donc, Sainte Mère de Dieu, obligera jamais Hitler à capituler sans conditions !... Et nous devons entendre cela en ce beau jour ! Moi qui venais pour féliciter votre père, Riccardo !

(*On ne doit pas penser que le Cardinal se dérobe par lâcheté. Il trouve simplement déplacé que son plus jeune collaborateur veuille lui faire la leçon. C'est ce dont, bien mieux que Riccardo, s'aperçoit le comte lui-même.*)

FONTANA (*s'interposant*) : Oui, Éminence. Trinquons encore une fois. Pourquoi ? Eh bien parce que Stalingrad est une leçon pour Monsieur Hitler...

LE CARDINAL : Oui, n'est-ce pas. *Prosit* et santé.

RICCARDO : A votre santé.

LE CARDINAL (*plus à son aise*) : Le patron — le Pape a fait dire tout à fait clairement à Monsieur Roosevelt qu'il tenait pour absolument non chrétienne l'exigence des États-Unis, à savoir la capitulation sans conditions d'Hitler.

FONTANA : Et ridicule, avant tout, Éminence. Les États-Unis sont saignés à blanc par le Japon. Et en Europe ? Ils ne s'y montrent pas du tout ! Cependant, malgré sa défaite de Stalingrad, Hitler peut encore remporter une demi-douzaine de victoires comme celle d'Annibal à Cannes. Il faudra traiter avec cet homme, c'est certain.

LE CARDINAL : Je veux l'espérer, n'est-ce pas, bien que Cannes prouve clairement que des victoires sur le champ de bataille ne sauraient absolument décider de la guerre, n'est-ce pas. Les Allemands pourraient, cette fois encore, succomber à leurs victoires, parce qu'ils portent le feu partout, au lieu de se concentrer sur un seul front. Leur mégalomanie d'autrefois, qui fut notre grande crainte, est aujourd'hui notre plus grande espérance, car elle leur coûte tant de sang qu'Hitler lui-même devra en rabattre de ses ambitions. La détresse fait du bien aux dictateurs, n'est-ce pas; même le Kremlin, Dieu entende ma plainte, a fait la paix avec l'Église, n'est-ce pas, en novembre, juste au début de la bataille de Stalingrad. Hitler savait déjà au début de la guerre que, lorsque des hommes meurent, on ne peut pas se passer de l'Église.

FONTANA (*qui voit ici une chance*) : Peut-on espérer, Éminence, que le Pape, se fondant sur la détresse actuelle d'Hitler, le menace de dénoncer le Concordat, s'il continue à massacrer les Juifs ? J'écoutais hier de New York des nouvelles effroyables, sur la Pologne et la Roumanie.

LE CARDINAL (*souriant, soudain nerveux, se levant*) : Riccardo vous a-t-il aussi convaincu, cher Comte ? Voyez ça : le fils et le père Fontana faisant front commun !

FONTANA : Pas absolument, Éminence. Seule, la défaite d'Hitler sur la Volga m'encourage à demander qu'on cloue au pilori ses infamies.

LE CARDINAL : Oui... N'est-ce pas, Riccardo, c'est ce que je disais déjà cet été, lorsque vous et ensuite les nonces de Presbourg et de Bucarest — et ensuite les Polonais de Londres — nous annonciez n'est-ce pas, les choses effroyables qui étaient commises, oui : le Concordat doit protéger nos coreligionnaires, mais le Pape ne doit pas se compromettre pour les Juifs.

FONTANA : Même à l'heure actuelle, Éminence, où Hitler devrait s'en accommoder ?

LE CARDINAL : (*avec une gravité croissante, et plein de feu ; il " tire " nerveusement sur son gros cigare*) : Il est bien évident que nous intervenons discrètement, oui. L'Association Saint-Raphaël a déjà financé plusieurs milliers de fuites en pays étrangers, n'est-ce pas. Mais trois événements de la semaine dernière doivent alarmer tout chrétien, oui : 1) la légèreté des États-Unis qui livre l'Europe aux divisions de Staline; 2) la défaite d'Hitler sur la Volga, et 3) la réconciliation de Staline avec l'Église orthodoxe, qui me prouve, n'est-ce pas, qui prouve très clairement, que le communisme de Staline n'est qu'un idéal d'affranchissement simulé, oui : communiste ou pas, il est le tsar, l'âme orthodoxe de tous les Russes, le Slave qui, fidèle à sa nation, veut accomplir le rêve d'hégémonie de Pierre le Grand et de Catherine. Oui, et pour ce faire, il devait commencer par se réconcilier avec ceux qui furent infidèles à l'Église de Rome, les schismatiques, les antilatins, les panslavistes. L'âme de l'Orient est foncièrement étrangère à celle des Latins. Si cette guerre, n'est-ce pas, n'apporte pas à l'Ancien Continent la réalisation du rêve du Saint-Empire Romain, les derniers chrétiens peuvent bien, n'est-ce pas, redescendre dans les catacombes, oui.

RICCARDO : Éminence, un incendiaire comme Hitler, qui ne fait que gaspiller la puissance de l'Europe, qui se laisse induire par Mussolini à des aventures insensées en Afrique et en Grèce, ne peut pas faire l'union de l'Occident.

LE CARDINAL : Croyez-vous donc que les Parlements infatués et les clubs de discussion à la façon genevoise en auraient encore la force ? La Société des Nations, n'est-elle pas morte par défaut de sincérité ? Ces défenseurs d'intérêts, de Varsovie à Paris, de Rome à Londres, par leurs logomachies ont tué l'Europe. Demandez à votre père, n'est-ce pas ! Non, ce Continent est beaucoup trop caduc, beaucoup trop déchiré par les querelles, trop miné par les préjugés, pour trouver encore la paix dans l'union. Les villes de la Grèce antique eurent-elles encore, après leurs rivalités sanglantes, la force de s'unir ? Riccardo, si Dieu utilisait cette fois monsieur Hitler pour en faire rabattre aux nations européennes de leur mégalomanie (pensez un peu à la France), en sorte que jamais elles ne puissent retrouver leurs anciennes frontières effacées par Hitler lui-même ? Les guerres ont toujours des résultats différents de ceux pour quoi l'on est entré en lice. Pas besoin d'être général, n'est-ce pas, pour sentir qu'une idée aussi puissante que l'union de l'Europe ne peut devenir effective que par le sang et les souffrances, que sur le champ de bataille, et non pas grâce aux palabres de démocrates libéraux, représentant, au plus, des cabales particulières. Le fait que des Scandinaves, des Italiens, des Croates, des Roumains, des Flamands, des Basques et des Bretons, des Espagnols, des Finlandais et des Magyars forment avec les Allemands un seul front contre Staline, n'est-ce pas (*indigné*), devrait interdire à Monsieur Roosevelt de promettre au Kremlin qu'il le laissera conquérir Berlin. C'est aussi, n'est-ce pas, une promesse vide, une promesse en l'air. Folie des grandeurs, n'est-ce pas...

RICCARDO : Éminence, permettez, les Russes sont pourtant sans aucun doute moralement dans leur droit : ils livrent un bon, un juste combat ! Ils ont eu leur pays envahi, dévasté, leurs hommes déportés, assassinés. S'ils menacent à présent l'Europe, c'est Hitler seul qui en porte la responsabilité.

LE CARDINAL (*froid, impatient*) : Cela se peut, mais quand la maison brûle, il faut éteindre le feu : la question de savoir qui l'a allumé peut être, n'est-ce pas, débattue plus tard. (*Il rit*) : Votre Riccardo — attention, cher Comte — est un idéaliste; je veux dire, un fanatique, n'est-ce pas. Finalement, l'idéaliste verse toujours le sang dans l'illusion de faire le bien, il verse plus de sang que tous les réalistes. (*Il rit princièrement, il veut enchaîner et dévier la conversation. Puis dit avec une ironie souveraine, si bien que Riccardo reste cloué sur place*) : Riccardo, vous, les idéalistes, vous êtes inhumains. Nous, les réalistes, sommes plus humains parce que nous prenons l'homme tel qu'il est. Nous nous moquons de ses défauts, car nous avons les mêmes. Un idéaliste ne rit pas. Monsieur Hitler peut-il rire ? A-t-il personnellement le moindre défaut ? Non, il ne peut rire de ce monde, il veut l'améliorer. Celui qui s'oppose à son idéal est exterminé. C'est pourquoi je crains qu'il ne puisse arriver à un compromis; il commence par détruire un monde, pour lui donner ensuite sa paix à lui. Merci bien. Nous autres, les réalistes, nous acceptons les compromis, nous sommes des conformistes. C'est pourquoi nous faisons des concessions. Pourquoi pas ? N'est-ce pas. Ou bien l'on vit, ou bien l'on est conséquent. N'oublions quand même pas que le diable, comme le saint, est placé dans le monde par Dieu. Entre les deux, se trouve l'homme qui n'a jamais que le choix entre deux péchés, n'est-ce pas, Riccardo. (*Incidemment*) : Votre fanatisme ne sert pas l'Église. Maintenant qu'Hitler est là, il nous faut vivre avec lui, n'est-ce pas. Et gardez-vous — le vieil homme que je suis peut le dire, n'est-ce pas — gardez-vous, Riccardo, du blâme que l'Histoire nous adressera à nous, gens de ce temps. Hitler, dites-vous, a envahi la Russie : votre père, n'est-ce pas, cher Comte, et moi-même...

FONTANA : Vous avez parfaitement raison, Éminence.

LE CARDINAL : ... Nous nous contentons de dire : Hitler a fait son entrée. Oui. Nous ne nous livrons pas à une polémique. Croyez-vous que ce joueur d'échecs avisé ait poussé volontairement vers Moscou ? Il ne pouvait pas faire autrement. Il ne pouvait pas, en 39, lorsqu'il conclut l'alliance avec monsieur Staline (avant que les Anglais aient pu le faire), ni en 41, lorsqu'il rompit l'alliance, agir autrement. Vous ne soupçonnez pas, n'est-ce pas, dans quelle mesure un conquérant peut devenir l'esclave de ce qu'il a mis en branle. Lorsque Hitler, pour attaquer l'Angleterre, pactisa avec Staline, il réveillait le tigre derrière lui. Il ne pouvait pas savoir combien de temps la Russie jouerait le rôle de fournisseur de céréales. Le prix, le voici : pour les Russes, les États baltes, les détroits et la Bessarabie; mais leurs exigences allaient chaque jour en augmentant. Churchill, n'est-ce pas, s'était assuré des livraisons en provenance des États-Unis. Sans doute, monsieur Staline n'a-t-il pas directement menacé Hitler, pas plus que le tsar Alexandre ne fut poussé à l'offensive par Napoléon, mais admettons que presque personne ne pouvait savoir combien de temps Staline résisterait à la Wehrmacht : ce n'est pas seulement Hitler, n'est-ce pas, qui s'est trompé. Une prompte victoire à l'Est l'aurait effectivement rendu invincible. C'est une bénédiction qu'il ne triomphe pas, mais c'en est une aussi, n'est-ce pas, qu'il ne tombe pas à l'avenir.

RICCARDO (*sombre, soucieux, mais aussi aimable qu'il peut encore l'être*) : Éminence, le Saint-Père devrait cependant protester contre le fait que des centaines de milliers de gens sont abattus comme des chiens. Ce sont des crimes qui ne modifient pas du tout le cours de la guerre.

LE CARDINAL : Devrait ? Comment cela exactement, n'est-ce pas ? Le sang-froid désarme le fanatique, rien de plus, et il y aurait de grands risques pour le patron à intervenir en faveur des Juifs. Les minorités sont toujours impopulaires dans tous les pays. Les Juifs ont provoqué l'Allemagne pendant longtemps, n'est-ce pas. Ils ont dépassé le crédit qu'on leur y avait accordé. Les pogroms ne tombent pas du ciel...

FONTANA (*prudent, il sent que l'intervention de Riccardo n'a qu'un effet négatif*) : Je suis tout à fait de votre avis, Éminence. Seulement, il peut à peine être question de pogroms en Allemagne. Les juristes d'Hitler ont rédigé des codes entiers de manière à priver les Juifs de leurs droits et même à pouvoir à présent les anéantir physiquement.

RICCARDO (*calme, ce qui ne manque pas son effet*) : Nous autres chrétiens étions aussi dans la minorité autrefois, peut-être y serons-nous bientôt à nouveau. Je crois que Dieu a lié indissolublement à nous, les chrétiens, le peuple auquel appartenait Jésus...

LE CARDINAL (*riant longuement, très habile*) : Mais, mais, mes chers Fontana, à qui dites-vous tout cela ! Comte, me prenez-vous donc pour un ennemi des Juifs ?

FONTANA (*vite*) : Certes non, Éminence.

LE CARDINAL : N'est-ce pas, je dis seulement que les Juifs occupaient trop de postes importants en Allemagne avant l'arrivée au pouvoir d'Hitler, et que cela leur fut néfaste : ils fournissaient trop de médecins, d'avocats, de banquiers et d'industriels, ainsi que de gazetiers, n'est-ce pas. Bien sûr, parce qu'ils étaient plus capables ! Ceux qui appartiennent à une minorité sont toujours plus doués, car dès l'école primaire ils reçoivent en plus les corrections des autres, et ainsi travaillent mieux. Cela les rend désagréablement capables, n'est-ce pas ?

FONTANA (*qui veut sauver à tout prix la situation*) : Trop " capables " en tout cas, pour un peuple qui a plus de six millions de chômeurs.

LE CARDINAL (*spontanément, reconnaissant*) : N'est-ce pas, je ne voulais pas en dire plus. Le problème capital, Riccardo, est bien l'effroyable popularité d'Hitler, n'est-ce pas.

RICCARDO : Éminence, vous devez penser à ceci : depuis son entrée à Paris, il y a plus de deux ans, déjà deux années de guerre se sont écoulées. Le peuple est las et épouvanté. Et puis les bombardiers alliés... la société berlinoise fait la grimace...

LE CARDINAL (*vivement, reprend le propos, va et vient*) : Le peuple aime avoir un maître qu'il peut craindre. Néron — je ne plaisante pas, n'est-ce pas — Néron était très aimé de la populace. " Le peuple de Rome l'adorait ", oui, c'est terrifiant. Il fut aussi un " constructeur ". Le cirque... les congrès du Parti... l'incendie du Parlement... ensuite, la chasse... il est vrai que ce n'est pas aux chrétiens, mais aux Juifs, aux communistes, les parallèles sont terrifiants, n'est-ce pas. (*Mi-cynique, mi-déprimé*) : la bonne société, cela est possible, Riccardo, voit en Hitler un parvenu et se réjouit pourtant, n'est-ce pas, quand ses fils reçoivent la Croix de Fer. Mais le peuple, je voudrais bien voir le peuple qui n'adorerait pas un tyran qui lui livre à discrétion tant de boucs émissaires. Où en serait donc l'Église, Messieurs, si, au Moyen Age, elle n'avait pas allumé les bûchers de l'Inquisition ? " *Panem et circenses* ", confiscation, absolution et supplice du feu : il faut bien offrir quelque chose au peuple ! Et Hitler, n'est-ce pas lui qui a aussi donné du pain, ne l'oublions pas ! Du pain, un uniforme, des poignards ! Il en donna à la bande de voyous qui furent des satellites de réunion publique, ceux qui coururent derrière le drapeau rouge, longtemps avant que la croix gammée y fût cousue. N'ignorons pourtant pas, n'est-ce pas, que le peuple lui donna la moitié ou presque de toutes les voix, en 33, au cours des dernières élections à peu près loyales ! Certes, les nobles Krupp et consorts avaient déjà donné alors à Hitler trois millions de marks, lesquels lui servirent ensuite à appâter le peuple. Et puis les évêques, n'est-ce pas, les évêques du Reich ! On ne doit pas le crier sur les toits, entre nous, mes chers Fontana, entre nous (*avec une satisfaction gourmande, les mots lui fondent dans la bouche comme des huîtres*) : pour le patron c'est un point d'honneur. Le grand diplomate Pacelli, n'est-ce pas. Hitler avait l'air d'un garçon coiffeur. Le Concordat l'a rendu sortable "*urbi et orbi* ". Et à présent le Pape devrait *ex cathedra* le frapper d'anathème ?

Il rit, ainsi que le vieux Fontana.

RICCARDO (*il veut prendre la défense du Pape*) : Éminence, le Concordat ne devait-il pas être conclu pour protéger nos frères ?

LE CARDINAL (*il rit de tout cœur et tape sur l'épaule de Riccardo*) : C'est ainsi qu'on écrit l'Histoire, Riccardo, oui. Nous voulons espérer, que plus tard, c'est ainsi qu'on le verra. Non, demandez à votre papa : personne ici, à l'époque, n'a cru aux maux qu'Hitler avait déjà énoncés dans son livre... on pouvait y lire, n'est-ce pas, qu'il fallait empoisonner — comme il disait — quelques dizaines de milliers d'Hébreux, il n'y allait pas de main morte. J'aurais commencé par regarder l'homme. Oui.

FONTANA : Le bienheureux Pie XI, Éminence, m'a dit que le Concordat avec Hitler était une plateforme pour élever des protestations... si c'était nécessaire... Maintenant, c'est nécessaire.

LE CARDINAL (*détourne à nouveau la conversation*) : Le vieux Pape aimait le combat, oui... Mais surtout Pacelli avait en vue, par ce Concordat, le couronnement de tous ceux qu'il négocia. C'est ainsi que le Saint-Siège a conseillé aux pauvres démocrates allemands de se livrer eux-mêmes, n'est-ce pas. On voyait en Hitler un deuxième Mussolini, avec lequel se concluaient de si bonnes affaires... (*Il rit*) : Ah ! oui, les démocrates ! Il y a des années de cela, j'ai rencontré à Paris un des prédécesseurs d'Hitler... c'était un homme très célèbre, qui est maintenant émigré et aigri. " Cela aussi nous avions l'intention de le faire ", disait-il. Il s'agissait de la lutte contre le chômage, de la construction d'autoroutes. Les plans étaient de lui...

FONTANA : Pourquoi ne les a-t-il pas réalisés ? Je crois, Éminence que je sais qui a dit cela.

LE CARDINAL (*il rit*) : Oui, pourquoi pas ? C'est ce que je pensais tout bas, également. N'est-ce pas, nos chantres, autrefois, cher Comte, ils savaient très bien, eux aussi, comment on fait. Seulement, ils ne le pouvaient pas, n'est-ce pas — oui, — (*Sérieux à nouveau, avec une dureté de fer*) : Tant qu'Hitler vaincra et sera aimé à ce point, Stalingrad seul ne pourra scier un pied de son trône. Le patron ne ferait que se faire mal voir du peuple maintenant s'il intervenait ouvertement en faveur des Juifs. Le Cardinal Innitzer en avait fait l'expérience, n'est-ce pas, Comte, lui qui était l'ennemi juré d'Hitler, jusqu'au jour où le gredin génial fit quand même son entrée dans Vienne, déchaînant la frénésie populaire (une quantité négligeable d'êtres, soixante mille je crois, fut envoyée derrière les barreaux — l'homme de la rue exultait !). Alors, le Cardinal fit la seule chose habile possible : il fut, après la parade devant la Hofburg, le premier à féliciter Hitler, n'est-ce pas. Le patron tomberait en discrédit, Riccardo, s'il s'exposait pour les Juifs.

RICCARDO : Chez les Allemands, peut-être. Mais aux États-Unis, Éminence ?

LE CARDINAL (*décidé à en finir*) : Pas seulement chez les Allemands, n'est-ce pas ! Également chez les Polonais, les Hollandais, les Français, et les Ukrainiens, chez tous ceux, n'est-ce pas, qui ont pris une part active à la battue. Même aux États-Unis, il y a des antisémites très militants, n'est-ce pas. L'homme aime le massacre. C'est triste, mais c'est ainsi, et si un jour il s'y met, la raison ne le touche pas. Riccardo, je ne peux pas conseiller au patron de provoquer Hitler en ce moment. La défaite sur la Volga le tourmente déjà suffisamment, n'est-ce pas. Que se passerait-il si notre nonce à Berlin en discutait avec monsieur Von Weizsäcker ?

RICCARDO (*amer*) : Ah ! Éminence, ce ne serait qu'une conversation très courtoise. Monsieur le Secrétaire d'État ne sait sûrement rien de l'extermination des Juifs. Il pourrait parfaitement ne pas voir non plus, dans les rues de la capitale du Reich, que l'on arrête les Juifs comme s'ils étaient de grands criminels. Et, comme personne n'ose dire à monsieur Von Weizsäcker qu'ils meurent au nom de son Führer, tout continue. Il doit être convaincu que les menaces ne feraient qu'aggraver la situation...

LE CARDINAL (*d'un ton tranchant, trouvant l'ironie de Riccardo arrogante*) : Pouvez-vous, vous, garantir que des menaces n'aggraveraient réellement pas la situation ?

RICCARDO (*c'est sa dernière tentative. Il ne se domine plus et parle trop fort*) : Éminence, cent mille familles juives en Europe attendent leur assassinat : cela ne peut pas devenir pire, Éminence ! (*Doucement, instamment*) : Non, Éminence, je vous en prie, ne tentez rien par Weizsäcker, rien par le Nonce : le Pape doit s'adresser à Hitler — directement et sur-le-champ !

FONTANA (*agité, car Riccardo gâche tout par le ton de ses paroles*) : Mon garçon, je t'en prie. Veux-tu donner des ordres ici ? Je t'en prie...

LE CARDINAL (*met sa main sur l'épaule de Riccardo, ce qui ne signifie rien*) : Il n'a pas dormi cette nuit, n'est-ce pas... Riccardo, je n'aime pas du tout entendre parler de Weizsäcker en ces termes. C'est un homme d'honneur. Il est le trait d'union entre la Nonciature et la Wilhelmstrasse. Il était le seul avec lequel on pût encore parler en 39. Sans doute, même lui ne pouvait pas sauver la paix.

FONTANA (*essaie faiblement de revenir au fait*) : Oui, Éminence, c'est son mérite durable. Mais un mérite utilisé par Hitler devient facilement un vice.

LE CARDINAL (*souriant*) : C'est toujours une vertu de parler de paix, Comte.

FONTANA : Quand les wagons de déportés roulent vers les fours crématoires ? Je ne suis pas un cynique, vous le savez, Éminence...

LE CARDINAL : Oui, n'est-ce pas, tout cela est pénible, insoluble...

Le serviteur est entré, et annonce à Fontana :

LE SERVITEUR : Son Éminence, l'Éminentissime cardinal est instamment demandé par un officier...

LE CARDINAL : Je vous en prie ! (*A Fontana*) : Vous permettez ? Je vais naturellement, une fois encore, sonder le Pape.

Un officier de la Garde Suisse entre et salue militairement.

LE SUISSE : Éminence, Sa Sainteté prie votre Éminence de venir immédiatement au Palais pontifical. J'ai ordre, Éminence, aussitôt...

LE CARDINAL (*très mécontent*) : Maintenant, avant le déjeuner ? Bien, alors, mon chapeau, Vittorio... Comme c'est dommage ! Ce que le Pape pourra dire ne changera plus rien à la défaite de Stalingrad...

Pendant qu'il met son chapeau et que Riccardo a pris le manteau des mains du serviteur pour aider l'Éminence à se vêtir.

FONTANA : C'est très dommage. Pouvons-nous vous attendre pour déjeuner ?

LE CARDINAL : Absolument impossible, cher Comte. Dommage, oui. (*Riant en confidence, et apparemment apaisé*) : J'avais déjà demandé avant que vous ne m'ayez invité, ce qu'il y avait aujourd'hui. Je suis si indiscret... Et, à présent, au lieu de la *specialità della Casa Fontana*, je vais avoir un débat au sujet de Stalingrad. C'est triste, oui. Riccardo ! (*Il va vers lui, Riccardo baise à nouveau son anneau*) : Prenez du citron contre votre tension. Et si cela ne fait rien : des bains de pieds aussi chauds que possible. A cet après-midi ?

RICCARDO : Oui, Éminence. Je vous remercie de tout cœur. A quelle heure ?

LE CARDINAL (*Incidemment*) : Alors, n'est-ce pas, à cinq heures. Je crois qu'il vous faut aller pendant six mois à Lisbonne. (*Vite, sans transition*) : Cher Comte, assez de politique pour aujourd'hui; c'est un jour de fête. Que Dieu vous bénisse, au revoir.

RICCARDO (*accablé*) : Au revoir, Éminence.

FONTANA (*tout en l'accompagnant*) : C'était une grande bienveillance de votre part, Éminence. Je dois surtout...

Le serviteur ferme la porte derrière eux. Tous sortent, sauf Riccardo.

RICCARDO (*seul, le cœur brisé, à lui-même*) : Lisbonne !... Une voie de garage.

Il allume nerveusement une cigarette, ouvre la porte de la véranda ; son père revient alors et dit rapidement, avant que le serviteur ait refermé derrière lui :

FONTANA : Il t'écarte. Il n'a pas une seule fois demandé pourquoi tu avais quitté Berlin ! Lisbonne : Voilà ce que c'est d'oser aller trop loin.

RICCARDO : Le plus affreux, père, je l'ai tu encore, pour qu'il tente du moins de pousser le Pape à une prise de position.

FONTANA : Quoi donc ?

RICCARDO : Weizsäcker vient à Rome, il sera là très bientôt, dans l'espoir de l'influencer sans doute.

FONTANA (*incrédule*) : Hitler fait de son Secrétaire d'État son ambassadeur au Vatican ?

RICCARDO : Il espère de lui quelque chose de décisif : premièrement, il doit s'occuper ici de Mussolini, on craint que l'Italie ne liquide bientôt le fascisme. Deuxièmement : — et ceci avant tout — Weizsäcker, en tant qu'envoyé " immaculé " d'Hitler, doit à présent, selon les anciennes traditions diplomatiques, sonder personnellement le Pape et lui proposer : non-intervention réciproque, pas de discussions de principe, pas de querelles. Car Hitler sait ce que cela signifie pour lui, si le Pape se range du côté des Alliés, contre les exterminations : alors il n'aurait jamais plus à espérer que l'Ouest lui consente une paix séparée et lui laisse les mains libres à l'Est...

Silence.

RICCARDO (*cordialement*) : Je te suis si reconnaissant d'être de mon avis, père.

FONTANA : Stalingrad est le tournant qui nous permet d'agir. Tu as raison, mon garçon, seulement tu n'as rien pour te faire entendre.

RICCARDO : Père ! Je t'en conjure : nous devons agir avant que Weizsäcker n'arrive à Rome, immédiatement, père...

Les cloches recommencent à sonner très fort. Tous deux lèvent les yeux, puis se regardent. Le père fait un mouvement de bras, résigné.

LE SERVITEUR : Monsieur le Comte est servi.

Rideau

« Le monde se tait. Le monde sait ce qui se passe. Il ne peut pas en être autrement, et il se tait, au Vatican le Vicaire de Dieu... se tait... »

(Extrait d'une brochure polonaise clandestine. Août 1943.)

Acte III

LES ÉPREUVES

Scène I

Rome, 16 octobre 1943, en début de soirée.

Sous les toits, le logement d'un jeune maître de conférences, le docteur Lotario Luccani, et de sa famille, dans la rue animée de la *Porta Angelica*, qui commence sur la place Saint-Pierre, et qui, jusqu'à la *Piazza del Risorgimento*, est bordée du côté gauche par le mur abrupt de la Cité du Vatican, et du côté droit par de hautes maisons de rapport, des cafés et des magasins.

Le logement Luccani a sur la rue une vue reposante, car il donne sur le Palais pontifical qui se trouve en face, les appartements de Sa Sainteté étant au troisème étage. Dans cette scène, les paroles de monsieur Von Weisäcker sont historiques; en effet, à cette époque, l'ambassadeur du Gouvernement du Reich allemand auprès du Saint-Siège informait Berlin, le 17 octobre, que « l'affaire s'était pour ainsi dire déroulée sous les fenêtres du Pape ».

Si possible, les étages supérieurs du Palais pontifical, datant de la Renaissance, devraient être vus à travers la fenêtre de la pièce de séjour et à travers la haute porte étroite qui conduit sur le toit en terrasse; cependant, l'image de la coupole de Saint-Pierre, que nous avons vue au deuxième acte, remplit le même but, comme pour illustrer le fait que Gérard Reitlinger signalait par cette phrase dans *La Solution finale* : « Les Juifs, littéralement, furent traînés à la mort du parvis de la basilique Saint-Pierre. »

La scène est divisée en trois parties : à gauche, l'entrée étroite avec la porte du couloir au fond et une autre porte à droite, qui conduit à la salle de séjour, laquelle est au centre de la scène. La salle de séjour est peu meublée et, domicile d'un érudit, elle est typiquement décorée du fragment d'un bas-relief antique, encastré dans le mur, et de deux bibliothèques. A droite, se trouve la chambre d'enfants, de couleurs vives et aussi petite que l'entrée; deux petits lits sont l'un derrière l'autre; au milieu de la chambre se trouve un berceau sur roues. Cette chambre d'enfants ne communique pas avec la pièce de séjour. On y parvient en allant dans l'entrée par la porte de la salle de séjour, puis en traversant toute la scène, le long de la rampe, devant les trois pièces.

Dans la pièce de séjour, se trouvent : un panier à couvercle encore ouvert et trois ou quatre valises, ainsi qu'un carton et un sac d'écolier. Sur le lit, il y a des manteaux et des chapeaux. Une fillette de quelque cinq ans apporte de la chambre d'enfants une poupée après l'autre et les pose sur la valise. Son frère, de huit ans environ, est couché par terre dans sa chambre et feuillette un album. Le docteur Lotario Luccani est à la fenêtre de la salle de séjour. Julia, sa femme, est en train de langer pour la nuit un nourrisson couché sur la table. Le bébé crie d'abord, puis se calme après des mots apaisants que lui dit sa mère. Son beau-père lit sous une lampe à pied, à l'aide d'une loupe, *l'Osservatore romano*.

LOTARIO : Je n'ai plus rien à faire et il est seulement quatre heures et demi. Il fait encore plein jour. La nuit tombe tard, peu à peu ma patience s'épuise.

JULIA : Pourquoi t'énerves-tu encore ? Tout est prêt. Le Père m'a expressément priée de ne venir que lorsqu'il ferait nuit. Sois heureux qu'on nous cache enfin.

LOTARIO (*nerveux*) : Tu veux marcher ? Oui, tu as raison, nous irons tous à pied. Ce n'est que quand nous serons en sécurité que madame Simonetta pourra nous faire passer les valises. Elle doit prendre un taxi sur la place Saint-Pierre.

JULIA (*essaie de le calmer*) : Mais, Lotario, tout cela est pourtant réglé depuis longtemps. Je lui ai donné de l'argent, elle a aussi les clés. Il faut juste lui laisser encore l'argent de la location.

LUCCANI Senior : Je l'ai déjà réglée. Le loyer est versé par mandat jusqu'au mois d'avril.

LA PETITE FILLE : Papi, est-ce que je peux les emporter toutes ?

LOTARIO : Merci beaucoup, père. (*A sa fille*) : Tu peux emporter deux poupées et l'ours, ou bien le petit chien, pas les deux.

LUCCANI Senior : Vous n'avez pas besoin de madame Simonetta. Je peux attendre le taxi ici et je lui ferai passer les paquets. Ainsi, nous serons sûrs que la maison est bien fermée. Pourquoi cette femme devrait-elle encore mettre son nez partout dans les pièces, quand nous serons partis...

JULIA (*avec irritation*) : Mais, grand-père, nous lui donnons Pippa en nourrice, et voilà que tu te méfies d'elle.

LOTARIO (*feuillette distraitement un livre, ne sachant pas s'il doit l'emporter aussi*) : Et toi non plus, ne reste pas en arrière ici. Pourquoi attendre plus longtemps qu'il n'est absolument nécessaire ? Je ne me sens pas à l'aise...

JULIA (*encore occupée avec le nourrisson*) : Lotario, ne sois pas si nerveux, cela gagne les enfants.

LOTARIO (*très nerveux, excédé, presque, haut*) : Mais je ne suis pas du tout nerveux ! Finalement, on nous a prévenus. Je me fais des reproches de ne pas être parti hier avec le Père quand il était ici. Ces maudits paquets !

JULIA : Il y a déjà des semaines que les Allemands sont à Rome. Aucun Juif, jusqu'ici, n'a été mis en prison. Pourquoi justement aujourd'hui ?

LOTARIO (*violemment*) : Pourquoi ! Pourquoi ! Parce que c'est justement maintenant que l'ordre en a été donné. L'or ne leur a pas suffi. Ils ont saccagé la synagogue. Maintenant, c'est notre tour. Ne croyez-vous (*après une pause*) toujours pas ce que dit Londres ? Partout où les Russes reconquièrent leur territoire, ils tombent sur des fosses communes encore pleines de civils, de Juifs assassinés.

LUCCANI Senior (*avec assurance*) : Je connais les Allemands mieux que toi. Je ne crois pas ces fables. Qui donc a abattu les cinq mille officiers à Katyn, les Allemands ou les Russes ?

LOTARIO : Je n'en sais rien, je les en crois tous capables. En tout cas, on a trouvé des munitions allemandes près des cadavres.

LUCCANI Senior : Cela ne prouve rien encore. Les Allemands ont exhumé les Polonais, signe qu'ils étaient sûrs de leur affaire. Staline les a tués, comme il y a six ans son propre état-major.

JULIA : Je vous en prie, grand-père, n'avez-vous pas d'autre sujet de conversation ! Nous ne sommes pas en Pologne, ici. Nous avons le Pape pour voisin, et il ne permettra pas qu'on nous enlève tout simplement. (*Elle montre la fenêtre, et donne un baiser à son mari, souriant*) : Il n'a pas besoin d'avoir peur d'Hitler, les Américains sont déjà à Naples.

LOTARIO : Chère enfant, nous ne sommes pas catholiques.

LUCCANI Senior : Mais si. Je suis catholique. Cela suffit. D'ailleurs, on nous attend au couvent.

LOTARIO (*ironique*) : Cela impressionnera beaucoup les Allemands. Ah ! vous êtes naïfs. Bon, parlons d'autre chose. Il commence à faire plus sombre.

Le garçon a maintenant apporté son album dans la salle commune et dit à son père :

LE GARÇON : Papa, puis-je emporter aussi les timbres ?

LOTARIO : Oui, tu peux. Assieds-toi ici, à la table, et ôte-les de l'album avec soin. Il prend trop de place, cet album, laisse-le. Tu n'as qu'à les mettre dans la boîte avec ceux qui ne sont pas encore classés.

LE GARÇON (*révolté*) : Mais ils se mélangent tous et ils tombent. (*A sa sœur*) : Touche pas aux timbres, toi !

LOTARIO : Fais ce que je te dis, sinon, l'album reste ici.

LA FILLETTE : Ils m'appartiennent aussi.

JULIA : Obéissez, et ne faites pas de bruit, pour que Pippa puisse bien s'endormir; ensuite, nous la porterons là-haut, dans la petite corbeille. Lotario, sois donc assez aimable pour porter déjà à madame Simonetta tout ce qui est là... (*Elle pose sur le bras de son mari deux serviettes de bain, une pile de couches, et met les biberons, la poudre, les jouets et les petits manteaux dans un sac.*) Nous laissons la voiture d'enfant ici, en bas ? (*Sans transition*) : N'allons-nous pas prendre quand même Pippa avec nous ?

LOTARIO (*chargé de paquets, impatient, injuste, lui prend le sac des mains*) : Il faut toujours que tu remettes en question ce qui a été convenu. Des cris de nourrisson ne conviennent pas à un couvent. Tu ne pourras même pas la baigner, là-bas, et ne parlons pas du problème de la nourriture...

JULIA : Tu as raison, Lotario. C'est seulement parce qu'il m'est pénible d'abandonner Pippa.

LOTARIO : Qu'y a-t-il encore ? Je reviens tout de suite. (*Tendrement*) : Cela m'est également difficile, Julia. (*Il la baise au front, puis embrasse l'enfant et sort de l'appartement.*)

JULIA (*lui crie*) : Dis à madame Simonetta que je lui monte Pippa dans une demi-heure !

La porte du couloir reste ouverte, on entend Lotario dans l'escalier. Julia porte l'enfant, après que le grand-père lui a fait une caresse, dans la chambre des enfants, et le pose dans le moïse.

LUCCANI Senior : Je vais encore relever le compteur électrique et fermer le robinet du gaz. (*A ses petits-enfants*) : Ne vous disputez pas.

LA PETITE FILLE : Papi, les timbres sont pourtant à moi aussi.

Mais elle n'a pas un regard pour les timbres dont son frère s'occupe sur la table. Elle emmaillote, à l'exemple de sa mère, une de ses poupées, posée sur la valise.

LUCCANI Senior : Je t'achèterai encore une poupée qui parlera comme il faut. Ou bien encore un livre de contes. Que veux-tu ?

LE GARÇON : Et à moi des timbres d'Amérique !

LUCCANI Senior : Vous n'aurez qu'à être bien gentils chez les moines, et je vous achèterai quelque chose à tous les deux. Espérons (*à lui-même*) que nous pourrons nous faire apporter les tapis après, les carrelages sont froids, en hiver...

Il sort par le corridor à gauche. Pendant qu'il parle encore avec les enfants, Lotario revient et va dans la chambre des enfants. Julia a placé le bébé dans le berceau. Ils regardent l'enfant puis, s'en éloignant, ils vont au premier plan de la scène. Lotario la prend par le bras.

LOTARIO : Ne sois pas fâché contre moi si je suis énervé.

Il appuie son visage sur sa nuque et l'embrasse avec passion.

JULIA (*dit tendrement*) : Cela va passer, cela ne va plus durer longtemps. Les Alliés sont déjà sur le Vulturne.

LOTARIO (*à nouveau violent*) : Mon Dieu ! Pourquoi ne débarquent-ils pas à Ostie ! Ah, mon enfant, tu espères en les Américains, grand-père espère en le Pape. Et moi, moi, en rien du tout. Si seulement nous avions déjà la porte du couvent derrière nous !...

JULIA : Cesse donc, Lotario, tu vois toujours le mauvais côté des choses. Et puis, ne comptes-tu pour rien le fait que maintenant, au moins, nous resterons ensemble ?

Elle l'embrasse et passe sa main sur son bras.

LOTARIO (*très sombre*) : Se séparer du travail, des livres, est suffisamment dur. Et puis, tous les amis...

JULIA (*résignée*) : Toi, le misanthrope ! Les livres t'importent toujours plus que moi, n'est-ce pas ? Parfois je t'ennuie.

LOTARIO : Mais Julia, comment peux-tu...

JULIA : Si, si, avant que naissent les enfants qui ont besoin de moi, cela me rendait souvent malheureuse. Et pas une seul fois tu ne l'as remarqué, en égocentrique que tu es. (*Elle l'étreint*) : Nous nous disputons trop souvent, c'est affreux.

LOTARIO (*déconcerté*) : Mais Julia, tu sais comme j'ai besoin de toi !

JULIA (*riant*) : Un peu, parfois.

LOTARIO : Nous sommes jeunes encore, nous rattraperons cela, attends seulement que cette maudite guerre soit finie.

JULIA : On ne peut rien rattraper. Ah ! tu as renoncé pour moi à toutes sortes de choses. Pour un homme, tu t'es marié trop tôt.

LOTARIO : Oui, mais avec toi, Julia. Tu es celle qui remplace tout ce que l'on n'a pas eu. (*Il s'est détourné à nouveau, très résigné*) : Dans quelle valise sont donc les papiers ? et où se trouvent les livrets de Caisse d'Épargne ? Nous aurions dû retirer tout le reste.

JULIA : Avec ton manuscrit. Mais... (*Elle se détache de lui*) : J'ai bien failli encore laisser ma bague dans la salle de bain.

Elle s'en va vers la droite ; Lotario part à gauche et traverse le couloir pour aller dans la salle de séjour. Le vieux qui, pendant ce temps, vient d'y rentrer, a commencé un " travail " parfaitement stupide : Il trie, en les sortant d'un panier, les vieux journaux tout en regardant leur date à la loupe d'un air absorbé. Il dit à sa petite-fille :

LUCCANI Senior : Pourquoi es-tu allée chercher tous tes enfants, laisse-les donc dormir !

LA PETITE FILLE : C'est qu'il me faut les laver encore, et puis je les emmènerai.

LE GARÇON : Tu les emmènes toutes ? Rien que deux, papa a dit ! Papa, peut-elle prendre toutes ses poupées ? Alors, je vais prendre mon revolver aussi.

LOTARIO (*en portant deux valises dans le couloir, avec une pâle tentative de plaisanterie*) : Au couvent ! Julia, tu entends, il veut attaquer le couvent avec un revolver. Même les nazis ne feraient pas ça !

Julia rentre dans la pièce commune, tous deux rient.

JULIA : Mon garçon, on ne peut pas emporter d'armes au couvent. Grand-père, pour qui classes-tu maintenant les vieux journaux ? Tu deviens nerveux, toi aussi ?

LUCCANI Senior : Pas le moins du monde. Je n'ai simplement plus rien à faire. (*Il regarde sa montre de poche.*) Mais tu as raison, je vais plutôt regarder si toutes les fenêtres sont fermées.

JULIA : Oui, elles sont toutes fermées.

Le vieux sort quand même.

JULIA (*à son mari*) : Je vais donner aussi la clé de la cave à madame Simonetta. Elle doit nous apporter chez les moines de temps en temps, un pot de notre confiture. Mais surtout Pippa, (*tristement*), tous les trois jours : sinon, au bout d'un trimestre, elle ne me reconnaîtra plus. (*On sonne fort*). La voilà.

On sonne à nouveau, cette fois-ci de façon prolongée. Lotario sort, rencontre à la porte son père qui entre, effaré, dans la pièce et, quand Julia le regarde d'un air interrogateur, il hausse les épaules sans dire un mot. Lotario ferme maintenant la porte de la salle commune, puis il ouvre celle du couloir, tandis que la sonnette tinte toujours. Tous les quatre, dans la pièce, se serrent les uns contre les autres. Un chef de section allemande de Waffen S. S. et deux Italiens de la milice fasciste entrent.

(Le feldwebel s'appelle Witzel et il ressemblait en 1943, à la plupart de ses compatriotes du même âge : 35 ans, de même qu'en 1960, devenu inspecteur-chef de la voirie de la ville de D., il ressemblera à la plupart des quinquagénaires. Peut-être faut-il mentionner qu'il est très correct, et le ton brutal, obscène, fanfaronnant qu'il affiche vis-à-vis des Juifs et des autres personnes sans défense lui va mal. Witzel possède ce verbiage brutal et des phrases entières copiées sur celles de ses supérieurs. Il ne s'est jamais aperçu qu'il changeait de vocabulaire à chaque changement de chef. En 1959, ce genre d'individu est devenu un citoyen sur qui l'on peut compter. Son

amour de l'ordre lui rend les machinations néo-nazies aussi antipathiques que des grèves ou qu'une rupture de conduite d'eau.)

(*L'adjudant est tellement le type du contemporain qu'on ne peut le reconnaître que par son uniforme, non par son visage. C'est pourquoi il peut jouer aussi le Père dans la première scène, et dans la dernière, le Kapo juif. Quand il change de rôle, point n'est besoin de lui mettre une petite barbe ou des lunettes. C'est l'homme moyen.*)

(*Les deux Italiens sont également des articles courants de l'Histoire contemporaine, deux mufles-standard qui auraient tout aussi bien pu dresser le bûcher pour Jeanne d'Arc. L'un porte un fusil chargé, et pourtant il le tient si négligemment sous le bras qu'on a l'impression que si le coup partait ce ne serait que par inadvertance. Ce qu'il tient dans l'autre main est plus important pour lui : une petite bouteille clissée, à laquelle il boit à intervalles réguliers. Son camarade a un visage étroit et sévère, des yeux perçants. Il est correct, " réglo " et vaniteux comme un tambour-major sur la " Piazza ". Il porte une liste de noms qu'il pointe inutilement avec des crayons de différentes couleurs. Il a un étui de revolver et un porte-cartes d'état-major. Sa casquette est posée bien d'aplomb. Il est rasé proprement. Son uniforme, avec un cordon multicolore sur la veste, est propre et repassé, il porte des bottes. Tandis que l'autre a un long pantalon crasseux, qu'il ne doit vraisemblablement jamais ôter, pas même au lit, sauf quand il n'y dort pas seul. Witzel n'a aucun pouvoir sur lui. Il s'irrite de sa petite barbe qu'il juge futile.*)

L'ITALIEN (*avec la liste*) : Docteur Lotario Luccani, sa femme Julia, deux enfants : un garçon, une petite-fille. Vous partez dans un camp de travail. Faites vos paquets, vite !

Witzel et l'Italien à la bouteille ont pénétré, en passant devant eux, dans la salle de séjour dont Julia vient juste d'ouvrir la porte.

WITZEL (*doucereux*) : Faites vos paquets... mais à ce que je vois ils sont déjà faits ?...

Il ne parle pas un dialecte déterminé, mais seulement un allemand totalement négligé. Plus il parle fort, plus sa façon de parler devient un paresseux accent de Kassel.

LOTARIO (*doucement à Julia*) : Trop tard.

Il s'appuie, complètement résigné, au montant de la porte, jusqu'à ce que Witzel, qui a refermé la porte du couloir, lui donne une bourrade si brutale qu'il part en trébuchant loin dans la chambre.

WITZEL : Vite ! Fais ton paquet. Allez, *avanti !*

LUCCANI Senior (*se contient d'abord*) : Que vous a fait mon fils ?

WITZEL (*plus fort, sans faire attention au vieux*) : Vous avez dix minutes, non, cinq au maximum. Allons, faites les paquets, *avanti !*

LUCCANI Senior (*très résolu, va vers lui*) : Nous sommes catholiques, nous sommes tous baptisés. Vous n'avez pas le droit de nous arrêter. Où est votre ordre ?

WITZEL (*cordialement*) : Où est ton étoile de Juif ? Catholique, bon ! J'ai, moi aussi, été catholique un jour, ça passe. Vous aurez dix minutes, puisque vous êtes catholiques. (*Il se retourne, montre la valise prête*) : Déjà prêts à partir ? D'où avez-vous su que nous voulions venir vous chercher ? Toute la famille réunie ici.

JULIA (*calme*) : Oui, toute la famille, nous ne savions rien, nous voulions seulement partir en voyage.

WITZEL : Comme cela, partir en voyage, et dans quel couvent, donc ?

Il rit en regardant les deux hommes qui s'étirent paresseusement et fument. Le buveur est à la table. Celui qui est correct rit avec lui, par devoir, pendant que celui qui a une allure de voyou, de ses yeux entreprenants, inspecte les murs et les meubles.

WITZEL (*mielleux, au petit garçon*) : Dans quel couvent vouliez-vous partir en voyage ?

Le petit garçon, très intimidé, ne répond pas et s'accroche à son grand-père. Lotario ne s'est toujours pas ressaisi, il dit :

LOTARIO : Mon père est en visite ici. Il est catholique depuis des dizaines d'années. Vous ne l'avez donc pas sur votre liste. Laissez-le ici, sinon vous aurez beaucoup d'ennuis avec le Vatican.

Il fait très sombre dans la pièce. En face, au troisième étage du Palais pontifical, les lumières s'allument.

WITZEL : Il n'a pas besoin de se plaindre au Pape, il peut se plaindre tout de suite au Bon Dieu, le vieux monsieur. D'ailleurs, il ne tardera pas à le voir, le Bon Dieu ! (*Witzel observe le vieux qui ne peut plus rien dire, puis se tourne d'un seul mouvement vers Julia et Lotario et crie*) : Peut-être pensez-vous que j'ai fait venir un camion de déménagement pour vous seuls ! (*Il va avec violence devant les valises qui sont encore dans la pièce et jette les chapeaux, l'un après l'autre, du lit dans la pièce*) : Cinquante livres de paquets par nez de Juif, uniquement du linge et de la mangeaille ! Enlevez tout le reste. Vite, dépêchez-vous, *avanti* !

JULIA (*qui peut à peine parler de peur*) : Où nous conduisez-vous ?

WITZEL (*doucereux*) : Construire des routes dans les Apennins.

LOTARIO (*tout à coup actif, à Julia et à son père, de façon significative*) : Nos deux enfants sont aussi sur la liste ?

LUCCANI Senior (*qui a aussitôt compris*) : Oui, les deux enfants. (*A Witzel*) : Laissez donc, s'il vous plaît, les deux enfants ici, ils ne feront que vous encombrer.

WITZEL (*prend la liste, terriblement doucereux*) : Nous avons le sens de la famille très développé, comprenez-vous. Les deux enfants viennent aussi. Et vous, vous n'êtes pas sur la liste, mais vous venez aussi, celui qui ne peut pas travailler est un " extra " et peut faire des travaux spéciaux.

Lotario et Julia défont en hâte leurs valises et les refont. La petite fille est grimpée sur les genoux de son grand-père, le petit garçon, avide de protection lui aussi, vient près de lui.

WITZEL (*positivement au vieux*) : Vous n'êtes pas depuis longtemps à Rome, puisque le Duce ne s'est pas intéressé à vous, au moment où il a fait recenser les Juifs ?

LUCCANI Senior (*méprisant*) : Premièrement, je ne suis qu'en visite ici, deuxièmement je suis catholique.

JULIA (*reprenant courage*) : Je vous en prie, laissez mon beau-père ici, avec mes deux enfants...

WITZEL (*se retourne, brutalement*) : Tu dois faire tes paquets. Nous ne nous intéressons pas à la religion, nous, Allemands. (*Il va voir le bas-relief scellé au mur. Lotario et Julia font leurs valises. En dehors de cela, tout est très calme. Witzel pousse du pied Lotario qui s'est agenouillé devant une valise*) : Collectionneur d'objets d'art, hein ? Beaucoup de valeur, n'est-ce pas ?

Il montre d'un mouvement de tête le bas-relief. Lotario, dans l'espoir insensé de lier conversation et peut-être d'obtenir quelque chose pour les enfants, dit :

LOTARIO : Oui, je suis archéologue. Cette sculpture provient...

WITZEL : L'endroit d'où elle provient ne m'intéresse pas. Cela doit intéresser l'état-major personnel de Gœring. Finis tes valises, nous allons partir. (*A l'Italien correct*) : Donne-moi l'autre liste... (*L'Italien ouvre son porte-cartes. Witzel note quelque chose et demande au milicien*) : Quel est le nom de la rue ?

LE MILICIEN : " *Via Porta Angelica* ", numéro 22, 4e étage.

Witzel lui rend la liste, passe entre Lotario et Julia qui font leurs valises par terre. Il se penche et enlève d'une valise une petite sculpture et un sac. Il les tient tous deux devant lui. L'Italien à la bouteille devient très attentif, mais ne dit rien.

WITZEL (*sarcastique, rit méchamment. Il pose le bronze antique sur la table et fouille dans la bourse*) : Tout ce que vous vouliez prendre pour le voyage. Tout cela, ce sont de vieilles monnaies, ou quoi ? Quelle valeur cela a-t-il ? Nous allons le noter aussi. (*Il se fait redonner l'autre liste, note quelque chose et voit que " le voyou ", assis sur la table, ne quitte pas l'argent des yeux, tout en roulant une cigarette. Il l'envoie dehors.* (*Durement*) : Ne sois pas si avachi, toi, là, et ne fais pas des yeux de veau. Jette plutôt un coup d'œil rapide dans les autres pièces. Peut-être va-t-il nous arriver encore en plus dans le tas un oiseau comme ce grand-père... (*Lorsque l'Italien s'écarte de la table, d'un air mauvais, lentement et à contrecœur, la casquette rejetée sur le front et se grattant le derrière de la tête, Julia qui est toujours à genoux devant ses paquets lève les yeux avec anxiété. Elle mord sa lèvre inférieure pour ne pas crier et enfonce ses ongles dans le bras de Lotario. Son mari repousse sa main et s'occupe avec zèle et ostentation de sa valise. Julia peut si mal cacher son anxiété qu'elle se dresse brusquement lorsque l'Italien quitte la chambre. Aussitôt Witzel, qui est derrière elle, la prend brutalement par la nuque et la pousse à nouveau vers le sol en disant sottement, d'un air apaisant*) : Tu n'as pas besoin d'avoir peur que ton compatriote s'en prenne aux cuillers d'argent, continue...

Julia commence à pleurer sans bruit. Le grand-père, dans le fond, a mis à plusieurs reprises son doigt sur sa bouche pour signifier aux enfants qu'ils devaient se taire. Il chuchote. Puis, dans cet instant de tension extrême, il se met à parler à Witzel, tout en se dominant :

LUCCANI Senior : Le garçon peut-il prendre sa petite boîte de timbres ? Ici...

Il prend la boîte des mains du petit garçon et la montre à Witzel qui répond, toujours trop aimable :

WITZEL : Bien sûr, qu'il le peut, ma foi.

LUCCANI Senior : Claudia, demande maintenant si tu peux emmener ton ours et tes poupées.

WITZEL (*impatient*) : Ainsi soit-il. Mais maintenant, en route. Et puis ? Les chambres sont vides ?

Il regarde d'un air interrogateur le fasciste qui revient de la chambre des enfants où il a regardé dans la petite corbeille du bébé et qui, après une courte réflexion et un coup d'œil dans le couloir, s'est éloigné doucement tandis qu'un sourire passait sur son visage dont personne, pas même lui, n'aurait pu dire si c'était d'avoir sauvé l'enfant ou d'avoir dupé Witzel.

LE FASCISTE : Personne d'autre, personne.

Il regarde d'abord Julia, puis, sans gêne, la bourse contenant les pièces.

JULIA (*au premier plan, doucement*) : Faut-il donc que Pippa...

LOTARIO (*prend Julia par le bras pour l'apaiser ; puis, se levant aussitôt semble tout à coup pressé*) : Nous sommes prêts.

Il jette son manteau sur ses épaules, prend deux valises et passe devant. Julia, plus calme, veut mettre le manteau aux enfants.

WITZEL : Arrêtez, encore un détail; étendez vos mains, pas les enfants. Vous, là : la bague. On enlève les bagues. Les bijoux sont confisqués, allons.

LOTARIO (*interrompt le silence par un rire tourmenté, tout en enlevant son alliance de son doigt, non sans peine, tandis que son père et Julia ne réagissent pas encore*) : Les alliances pourraient nous gêner pour le “ travail ”. (*Irrité, parce que Witzel saisit les mains de Julia qui, dans sa nervosité, ne peut pas enlever toute seule les bagues de ses doigts*) : Avez-vous un ordre officiel de nous piller ?

Les enfants se pressent autour de leur mère.

WITZEL : Piller ? Ne deviens pas insolent, toi. Vos montres ! Donnez vos montres. De toute façon, elles vous seront inutiles. Donnez-les.

JULIA : Tu avais raison, Lotario.

Witzel a pris sa montre et celle de Lotario, ainsi que les bagues. Il les remet au milicien correct qui fait un relevé et place le tout dans la sacoche de cuir qu'il porte au ceinturon. A présent, il se tourne vers le vieux qui est assis, accablé, comme s'il était témoin d'un événement incompréhensible, sur une autre planète. Il a des yeux hagards, fixes et grands ouverts, les mains devant lui, posées sur ses genoux, légèrement écartés. Sans aucune réaction extérieure, il se laisse enlever sa montre de poche, sa chaîne en or et ses deux alliances. Les anneaux sont plus arrachés des doigts qu'enlevés.

WITZEL : Tu dors ? Allons, vite, nous partons. Habillez les enfants.

LA PETITE FILLE : Je veux aller avec grand-père.

LUCCANI Senior : Oui. Reste avec moi. (*Au garçon*) : Toi aussi, viens.

LE GARÇON : Et Pippa ? Où est... Pippa ?

LUCCANI Senior (*lui met la main sur la bouche*) : Bien. Calme-toi maintenant.

Il emmène en hâte les enfants avec lui ; le milicien qui portait d'abord la liste a ouvert la porte du couloir. Dans la bousculade du couloir, le garçon demande avec angoisse au feldwebel :

LE GARÇON : Nous partons pour le couvent maintenant ?

WITZEL : Nous allons tout droit au ciel, juste chez le Bon Dieu.

Il les pousse dehors. Dehors, se tient Mme Simonetta pleurant.

Mme SIMONETTA : Ah ! Madame Luccani, mon Dieu !

JULIA : Adieu, jetez donc, s'il vous plaît, encore un coup d'œil dans la chambre d'enfants pour voir si j'ai bien fermé la fenêtre.

Elle se met à pleurer et sort rapidement.

WITZEL (*part le dernier de l'appartement*) : *Raus* ! Vous ! *Raus* !

Il repousse Madame Simonetta et referme si fort, de l'extérieur, la porte du couloir que le bébé se met à pleurer. Dans l'appartement, il fait presque sombre à présent, car le vieux Luccani n'a pas oublié d'éteindre la lampe à pied. Un peu de lumière entre, venant du Palais pontifical. On entend beaucoup de pas dans l'escalier, puis c'est le calme dans le couloir de la maison. On entend un camion mettre son moteur en marche.
Madame Simonetta ouvre la porte du couloir et va furtivement mais rapidement dans la chambre d'enfants et se penche sur le berceau.

Madame SIMONETTA : Ah ! toi. Ils t'ont emmené ta maman ! Viens, mon trésor, pauvre petit, viens. Ces bourreaux !

Elle sort l'enfant de son lit, la calme jusqu'à ce qu'elle se taise, la pose sur un coussin, se retourne plusieurs fois nerveusement dans la pièce, puis va à la fenêtre qui est fermée et regarde en bas. Elle pleure. Le fasciste qui a " découvert " l'enfant vient justement de surgir très vite et se glisse par la porte du couloir qui est restée ouverte ; il est revenu dans la pièce de séjour où, avec une hâte extrême, il essaie de cacher dans ses poches la bourse pleine de monnaies. Cela dure un moment. Puis il prend la petite statue, veut la cacher dans la poche de son pantalon, constate que ça n'entre pas, et déboutonne finalement quelques boutons de sa chemise où il la cache. Il regarde avec crainte la porte et, à ce moment-là, Madame Simonetta arrive dans le couloir, sortant de la chambre d'enfants. Tous deux ont très peur et ne peuvent rien dire. Le fasciste la regarde, extrêmement embarrassé, mais d'un air entendu : il n'a pas encore complètement rentré la statue dans sa chemise. Il montre l'enfant, puis tape sur ses poches et rit. Il sort encore une fois la statue de sa blouse, la montre pour ne pas être pris pour un voleur, et la rentre très lentement. Il sort dans le couloir en ricanant. Madame Simonetta n'a pas pu prononcer autre chose que : " Oh ! " Avec un grand geste théâtral, le fasciste se balance d'un pied sur l'autre et tient son bras comme Madame Simonetta, comme s'il avait aussi un enfant contre sa poitrine. Ce faisant, il tape sur la statue sous la blouse.

LE FASCISTE : O Madonna mia — C'est MOI qui l'ai sauvée.

Il se hâte de sortir.

Madame SIMONETTA (*s'appuie au mur, épuisée et soulagée. Elle n'est plus capable de faire un pas*) : Brutes !

Rideau

Scène II

Le cabinet de travail du Supérieur général d'un ordre religieux. Peu de meubles, d'ailleurs sans style, un crucifix, la photo de Pie XII de profil, légèrement plus grande que nature. Quatre sièges Renaissance, des copies semblables à celles que la Garde suisse utilise dans ses postes de garde. Une grande carte du monde éclairée par un tube luminescent et marquée de points rouges indiquant les lieux de mission de l'ordre, peu nombreux. Sur le plus long panneau de la pièce se dresse une armoire extrêmement massive, baroque, avec deux grandes portes.

Au premier plan, à côté du téléphone, un moine âgé lit son bréviaire. Un chapeau noir à glands rouge et or de cardinal, avec un manteau rouge, pendu de façon très voyante à la porte. L'horloge du bureau, toute simple, sonne dix coups : 22 heures. Au même moment, on entend des pas résonner fortement, comme si quelqu'un marchait sur le mince plancher d'un grenier vide. Le moine se lève. A présent, on entend le rire sonore et sympathique d'un homme que l'on devine gros; le bruit est assourdi, comme s'il provenait d'un tonneau. Il sort de l'armoire, dont la lourde porte s'ouvre en grinçant. Son Éminence, déjà connue par sa visite à la maison Fontana, apparaît, joyeuse (mais à la façon d'un homme du monde, avec cérémonie...) De sa main gauche, le Cardinal remonte sa soutane. Il porte des bas rouges qui prolongent de hautes bottines noires à lacets; de son bras droit, il s'appuie sur le moine, accouru pour l'aider à sortir du passage dissimulé.

On entend des rires, des paroles, quelqu'un qui tousse dans le fond de l'armoire; le Père général n'apparaît pas encore, il bloque la fausse porte du côté du mur, puis il sort de l'armoire elle-même, et en ferme les portes. Enfin, il se retourne, c'est un homme d'un certain âge, aux cheveux blancs, mince, frugal, discipliné.

LE CARDINAL (*un pied encore dans l'armoire, avec une gaieté princière*) : Jonas, n'est-ce pas, Jonas dans le ventre de la baleine. Merci, mon ami, merci. (*Il sort complètement, le moine époussette sa soutane, puis va chercher dans le tiroir de la table une brosse à habits et continue ce travail, puis il fait de même au Père général.*) Oui, n'est-ce pas, elle est magnifique, cette cachette ! Et c'est à côté de cette armoire, mon cher et Révérendissime Père, que vous discutez avec les sbires d'Hitler ? (*Il se réjouit de nouveau*) : Impayable, n'est-ce pas ? Mais si, maintenant, une de vos ouailles, là-haut (*il montre le plafond*) est atteinte d'un accès de claustrophobie... si elle ne peut plus supporter d'être dans cette cachette, s'échappe, n'est-ce pas, fait du tapage et, n'est-ce pas, court tout droit ici à travers l'armoire, dans cette chambre où vous êtes peut-être en train de boire du Frascati avec le chef de la Gestapo... n'est-ce pas ?

Cette idée l'amuse dans la même mesure qu'elle l'effraie ; son rire nerveux contient une interrogation.

LE PÈRE GÉNÉRAL (*souriant*) : Ne vous faites aucun souci, Éminence; les Allemands savent de toute façon que ma maison est pleine de déserteurs, de communistes, de Juifs, de royalistes... Ils respectent la paix des couvents. (*Au frère qui le brosse*) : Merci, Frère, merci. Pas de coup de téléphone ?

LE MOINE (*s'incline et sort*) : Pas de coup de téléphone, mon Révérendissime Père. (*Génuflexion*) : Éminence !

LE CARDINAL (*distraitement*) : Dieu vous bénisse, mon ami...

LE PÈRE GÉNÉRAL : Apporte-nous un petit verre de vin; rouge, Éminence, de l'année ?

LE CARDINAL : Merci — non — car j'ai un cocher et un cheval sur la *piazza*. Je ne veux pas m'attarder, n'est-ce pas. Bon, eh bien, une petite gorgée de rouge, allons... (*Au moine*) : Mais, s'il vous plaît, cher ami, pas de l'année. Oui (*Le moine sort après une révérence.*) Et votre rhumatisme, cher et Révérendissime Père ?

LE PÈRE GÉNÉRAL : Merci de votre sollicitude, Éminence, je crains qu'il ne réapparaisse comme chaque année avec le brouillard de novembre, pas plus tôt, pas plus tard. Il ne va pas m'épargner, cette année non plus.

LE CARDINAL : Je vous enverrai demain matin, n'est-ce pas, ma peau de chat. Portez-la tout de suite, n'attendez pas de souffrir.

Le Cardinal a pris place au bureau, le Père général a approché une chaise.

LE PÈRE GÉNÉRAL : Vous êtes très aimable, Éminence, mais n'avez-vous pas besoin, vous-même, de cette peau ?

LE CARDINAL (*faisant de la main un geste large pour écarter cette éventualité, avec un sérieux plein de sévérité*) : Mais non, je fais des cures et, de plus, l'air chaud de ma serre, n'est-ce pas, contre cela les maladies ne peuvent rien. (*Il montre à nouveau le plafond, tousse, se met à tousser puissamment*) : Mais là-haut, le grenier est très poussiéreux. Où peuvent-ils prendre de l'air pur, les pauvres reclus ? La poussière, ah ! (*Il cesse peu à peu de tousser*) : Oui, la poussière, là-haut, n'est-ce pas...

LE PÈRE GÉNÉRAL : C'est tout simple, Éminence, ils vont la nuit sur le toit, toute la nuit quand ils en éprouvent l'envie. La journée, ils vont par roulement dans le jardin, ils aident à la cuisine et à la bibliothèque. Pourquoi pas ? L'armoire ici, Éminence, n'est en fait que pittoresque : elle ne deviendrait nécessaire que si les Allemands respectaient d'une façon, disons moins exemplaire, qu'ils l'ont fait jusqu'à présent les maisons exterritorialisées de Rome. Alors, les portes seraient murées pour être cachées et l'armoire serait le seul accès.

Le moine a apporté en silence des verres et une fiasque, puis il repart.

LE PÈRE GÉNÉRAL (*servant*) : Merci, Frère.

LE CARDINAL : Eh bien ! Révérendissime Père, à vos protégés !

LE PÈRE GÉNÉRAL : Je vous remercie très respectueusement. Que Dieu vous protège. Éminence, vous avez apporté ici, au cours de votre visite, de votre cordiale allocution, une merveilleuse gaieté, une atmosphère nouvelle et bienfaisante dans notre refuge. Je vous en prie. Éminence, venez souvent voir nos réfugiés.

LE CARDINAL (*ému*) : Oui, n'est-ce pas, je veux également rendre visite aux réfugiés du *Campo Santo* et de l'*Anima*, n'est-ce pas. Le vin fait du bien — Il y avait trop de poussière dans le grenier. Parmi les Juifs qui sont (*il montre le plafond*) là-haut, cher Père général, plus d'un se convertira à l'Église du Christ.

LE PÈRE GÉNÉRAL : Quelle belle chose ce serait, Éminence !

LE CARDINAL : Oui — et ne craignez rien pour vos hôtes : monsieur Hitler s'attaquera aussi peu aux couvents de Rome qu'au

Saint Père : il est bien trop rusé pour offrir au monde un tel spectacle. Bien que les Allemands sachent qu'on envoie des messages radio de plusieurs couvents. Ils ne donneront pas suite, naturellement. Monsieur Weizsäcker m'a même prié d'attester dans l'*Osservatore*, en première page, au sujet des forces d'occupation, combien les Allemands respectaient de façon exemplaire la Curie et toutes ses maisons. Nous allons le faire, n'est-ce pas. Ils l'ont bien mérité. Mais quand même : pas tout à fait pour rien, n'est-ce pas ?

LE PÈRE GÉNÉRAL (*souriant*) : Bon, Éminence, je proposerai demain matin un arrangement au chef de la Gestapo : *nous* ferons paraître le communiqué. *Il* devra me livrer, en échange, un communiste, le fils d'un notable savant milanais, qui s'est tourné vers nous pour nous demander du secours. Le Pape y attache beaucoup d'importance. Je pense que j'obtiendrai satisfaction.

LE CARDINAL : C'est une bonne opération, n'est-ce pas.

Le téléphone sonne, le Cardinal tend le récepteur au Père général puis se lève, pose son chapeau sur sa petite calotte et met le manteau sur ses épaules, pendant que le Supérieur dit au téléphone :

LE PÈRE GÉNÉRAL : Oui, je vous en prie. Qui ? Humm... Un moment. Éminence, le Père Riccardo demande à être reçu immédiatement avec un officier S. S. Puis-je ?...

LE CARDINAL (*curieux et irrité*) : Riccardo Fontana ? Oh, sûrement. Je vous en prie, n'est-ce pas. Seulement, ne vous laissez pas importuner. Oui.

LE PÈRE GÉNÉRAL (*au téléphone*) : Fais-les entrer, Frère. (*Il pose le téléphone et dit au Cardinal, qui va et vient avec impétuosité, mais ne se résout pas à prendre congé*) : Le père Riccardo, Éminence, m'a déjà pressé à plusieurs reprises d'intervenir auprès de Sa Sainteté en faveur de...

LE CARDINAL (*toujours avec humeur*) : Oui, oui, n'est-ce pas, c'est le thème perpétuel de Riccardo, peu à peu, nous apprenons tous à le connaître. Lors de la chute de Stalingrad, il y a six mois, j'ai dû l'éloigner de Berlin, parce qu'il prenait des initiatives exagérément personnelles. Que fait-il maintenant encore à Rome, n'est-ce pas ? Son poste est à Lisbonne. Il a pris de mauvaises habitudes à cause de la position de son père et en tant que protégé favori du patron qui le cajole comme un neveu. Il est trop ambitieux. Il ne peut pas obéir. Oui.

On frappe à la porte. Le Cardinal s'est placé de façon à ne pas être vu tout de suite de ceux qui entrent. Le Père général ouvre. Apparaissent Riccardo, Gerstein et le vieux moine qui se retire aussitôt. Riccardo saute presque les deux marches pour descendre dans la pièce. Gerstein hésite à la porte. Avant même d'avoir présenté Gerstein, Riccardo s'écrie :

RICCARDO : Les choses en sont là ! depuis ce soir, les Juifs sont arrêtés même à Rome ! C'est une honte !

Il voit le Cardinal, paraît très effrayé, va vers lui et s'incline pour baiser son anneau.

LE PÈRE GÉNÉRAL : Que dites-vous là ? C'est effrayant !

LE CARDINAL : Riccardo, n'est-ce pas, oui. C'est le Nonce de Lisbonne qui vous envoie ? Et qui est...

Il va vers Gerstein, qui fait une profonde révérence : il est très gauche et extrêmement méfiant.

RICCARDO (*rapidement*) : Cet homme, Éminence, est notre allié à la Direction S. S. du Reich. Il est préférable de ne pas le nommer. Il a tout d'abord adressé des requêtes à l'attaché juridique de l'Évêque-comte Preysing, pour qu'il décrive au Saint-Siège l'horreur des morts dans les chambres à gaz de Belzec et de Treblinka. (*Mordant*) : Cela fait maintenant beaucoup plus d'une année...

LE CARDINAL (*assez cordialement, donne la main à Gerstein*) : Oh, oui, n'est-ce pas, nous vous remercions, Monsieur. Cela nous a beaucoup impressionnés. Dieu vous récompensera d'avoir rendu ce service aux victimes, n'est-ce pas. Mais, Riccardo, que disiez-vous au juste ? A Rome aussi, maintenant, n'est-ce pas ? (*Incertain, irrité, révolté*) : Nous pensions que les sbires, cher Père, nous pensions, n'est-ce pas, que les Juifs ne seraient pas arrêtés ici, à Rome. Espérons que la plupart se sont déjà réfugiés auprès des Alliés. Ils sont déjà à Naples, oui. (*Se justifiant à Gerstein*) : Il s'en cache aussi des centaines dans des couvents...

L'agitation provoque les paroles simultanées des quatre personnes présentes : le supérieur général salue Gerstein, le Cardinal continue à parler à Riccardo et aux autres, le Supérieur parle à Gerstein uniquement pour le rassurer.

GERSTEIN (*nerveux*) : Puis-je vous demander, Monseigneur, de veiller absolument à ce que, sauf moi, aucun Allemand ne pénètre plus jusqu'ici...

LE PÈRE GÉNÉRAL : Soyez sans crainte. Si vous êtes entré sans vous faire remarquer, personne ne vous surprendra ici : ces temps-ci aucun de vos collègues ne me rend visite.

GERSTEIN : Collègues, Monseigneur..., je ne fais que porter le même uniforme.

LE PÈRE GÉNÉRAL (*plein de compréhension*) : Je sais. J'ai déjà entendu parler de vous, bien que, ne craignez rien, votre nom me soit resté inconnu.

Maintenant, ils écoutent tous les deux le Cardinal et Riccardo.

RICCARDO (*coupant la parole au Père général qui parle à Gerstein*) : Éminence, nous en sommes arrivés là : des Romains sont hors-la-loi ! On pourchasse les citoyens de Rome sous les fenêtres de Sa Sainteté ! Allons-nous demeurer encore dans l'inaction, Éminence ?

LE CARDINAL (*conscient de sa responsabilité, donc très irrité*) : Nous avons déjà agi, Riccardo (*avec emphase*) : nous donnons asile même aux Juifs qui ne sont pas baptisés. Révérendissisme Père, montrez votre grenier à Riccardo, je vous en prie. (*D'un air menaçant à Gerstein*) : Vous, les Allemands, oui ! Vous les Allemands épouvantables, je vous aime, n'est-ce pas, le Pape vous aime. Mais laissez donc les Juifs, n'est-ce pas ! Vous, les éternels fauteurs de troubles, les protestants, oui. Ne poussez-vous pas maintenant les choses si loin que vous obligiez même le Pape à vous mettre en mauvaise posture à la face du monde. Ici, sous sa fenêtre... vous enlevez femmes et enfants, et chacun sait, n'est-ce pas, que pas un n'en reviendra ! Vous nous forcez, maintenant, vous forcez le Pape, n'est-ce pas, à prendre officiellement connaissance des crimes.

RICCARDO : Dieu soit béni ! Enfin, il a fallu...

LE CARDINAL (*se déchaîne contre Riccardo, qui prend cela ironiquement et d'un air provocant*) : Je vous en prie, pas un mot là-dessus, Comte Fontana ! Êtes-vous assez étroit d'esprit pour ne pas vous rendre compte que tout anathème de la Curie contre Hitler se transformerait en fanfare victorieuse des Bolcheviks, n'est-ce pas ? Monsieur Staline marche sur Kiev. L'offensive d'été d'Hitler a complètement échoué. (*A Gerstein, pleurant presque*) : Mais que faites-vous donc, vous les Allemands !

LE PÈRE GÉNÉRAL (*à Riccardo*) : Je vais vous conduire là-haut voir mes protégés. Vous devez voir que nous aidons réellement...

RICCARDO : Mais je le sais, mon Révérendissime Père.

LE CARDINAL (*froid, impératif*) : Cela ne fait rien, montez avec le général.

Puis il se tourne vers Gerstein, tandis que le Père général fait traverser j'armoire à Riccardo. Les portes de l'armoire restent ouvertes lusqu'à ce que le Cardinal les repousse, sans toutefois les fermer complètement.

GERSTEIN : Éminence, peut-être Hitler reculerait-il si Sa Sainteté le menaçait discrètement, d'abord par écrit, de dénoncer le Concordat.

LE CARDINAL (*évasif, réservé*) : C'est possible, n'est-ce pas, très possible. J'en parlerai dès cette nuit au Pape. Dites-moi, Monsieur, comment les Allemands ont-ils seulement pu oublier quelle mission Dieu leur avait confiée au cœur de l'Occident...

GERSTEIN (*doucement*) : Éminence, il ne peut pas en être ainsi. Dieu ne serait pas Dieu, s'il se servait d'un Hitler.

LE CARDINAL : Si, si, sûrement que si, cher ami ! Caïn, qui tua son frère, n'a-t-il pas été l'instrument de Dieu ? Caïn dit au Seigneur : " Mon péché est trop grand pour m'être pardonné. " Et cependant Dieu fit, n'est-ce pas, un signe à Caïn pour que tous ceux qui le trouveraient sur leur chemin ne le tuent pas. Et comme dit votre Luther : " Le gouvernement du monde vient de Caïn ", n'est-ce pas ? Caïn a eu sa mission sur la terre, Noé aussi. Que savons-nous des détours effrayants de la volonté divine ? (*Enthousiaste*) : Nous savons cependant une seule chose, n'est-ce pas : l'Occident, la civilisation chrétienne, Dieu ne veut sûrement pas les détruire.

GERSTEIN (*dégoûté*) : Pourquoi pas, Éminence ? Si Dieu ne voulait pas nous détruire, pourquoi, alors, nous aurait-il si terriblement frappés d'aveuglement ? L'Église, Éminence, puis-je en parler franchement ?

LE CARDINAL : Naturellement. Je vous en prie. Exprimez-vous.

GERSTEIN : Il y a seize mois que Rome sait comment Hitler dévaste la Pologne : Pourquoi le Pape ne dit-il pas que, dans ce pays, où se dressent les clochers de ses églises, fument aussi les cheminées des fours crématoires de Hitler ? Là où les cloches sonnent les dimanches, les fours brûlent des hommes les jours ouvrables ! C'est ainsi. Qu'est aujourd'hui l'Occident chrétien? Pourquoi, Éminence, Dieu n'a-t-il pas envoyé le déluge? Seuls, les blindés de Staline peuvent délivrer Auschwitz, Treblinka, Majdanek...

Le Cardinal (*extrêmement effrayé*) : Que dites-vous là ! Vous aimez pourtant sûrement votre patrie, n'est-ce pas, Monsieur ?

Gerstein : Dispensez-moi de répondre, Éminence ! Dans mon pays, Hitler est un homme très populaire. J'aime de nombreux Allemands qui mourront si l'Armée rouge entre en Allemagne. Et alors, je tomberai aussi, sans doute. Et pourtant...

Le Cardinal : Et pourtant, vous n'êtes pas communiste, n'est-ce pas. Souhaitez-vous que l'Armée rouge approche ? Ne voyez-vous donc pas comme ils dépouillent les autels, assassinent les prêtres, déshonorent les femmes ?

Gerstein (*brutal*) : Si, Éminence, il se passera des choses dignes de l'Apocalypse. Cependant, une bande de soudards déchaînés ne peut pas se comporter d'une façon plus effroyable dans le dortoir d'un couvent de nonnes que ne le font les légistes et les médecins d'Hitler, ces bandits qui portent cet uniforme, le mien, et qui, depuis des années, Éminence, massacrent les Juifs, les Polonais et les prisonniers russes. Éminence : vous pouvez même contrôler tout cela : des dizaines de milliers de Juifs de l'Europe de l'Ouest, des dizaines de milliers de familles juives sont déportées : où, Éminence, où ? Comment s'imagine-t-on donc cela à Rome ?

Le Cardinal (*embarrassé, parce que dépassé*) : Naturellement, oui, naturellement. Cependant, cher Monsieur, la fumée des fours crématoires vous a aussi aveuglé. Il doit y avoir une autre solution que la délivrance des victimes par l'Armée rouge, et cela pour l'amour de l'Occident, n'est-ce pas... Peut-être qu'un débarquement en Normandie... L'entrée de Staline à Berlin, oui, mon Dieu, c'est le prix que l'Europe ne peut pas, ne doit pas payer.

Gerstein : Éminence, lorsque Napoléon eut de façon insensée ruiné la Grande Armée, il créa, lors d'un entretien avec Caulaincourt qui n'en croyait pas un seul mot, la légende du Colosse russe qui aurait prétendument voulu anéantir l'Europe. Hitler utilisa cette légende dont Bismarck, Frédéric et Guillaume II n'auraient fait que se gausser. Tout criminel européen qui tournera vers l'Est un regard de convoitise affirmera à nouveau, dans l'avenir, qu'il doit sauver la civilisation. Le Vatican ne devrait jamais permettre une telle chose, Éminence...

LE CARDINAL (*répond dans le sens de cette diversion*) : Nous n'attendons rien d'une agression, n'est-ce pas. Mais vous simplifiez, Monsieur : Frédéric de Prusse a, tout comme Bismarck, craint le Colosse russe, n'est-ce pas. Et parce que le roi — comme Napoléon, comme Hitler — ne savait pas comment s'en tirer autrement, il excita lui-même en Russie les ambitions d'une extension vers l'ouest. Comme Napoléon, n'est-ce pas, comme Hitler : offre de collaboration sur les ruines d'États partagés, toujours la même chose, n'est-ce pas, aussi longtemps que cela marche, mais cela ne marche jamais longtemps bien, n'est-ce pas.

GERSTEIN : Mais Éminence, la Russie n'a jamais menacé l'Occident autant que Hitler et Napoléon l'ont menacé. Tous deux auraient complètement subjugué l'Europe si leur marche sur Moscou n'avait pas tout d'abord obligé la Russie à entrer en lice. L'Europe sera sauvée par la Russie, et elle ne peut se défendre de son sauveur menaçant que si elle veut bien vivre avec lui.

LE CARDINAL : Donc avec les bolcheviks ?

GERSTEIN : Avec tout maître du Kremlin, quel qu'il soit. Il est indifférent qu'il s'appelle Staline ou Alexandre...

LE CARDINAL : C'est vite dit, mais difficile à faire, n'est-ce pas...

Riccardo et le Père général reviennent par l'armoire. Le Père général referme les portes.

GERSTEIN : Ce fut toujours difficile, Éminence. Même pour Bismarck, c'était un tour de force d'équilibre. Mais il ne s'est pas permis une guerre préventive contre Pétersbourg...

LE CARDINAL : Le Pape, personnellement, n'a jamais, lui non plus, parlé d'une croisade contre la Russie, n'est-ce pas ? Riccardo, je comprends la détresse de votre cœur, oui. Mais, maintenant, vous avez vu là-haut que le Saint-Siège, aussi, y met du sien, n'est-ce pas ?

RICCARDO : Éminence, ce sont des privilégiés, il y en a très peu parmi des millions qui atteignent la porte d'un couvent. Si le Pape leur accorde un abri, il ne fait que ce que beaucoup de familles font pour les persécutés à Berlin et Amsterdam, à Paris et à Bruxelles. Seulement, Éminence : le médecin, le commerçant, l'ouvrier qui reçoit un Juif risque d'être décapité. Que risque le Pape ?

LE CARDINAL (*s'efforçant de réprimer son irritation qui grandit à nouveau*) : Riccardo, aujourd'hui, ici, n'est-ce pas, les arrestations opérées à Rome changent tout, oui ! Le patron va parler maintenant comme un évêque, comme d'autres l'ont déjà fait aussi. Mais nous perdons du temps, tandis qu'au-dehors la terreur fait rage... Ne voulez-vous pas (*il a placé sa main sur l'épaule de Gerstein*), pour votre protection, rester dans cette maison ? Qu'en pensez-vous, cher Père ?

LE PÈRE GÉNÉRAL : Je vous garantis protection aussi longtemps que le couvent ne sera pas bombardé...

GERSTEIN : Éminence, Monseigneur, je suis touché. Mais j'ai une famille que je ne peux pas laisser seule en Allemagne.

LE CARDINAL : Dieu vous protège, ainsi que votre famille ! Je vous remercie, Messieurs, prions pour les persécutés, n'est-ce pas... mon cher ami, je trouverai bien le chemin de la sortie avec Frère Irénée. Restez là avec vos hôtes... oui, au revoir.

Le Père général sonne le moine, qui apparaît aussitôt.

LE PÈRE GÉNÉRAL, RICCARDO, GERSTEIN (*en même temps*) : Éminence...

LE CARDINAL : Au revoir. (*Il sort avec le moine, mais revient aussitôt pour dire avec beaucoup de feu à Gerstein*) : Encore une question rapide, mon cher Monsieur, ce n'est pas de la curiosité, c'est du désespoir. Radio-Londres, ainsi que Madrid et Stockholm (et plus d'un visiteur) parlent volontiers d'une révolte intestine contre Hitler... Qu'en est-il ? Et, surtout, y a-t-il quelque chose de vrai dans tout cela ?

Le Père général fait signe au moine de se retirer. Le moine sort.

GERSTEIN : Ah ! Éminence, il s'agit de quelques personnes sans défense, des pasteurs, des socialistes, des communistes, des Témoins de Jehovah; en septembre, on en a pendu cent quatre-vingts en un seul jour à Plotzensee, les femmes ont été décapitées... Ce fut un combat sans espoir.

LE CARDINAL (*troublé, il entend pour la première fois parler de cela*) : Les femmes, dites-vous ? Les femmes aussi ! Sainte Mère de Dieu, assiste-les ! Et les militaires ? Londres parle de généraux. Ces officiers pourraient-ils entraîner avec eux le peuple qui aime pourtant monsieur Hitler ?

GERSTEIN : Seulement s'ils annoncent : Himmler a tué le Führer. Alors, oui, la rage du peuple se tournerait contre les S. S. et la police.

LE CARDINAL : Satanique... n'est-ce pas... satanique !

GERSTEIN : Ce n'est qu'ainsi, Éminence, que les révolutionnaires pourront peut-être prendre le gouvernail en main. Peut-être. Mais je ne crois pas que les officiers soient prêts à se sacrifier. Ce n'est pas l'armée allemande, mais l'armée russe qui éliminera Hitler.

LE CARDINAL : Hitler aussi, cela se peut. Mais c'est effroyable, n'est-ce pas... Je vous remercie, oui. Au revoir, bonne nuit, Messieurs, bonne nuit.

Le Père général accompagne le Cardinal jusqu'à la porte, derrière laquelle on peut voir le moine. Le Cardinal sort avec lui. Le Père général revient et dit à Riccardo qui s'est appuyé contre le mur, désespéré :

LE PÈRE GÉNÉRAL : Je suis d'accord avec vous. Le malheur devait aussi s'abattre sur Rome. Hitler doit apprendre maintenant ce qu'il en coûte de provoquer le Saint-Siège.

Riccardo ne répond pas encore.

GERSTEIN : Monseigneur, êtes-vous sûr, à présent, qu'il va intervenir ?

LE PÈRE GÉNÉRAL : Absolument. Pas vous, Riccardo ?

RICCARDO : Aussi sûr, non. Si le Pape réagit comme toujours, s'il ne réagit pas du tout. (*Passionnément*) : Révérendissime Père, qu'allons-nous faire ?

LE PÈRE GÉNÉRAL : Nous devons obéir, vous le savez !

RICCARDO (*obstiné*) : Cela serait trop facile ! Regardez-le, c'est un officier : s'il n'était pas désobéissant et parjure, ce serait un assassin. Et nous ? (*Avec persuasion, essayant d'obtenir quelque chose*) : Vous avez sauvé la vie à des centaines d'êtres, Révérendissime Père.

LE PÈRE GÉNÉRAL : Le Pape m'en a donné la possibilité, ne l'oubliez pas, Riccardo.

RICCARDO : Je ne l'oublie pas. Mais pensez à ceci : cette œuvre de Samaritain — sauf du point de vue financier — n'a pas infligé le moindre sacrifice au Pape, même pas l'ombre d'un risque... Et, comme je vous connais, il vous sera absolument impossible de rester passif si demain, ici, on charge les victimes dans des wagons à bestiaux.

LE PÈRE GÉNÉRAL : Mon Dieu, un prêtre ne peut pas tuer.

RICCARDO (*doucement, comme pour lui seul*) : Non, mais les accompagner. Il peut les accompagner.

GERSTEIN (*ne soupçonne pas combien cela obsède Riccardo depuis longtemps déjà*) : Ce serait complètement absurde !

LE PÈRE GÉNÉRAL : Et aucun Juif ne serait sauvé, pas un seul !

RICCARDO (*plus pour lui-même*) : Aucun Juif, non. Mais le prestige du prêtre en serait grandi. Lorsque j'ai rendu visite, à l'hôpital de la prison, au Prévôt du Chapitre Lichtenberg, il était tourmenté par le fait qu'aucun de nous ne soit auprès des Juifs. J'irai avec eux — disait-il — les nazis l'ont déjà permis. Ensuite, ils manquèrent à leur parole, comme toujours, et envoyèrent Lichtenberg à Dachau. A présent, aucun de nous n'est auprès des Juifs.

GERSTEIN (*sûr de lui*) : Les S. S. ne permettront jamais à un prêtre italien d'accompagner des déportés. Cela intéresserait de trop près la propagande alliée...

RICCARDO : Et si le prêtre est Juif lui-même, comme les frères des couvents hollandais qui ont été expédiés à l'Est ? (*Il regarde l'heure, puis, souriant*) : Maintenant, il est sûrement déjà à Naples avec les soldats d'Eisenhower, le Juif avec lequel j'ai échangé mon passeport ce matin-là (*A Gerstein*) : J'ai encore l'étoile de David de votre sous-locataire. Je n'aurais qu'à l'exhiber, je serais arrêté aussitôt.

GERSTEIN (*extrêmement stupéfait*) : Riccardo, vous ne seriez pas traité comme un prêtre, vous seriez gazé comme un Juif.

LE PÈRE GÉNÉRAL (*angoissé, irrité aussi*) : Brûlez l'étoile et le passeport. Il pourrait vous arriver un malheur !

RICCARDO (*pour changer de conversation*) : Comment expliquez-vous, Monsieur Gerstein, que votre protégé Jacobson n'ait plus donné de ses nouvelles ?

GERSTEIN : Il était si amer après la mort de ses parents.

RICCARDO : Mais pourtant il n'avait rien contre moi !

GERSTEIN (*haussant les épaules*) : Peut-être l'a-t-on pris malgré tout, et l'a-t-on tué aussitôt sur place.

RICCARDO (*après un nouveau coup d'œil sur sa montre, d'un ton ferme*) : Mon Révérendissime Père, je vous prie, dites-moi, vous devez pourtant le savoir : que ferons-nous si le Pape ne proteste pas ?

Silence — le Père général fait un geste de détresse — Silence.

RICCARDO (*tandis que Gerstein regarde la carte où sont marqués les lieux de la mission, presque sarcastique*) : Rien, rien du tout ?

LE PÈRE GÉNÉRAL (*hésitant, il doit dire quelque chose*) : Dans des cas isolés... aider, aider jusqu'à ce que...

RICCARDO : Et être témoin. Non ! Révérendissime Père, c'est... ça ne peut tout de même pas être votre dernier mot : assister à cela sans réagir, si maintenant, en gare de Rome-Termini, nos concitoyens sont traités comme du bétail. N'oubliez pas que même les Juifs catholiques sont expédiés par wagons à bestiaux. Nous, NOUS assistons à tout cela — (*Il rit soudain*) : et leur faisons au revoir avec nos mouchoirs. Dans la mesure où les chers Allemands le permettent. (*Il rit, forçant démagogiquement son sarcasme et ses arguments*) : Et ensuite, ensuite, nous rentrons chez nous et nous nous confessons. Mais quoi ? Nous invoquons en vain le nom de Dieu, et nous lisons dans un journal où en sont les fouilles de Saint-Pierre. Et puis le dimanche, nous sonnons les cloches et célébrons la messe en pensant que nous n'avons pas succombé à la tentation, et en priant pour ceux qui viennent d'être poussés, nus, dans le gaz, à Auschwitz.

LE PÈRE GÉNÉRAL (*usé, désespéré*) : Dieu du ciel, que nous reste-t-il donc à faire ?

Silence, puis :

RICCARDO : Ne rien faire, c'est aussi grave que participer au crime. C'est — je ne sais pas — peut-être encore moins pardonnable. (*Un cri*) : Nous sommes pourtant des prêtres ! Dieu peut pardonner cela à un bourreau, pas à des prêtres, ni au Pape ! (*Il se tait, puis, plus calmement, calculateur, positif*) : Mon Révérendissime Père, s'il vous plaît, dites : s'il est vrai que Dieu a promis à Abraham, autrefois, que Sodome ne serait pas détruite si on pouvait y compter seulement dix Justes, croyez-vous, mon Révérendissime Père, que Dieu pardonnera encore à l'Église, s'il n'y a plus que quelques-uns de ses serviteurs — comme Lichtenberg — qui se tiennent auprès des persécutés ?

LE PÈRE GÉNÉRAL (*hostile, mais ayant pleinement compris*) : Beaucoup d'entre nous les aident de leur mieux. Mais je ne vois pas ce que cette question...

RICCARDO : Vous le voyez aussi bien que moi, mon Révérendissime Père, vous devez le voir : le silence dont le Pape favorise les assassins met sur le dos de l'Église une faute que nous devons expier. Et comme le Pape, qui n'est aussi qu'un homme, peut être le Vicaire du Christ sur la terre, alors, alors, je... (*Gerstein comprend et veut intervenir, Riccardo ne se laisse pas déconcerter*), alors, c'est un pauvre prêtre qui, à la rigueur, sera le vicaire du Pape, là-bas, là où le Pape devrait être aujourd'hui.

LE PÈRE GÉNÉRAL (*plus ébranlé qu'indigné*) : Riccardo, je garde votre accusation, qui est monstrueuse, comme un secret de confession. (*A Gerstein, qui fait un mouvement approbatif*) : Monsieur, je vous prie, vous aussi, de... Mais j'ai peur pour vous, Riccardo. Qu'est-ce qui vous autorise à prononcer des paroles qui ne peuvent qu'humilier chacun de nous au plus profond de lui-même ?

RICCARDO (*très effrayé*) : Non ! Pour l'amour de Dieu : Non, mon Révérendissime Père, vous et combien de prêtres encore — plus d'un est déjà mort sur l'échafaud — avez rempli votre devoir, vous avez...

LE PÈRE GÉNÉRAL (*d'un ton tranchant*) : Et peut-être pas le Pape ?

RICCARDO (*fermement*) : Non ! Pas autant qu'il le pouvait, non ! Peut-être qu'il rattrapera cette nuit ou demain ce qu'il aurait dû depuis longtemps tenter de faire en tant que " voix " de la Chrétienté. Sinon, sinon, un de nous doit les accompagner hors de Rome. S'il en meurt...

GERSTEIN : Oui, il mourra, il sera gazé, brûlé.

RICCARDO (*sans se laisser déconcerter*) : Alors peut-être que le feu qui le détruira, si Dieu accepte cette expiation, aura...

LE PÈRE GÉNÉRAL : Riccardo !

RICCARDO (*très agité*) : ... aura aussi effacé la faute de notre pouvoir suprême. L'idée de papauté...

LE PÈRE GÉNÉRAL (*violemment*) : ... survivra à Auschwitz ! Pourquoi doutez-vous, pourquoi vous tourmenter ainsi, Riccardo ? Vous êtes bien présomptueux.

RICCARDO : A présent, il ne s'agit pas d'Auschwitz ! L'idée de papauté doit demeurer pure pour l'éternité, même si au passage elle fut représentée par un Alexandre VI ou par un...

LE PÈRE GÉNÉRAL (*le saisit presque brutalement par l'épaule*) : Maintenant, pas un mot de plus ! C'est suffisant. Connaissez-vous donc si mal Pie XII ?

RICCARDO (*ébranlé*) : Ah ! Mon Révérendissime Père : le portrait du Cardinal Pacelli fut suspendu au-dessus de mon lit depuis que j'eus douze ans. C'est pour l'amour de lui que je suis devenu prêtre, malgré toutes... malgré toutes les prières que fit ma mère pour que je ne le sois pas. Je vais prier le reste de la nuit pour qu'il soit avéré que j'ai méconnu le Pape et pour que demain soir, il ait fait libérer les familles arrêtées. C'est pour cela que je prierai. J'ai peur (*très doucement, c'est presque inaudible*) : J'ai une telle crainte du camp de concentration.

Le Père général va vers lui, paternellement, tandis que Gerstein intervient, résolu :

GERSTEIN (*avec énergie*) : Vous seriez coupable si vous nous abandonniez. Ne pensez pas au salut de l'Église. Vous ne pourriez plus aider *un seul homme*, vous vous rendriez coupable, Riccardo.

RICCARDO (*plein de dégoût*) : Je ne ferais que tenir ma parole. Je ne sers à rien, au Vatican. J'ai essayé plus d'un an : je n'ai été qu'un phraseur.

LE PÈRE GÉNÉRAL (*on ne sait pas s'il croit à ses paroles*) : Demain matin, Comte, nous verrons que ce n'était pas en vain. Le Pape interviendra.

RICCARDO (*montrant l'horloge*) : Il sait pourtant ce qui se passe à Rome depuis des heures ! Et vous êtes son agent de liaison avec la Gestapo. Pourquoi n'a-t-il pas depuis longtemps discuté avec vous ?

LE PÈRE GÉNÉRAL (*incertain*) : Il ne traitera pas avec la Gestapo de Rome, mais avec Hitler lui-même. Je pense qu'il lui enverra un ultimatum.

Silence — allées et venues — Gerstein regarde longuement Riccardo puis il dit, hésitant, mais rusé :

GERSTEIN : Je vois encore une dernière chance, mais — non, non, je ne peux pas le dire.

RICCARDO : Mais parlez donc !

GERSTEIN : Messieurs, qui suis-je donc pour tenter de pousser deux prêtres à la désobéissance... non, je ne peux pas...

LE PÈRE GÉNÉRAL : Que voulez-vous donc dire par là ?

GERSTEIN : Monseigneur : si vous vous empariez avec le Père Riccardo, pour une demi-heure seulement, de l'émetteur de Radio-Vatican...

LE PÈRE GÉNÉRAL (*méfiant*) : Que signifie " empariez " ? J'ai mes entrées dans notre studio.

GERSTEIN (*rapidement, mais on sent que ce n'est pas une idée qui lui est venue brusquement*) : Si c'est ainsi alors, Monseigneur, commandez à tous les prêtres d'Europe de suivre l'exemple du prélat Lichtenberg et, de Narvik jusqu'à la Sicile, incitez vos communautés à sauver les Juifs.

LE PÈRE GÉNÉRAL (*contrarié*) : Un prêtre pourrait-il avoir la prétention de parler à la place de Sa Sainteté ?

RICCARDO : Oui, quand le Pape oublie de parler à la place du Christ.

LE PÈRE GÉNÉRAL : Mais c'est une scélératesse, Messieurs ! Un prêtre devrait, usurpant le rôle de Souverain Pontife, ordonner *ex cathedra* à ses confrères de l'Europe de subir le martyre ?

GERSTEIN : Monseigneur, cela n'irait pas si loin !

RICCARDO : Sûrement pas, non : les fronts d'Hitler vacillent. Il se gardera de provoquer à propos des Juifs les catholiques de toute l'Europe. Des millions, oui, nous sommes des millions, dans son armée, son industrie...

GERSTEIN : Oui, Monseigneur : Hitler reculera.

LE PÈRE GÉNÉRAL : Mais, Messieurs, la version selon laquelle le Saint-Père, en personne, impose aux communautés le désir de résister ne tiendra pas pendant une journée, pas une seule journée, vous m'entendez. Le Pape lui-même apportera un démenti ! Monsieur (*à Gerstein, d'une manière plus excédée que réellement choquée*) : Soyez réaliste, si aujourd'hui une troupe de choc occupait l'émetteur de Berlin pour adresser aux États-Unis et à l'Angleterre, prétendument au nom d'Hitler, une proposition de paix, combien de temps ce dernier laisserait-il subsister la supercherie; une heure, une demi-heure ?

GERSTEIN : Monseigneur ! Je pense au Pape, vous parlez d'Hitler, il n'y a pourtant aucun point commun !

LE PÈRE GÉNÉRAL : Assurément non ! Mais tous les deux démentiraient, bien sûr, aussitôt.

GERSTEIN : Vous croyez ! Mais non, Hitler en serait empêché : d'abord, on le supprimerait, ensuite on annoncerait à la radio : les S. S. ont tué leur chef, pour que la rage du peuple...

LE PÈRE GÉNÉRAL (*d'une manière toute cléricale, il n'est pas capable de mentir, d'un ton décidé*) : Vous avez déjà recommandé ce plan diabolique : mais nous autres prêtres, Monsieur, nous n'avons aucune possibilité d'empêcher le Pape de démentir. Un prêtre, laissez-moi vous le dire, n'a absolument aucun moyen d'empêcher le Pape de faire quoi que ce soit; c'est absurde !

GERSTEIN (*du ton le plus innocent possible*) : Bien sûr, Monseigneur, cependant tout empêchement causé au Pape aurait évidemment toutes les chances, même dans notre cas, d'être automatiquement imputé aux S. S., tant qu'ils continueront à capturer dans Rome même des victimes pour Auschwitz.

LE PÈRE GÉNÉRAL (*se lève, dit clairement en conclusion*) : Je vous en prie, Monsieur, cessons immédiatement cet entretien. Vous ne voulez tout de même pas dans cette maison et avec des prêtres parler de... d'une action de force contre Sa Sainteté... Ce serait monstrueux.

GERSTEIN (*visiblement vexé*) : Monseigneur, que me faites-vous dire là !

LE PÈRE GÉNÉRAL : Je ne veux absolument rien vous faire dire. Votre allusion suffit : " Tout ce qui serait entrepris à l'heure actuelle contre le Pape. " — Je n'ose pas demander à quoi vous pensiez — " sera mis automatiquement sur le compte des S. S. ".

GERSTEIN (*précipitamment*) : Mais je n'ai jamais pensé à recommander l'emploi de la force contre la personne de Sa Sainteté, Monseigneur !

LE PÈRE GÉNÉRAL (*ironique*) : Vous n'y pensiez pas. Ah, bon !

GERSTEIN (*qui s'est totalement ressaisi*) : Un prêtre peut bien, toutefois, empêcher le Pape d'apporter des démentis en détruisant momentanément l'émetteur de Radio-Vatican. C'est pour cela, voulais-je dire, Monseigneur, que le monde entier, bien sûr, rendrait responsables les S. S., surtout si, auparavant, un simulacre de protestation radiodiffusée de Sa Sainteté contre les S. S. précédait cette destruction...

RICCARDO (*fasciné par le plan de Gerstein, comme se réveillant*) : Révérendissime Père, en cet instant, cela peut signifier la délivrance, l'ultime délivrance de milliers, de centaines de milliers d'hommes !

LE PÈRE GÉNÉRAL (*froid*) : Mais, seul, Père Riccardo, vous n'approcherez pas de l'émetteur. Cela me rassure. Vous êtes très fatigué et très nerveux. Je vous en prie, avant que vous alliez enfin prendre un peu de repos, je dois encore vous entretenir seul à seul.

GERSTEIN : Monseigneur, je dois vous remercier et prendre congé.

LE PÈRE GÉNÉRAL (*changeant de ton*) : Vivez moins dangereusement. Vous ne tiendrez pas rigueur à un vieil homme qui priera pour vous, bien qu'il ne puisse pas suivre ce conseil qui part d'une bonne intention. Dieu soit avec vous.

GERSTEIN : Monseigneur, je vous remercie du fond du cœur. Comte, au revoir, bonne nuit.

RICCARDO : Venez de bonne heure à la maison, avant que mon père aille chez le Pape à 9 heures.

Le moine attend Gerstein.

GERSTEIN : Bonne nuit. Je viendrai vers 8 heures.

RICCARDO : Bonne nuit.

Gerstein sort avec le moine.

LE PÈRE GÉNÉRAL (*après avoir regardé un moment Riccardo sans parler*) ! Je craignais simplement, Riccardo, de vous envoyer dehors, la nuit, avec cet être inquiétant. Ses yeux ! Il vous fascine tout simplement, cet homme est marqué, il porte le signe de Caïn. Comment s'appelle-t-il ?

RICCARDO : Laissons de côté son nom, mon Révérendissime Père.

LE PÈRE GÉNÉRAL (*sans être blessé*) : Vous avez raison, excusez-moi... Vous ne vouliez pas, non plus, n'est-ce pas, partir avec lui ?

RICCARDO : Non, parce que j'ai encore une demande à vous faire et qu'ensuite, je dois aussi me confesser.

LE PÈRE GÉNÉRAL : D'abord, une requête de ma part : je frémis de voir que vous êtes un simple jouet dans la main de cet étrange envoyé, Comte. Prenez garde à lui, je vous en supplie.

RICCARDO : Mais non, n'ayez aucune crainte.

LE PÈRE GÉNÉRAL : Riccardo, j'ai cru cet homme capable de... (*extrêmement agité*) : Pourquoi, s'il vous plaît, pourquoi nous a-t-il, à deux reprises, et d'une façon absolument superflue et absolument gratuite, régalés de cette satanique imposture : " tuer Hitler et charger les S. S. de la faute " ?

RICCARDO : C'est un projet très moral.

LE PÈRE GÉNÉRAL (*indigné, violemment*) : Qui aboutira à la guerre civile ! " Moral " ! Je vous en prie : vous êtes certainement surmené. Mais ce n'est pas mon avis, mon cher, ce n'était pas le sien non plus. Cet être est inquiétant, croyez-moi. Je voyais exactement où il voulait en venir, et il ne trouvait pas inutile de nous en donner l'idée. (*Son aversion croît à mesure qu'il va au bout de sa pensée*) : Riccardo, cet homme arriverait à vous conduire, ainsi que lui-même, à l'enfer, en vous suggérant — plus par ses yeux que par ses paroles — que... que... je ne peux pas le dire. C'est trop blasphématoire, trop...

RICCARDO (*encore retenu d'exprimer la vérité*) : Il ne me suggérait rien, mon Révérendissime Père.

LE PÈRE GÉNÉRAL : Si, si ! Il vous suggérait que l'humanité, le monde entier ne saurait être irrémédiablement soulevé contre Hitler par *rien*, si ce n'est en accusant sa garde du corps, la S. S., d'avoir traîtreusement *tué* — (*il répète, presque sans voix*) — tué le Vicaire du Christ.

RICCARDO (*pousse un gémissement et, dans son agitation prononce aussi le nom de Gerstein, mais l'Abbé ne le remarque pas*) : Vous lisez les pensées, mon Révérendissime Père. Mais ce ne sont pas celles de Gerstein...

LE PÈRE GÉNÉRAL (*d'horreur, n'est plus maître de sa voix, il bégaie en se détournant brusquement*) : Riccardo. Ce que... Maintenant, je n'ai rien de plus à vous dire. Partez. (*Silence. Puis, brusquement, instamment*) : Vous ne savez pas, vous ne savez pas ce que vous dites... Allez à la chapelle, vous vouliez vous confesser, vous le devez.

De ses mains tremblantes, il allume un chandelier à trois branches, puis éteint la lampe du bureau, prend le chandelier et commence à sortir, mais s'aperçoit que Riccardo ne le suit pas. La pièce n'est plus éclairée que par des bougies.

LE PÈRE GÉNÉRAL : Pourquoi ne me suivez-vous pas, Riccardo ?

RICCARDO : Je ne peux pas, je ne peux pas — me confesser maintenant. Vous seriez obligé de me refuser l'absolution, car je ne peux pas me repentir. Comprenez donc, mon Révérendissime Père, que depuis trois mois, depuis que Rome est occupée par les Allemands, j'espère qu'enfin les S. S. et le Vatican se heurteront de façon irréparable. Mais maintenant il n'arrive que la chose la plus horrible qui, somme toute, pouvait arriver : ils ne se gênent même plus... ils cohabitent paisiblement dans la Ville éternelle — parce que le Pape n'interdit pas aux bourreaux d'Auschwitz de charger les victimes sous ses fenêtres. (*Un éclair de folie passe dans ses yeux*) : Savons-nous donc si Dieu, pour cela, n'enverra pas un assassin au Pape pour ne pas le laisser se perdre définitivement ?

LE PÈRE GÉNÉRAL (*à bout de compréhension, incapable à présent de réagir*) : Riccardo, vous péchez au-delà de toute limite.

RICCARDO (*comme poussé*) : Celui qui a dit : " Je n'apporte pas la paix, mais l'épée ", (*avec fermeté*) doit également s'attendre à ce que cette dernière atteigne le premier des siens. Et l'Église doit le savoir aussi, puisqu'elle a constamment utilisé l'épée. (*Torturé*) : Puis-je me récuser, mon Révérendissime Père ? Est-ce que je peux refuser le mal, si cela constitue à présent ma mission, sous prétexte qu'il m'anéantit ? Aucun soldat ne peut refuser de se battre. Comment un prêtre pourrait-il le faire ? Judas a-t-il pu refuser ? Il savait (*il a une grande crainte de ses conclusions*) qu'il serait condamné pour l'Éternité. Son sacrifice était plus grand que celui du Seigneur.

LE PÈRE GÉNÉRAL (*foudroyant*) : Riccardo ! Judas n'a pas mérité la comparaison avec vous : car vous voulez pécher et accuser les autres de votre faute.

RICCARDO (*avec une passion sauvage*) : Ce n'est pas moi qui accuserai, mais tout le monde, la terre entière accuserait Hitler et les S. S. Et il doit en être ainsi, il doit en être ainsi. C'est pourquoi je désirerais expier sur terre ainsi que devant Dieu.

LE PÈRE GÉNÉRAL : Vous trébuchez, mais Dieu vous tient encore. Pourquoi dans le cas contraire, vous seriez-vous ouvert à moi ?

RICCARDO (*encore impartial, mais déjà fanatisé. Le Père général ne fait qu'écouter, car il est incapable de parler*) : Parce que je ne peux pas le faire tout seul ! Parce que j'ai besoin de vous. Vous devez dire à la Radio que les S. S. sont les meurtriers, qu'ils ont tué le Pape parce que le Pape a voulu sauver les Juifs. Cela une fois exprimé, sur nos ondes, une fois cela *connu* de l'Islande à l'Australie, Hitler ferait figure devant tous les hommes, pour le reste de ses jours, d'adversaire par excellence de la création, dont il ne constitue que le rebut le plus infâme. *Personne*, ni un Gœbbels, ni un Cardinal, ne pourrait apporter un démenti valable avant que les fours crématoires ne soient éteints. (*Il se jette à genoux devant le Père général*) : Mon Révérendissime Père, vous devez m'aider.

LE PÈRE GÉNÉRAL (*avec une horreur glacée*) : Laissez-moi. Partez ! Rebut de la création, disiez-vous. C'est vous que cela concerne ! Repentez-vous, partez. Hors de mes yeux, ou bien venez vous confesser.

RICCARDO (*crie*) : Je ne peux pas faire cela sans vous ! (*En se levant, dans un ultime effort*) : Si vous ne m'aidez pas, mon Révérendissime Père... alors, il me faudra prier pour vous aussi...

LE PÈRE GÉNÉRAL : Partez. Partez maintenant... si vous persistez dans cette folie meurtrière. Allez-vous-en (*Il s'est tout à fait retourné. D'une voix étranglée*) : Partez. Hors d'ici... Assassin !

Riccardo s'en va, la porte reste ouverte, les bougies vacillent brutalement, puis le courant d'air les éteint. Le Père général tombe à genoux sur le prie-Dieu.

Rideau

Scène III

A l'aube du 17 octobre.

Le Quartier général romain de la Gestapo dans ce qui était le service culturel de l'Ambassade allemande, *Via Tasso*. Le vestibule est transformé en un vaste bureau qui, d'un côté, donne accès aux caves — les cellules — et, de l'autre côté, ouvre sur une cour sombre, par une porte invisible.

On entend un lourd camion entrer dans la cour. Des hommes en descendent, qui sont conduits à la cave derrière la scène. On entend des cris de commandement, comme : " Descendez ! Raus ! Allez, allez, que ça saute ! " Des chiens aboient. Un commandement : " Fichez le camp de là ! Fermez vos gueules ! " Witzel compte paisiblement : " 48 - 49 - 50 - 51 - 52... bon, avec ceux-là ici, et encore les deux petits morveux, ça fait 60. Mettez-les avec les autres. "

Avant que l'adjudant soit visible sur le perron qui relie la cour à la maison, Salzer s'est levé au premier plan; c'est un officier de Waffen S. S. Il s'était endormi dans un fauteuil, ses bottes à côté de lui. Il bâille comme un chien, de tout son corps, s'étire et se détend. Il passe sa main dans ses cheveux et sur son visage, boit à une bouteille d'eau gazeuse, va en chaussettes jusqu'à la porte vitrée et regarde au-dehors jusqu'à ce que Witzel arrive et rende compte.

Salzer est un officier comme tant d'autres, grand et fort, insignifiant, débordant de santé. Il a trente-cinq ans environ, il est encore plus dévoué au Führer Adolf Hitler que la plupart des autres, parce que c'est précisément à ce dévouement qu'il doit de pourchasser les Juifs sans défense dans les régions occupées, au lieu, comme la grande majorité des gens de son âge, d'être admis à risquer sa vie sur le front russe.

De même que l'authentique abbé de l'Ordre des Salvatoriens n'a que très peu de chose à voir dans cette pièce avec le général d'un Ordre religieux, de même cet officier n'a-t-il presque rien de commun avec le capitaine Kappler, un de ces officiers S. S. qui n'opérèrent pas de façon anonyme, mais qui, en 1945, eurent la malchance d'être inculpés de faits précis. Kappler fut, pour son activité en tant que chef de la police allemande des années 1943-44, condamné à une peine de détention à vie. Il a, de son propre chef, fait exécuter 335 otages, au lieu de 330 comme Berlin le lui demandait. Mais nous voulons cependant prêter à notre chef de la police une qualité que le consul Mœllhausen attribue à Kappler : elle aide à comprendre le cours des événements historiques; elle est, en outre, typique de la plupart des gens qui ont exercé des fonctions analogues. C'était l'officier intelligent, absolument obéissant, qui n'avait aucun rapport même de répulsion avec ses victimes. S'il en avait eu l'ordre, il aurait tout aussi bien arrêté les putains ou les nonnes de Rome; il n'était pas un fanatique de la question raciale et travaillait aussi froidement qu'une guillotine.

Mais le fait que la terreur régnait dans la cave de sa prison est cependant attesté.

WITZEL (*apparaît dans l'escalier, entre dans la pièce et vient au rapport*) : Mon Commandant ! Ordre exécuté : onze cent vingt-sept arrestations. Action terminée.

SALZER (*commençant à enfiler ses bottes*) : Merci. Ouf ! C'est peu. Rome avait autrefois huit mille Juifs; ils sont tous partis vers le sud, vers les Américains; maintenant, ce sont eux qui seront obligés de les nourrir. J'ai toujours dit que cette rafle n'en valait pas la peine.

WITZEL : Il y en a aussi des centaines à l'intérieur des couvents. Nous en avons pincé trente qui étaient encore chez eux, mais s'apprêtaient à disparaître. Nos Italiens du bataillon mobile feraient bien d'aller voir dans les couvents, où l'on sait en toute certitude que, sur cent moines, il y en a vingt de faux : des communistes, des Juifs, des traîtres de Badoglio...

SALZER (*avec une impatience croissante, c'est un homme qui veut toujours avoir le dernier mot et qui ne se domine pas. D'autant plus autoritaire vis-à-vis de ses subordonnés qu'il est moins sûr de son affaire*) : Vous êtes fou, Witzel, vous êtes complètement fou. Pourquoi ne pas liquider aussi le Pape ! Que diable, c'est tout de même terrible que vous ne compreniez jamais rien. (*Criant*) : Vous n'êtes pas en Ukraine ici ! (*Menaçant*) : Witzel, vous êtes responsables, vous partirez par le premier train pour le front de l'Est si vous ne prenez pas garde que ces foutus fascistes se comportent comme il faut. Ces auxiliaires gueulant *avanti*, qui sont toujours si courageux quand il s'agit de civils, qui seraient capables de faire une razzia dans un couvent, de nonnes de préférence, ces canailles lubriques (*il se prend le front*), vous êtes complètement fou ! (*D'un ton ferme*) : Ne pas provoquer un seul catholique, compris ?

WITZEL : Bon, y faut seulement...

SALZER (*criant fort*) : Compris, oui ou non ?

WITZEL (*très intimidé*) : Oui, oui, chef.

SALZER (*tout à fait calme*) : Bien. Que vouliez-vous dire encore ?

WITZEL (*troublé*) : Que nous nous en sommes tenus aux listes, dur comme fer, c'étaient les listes à Mussolini. Bien sûr, beaucoup d'enfants n'y étaient pas inscrits. Ainsi que celui qui, par exemple, — je veux dire était en visite... Il n'était naturellement pas sur la liste... Mais tous sont Juifs, je vous le garantis. Seulement, y en a eu d'insolents et qui nous menaçaient de l'Église, parce qu'ils étaient catholiques... plus d'un soi-disant de naissance aussi... surtout, je veux dire...

SALZER (*a enfilé sa tunique, s'arrête de la boutonner et dit, extrêmement inquiet*) : Que bredouillez-vous là, idiot ! Vous auriez dû me le dire cette nuit, j'aurais eu une raison d'arrêter les frais. Des catholiques arrêtés à Rome ! Et, je... (*embarrassé, plus doucement*) : Peut-être que plus d'un n'est réellement pas juif !

WITZEL (*prudent*) : Mais chef, vous n'auriez pas pu le vérifier non plus. Qui donc peut savoir lequel d'entre eux ment ! (*Plus assuré*) : Chef, je n'avais pas d'autre ordre que celui-ci. Et, si j'ose dire, nous pourrions toujours nous justifier, je veux dire, s'il se plaint... je veux dire, si le Pape, nous pourrions toujours nous décharger des abus sur la Milice, sur les Italiens. Ils y vont franco, mais on ne peut malheureusement pas les empêcher de piller.

SALZER (*se résignant*) : Bon, bon, Witzel, c'est de ma faute. Je n'aurais pas dû croire à votre intelligence; allez chez le photographe après cet exploit. Espèce d'andouille ! Witzel, vous me voyez agir ici depuis des semaines, m'avez-vous jamais vu en Pologne négocier avec des prêtres ?

WITZEL (*interloqué*) : Non.

SALZER : Réfléchissez un peu ! Pourquoi dois-je ici, à Rome, tolérer que le Père jésuite soit toujours dans nos jambes, pour me demander de remettre en liberté une crapule attrapée par chance ?

WITZEL : Oui, Commandant, bien sûr. Ce n'est pas à cause des Juifs qu'il vient, c'est le Pape qui l'envoie...

SALZER : Des Juifs ! Tête de lard, mais nous n'en avions pas jusqu'ici, pas un seul en prison ! Fichez le camp. Avant cinq minutes, sortez de cellule tous ceux de cette canaille qui se prétendent catholiques. Compris ?

WITZEL : Compris, Commandant.

SALZER : Autre chose encore. Ces cochons auront aujourd'hui une double ration : quand nous les aurons fait passer de l'autre côté du Brenner sans être inquiétés, on recommencera d'économiser les rations. Et ne les battez pas, et donnez suffisamment d'air frais dans la cave, compris ?

WITZEL : Compris, Commandant.

Il sort en toute hâte.

Salzer ouvre la porte donnant sur la cour qui peu à peu s'éclaire, siffle fort entre ses doigts, fait signe aux deux soldats de la Milice de venir le voir... Ce sont ceux qui, avec Witzel, ont arrêté les Luccani.

Ils apparaissent : celui qui est correct arrive vite, salue convenablement ; le voyou s'étire et traîne en montant l'escalier ; quand il est dans la pièce, il ricane et mange très bruyamment une grande tranche de melon en croissant de lune, qu'il balance dans ses deux mains, devant son visage agréable, mais négligé. Il claque les talons dans la pièce d'une façon ironique, singeant la " discipline " allemande.

SALZER (*l'air de s'en ficher*) : 'Jour. Repos. Qu'avez-vous à ricaner ?

LE VOYOU (*se plaint, émouvant*) : Pas marrant, Commandant. Service très dur. Pas dormi, très faim, rien encaissé. Service de nuit, mauvais, mauvais.

SALZER (*amusé*) : Tu es impossible. " Encaissé ". Je vais t'aider ! (*Au milicien correct*) : Son amie l'a-t-elle attendu toute la nuit ?

LE CORRECT (*vexé que Salzer ne s'occupe toujours que de l'autre*). Connais pas son amie. La mienne attend, en tout cas. Puis-je disposer mon Commandant ?

LE VOYOU : Belles poupées chez les Juifs, Commandant !

SALZER : Tu me feras le plaisir de ne toucher à aucune. Autre chose encore : vous êtes bien de bons catholiques, n'est-ce pas ?

LE CORRECT : Non, je ne suis plus catholique.

LE VOYOU : Et moi, pas un bon. Un catholique voilà tout.

SALZER : Cela ne fait rien, vous examinerez les canailles qui se disent catholiques de naissance, ici. Vous regarderez surtout s'ils sont familiarisés avec les bonnes vieilles coutumes de votre Église. Vous le ferez ?

LE CORRECT (*rit méchamment*) : Il faudra qu'ils prient. Doivent-ils prier ?

LE VOYOU (*réjoui*) : Chanter ! Chanter, c'est plus gai. Ou alors on les baptisera dans le Tibre.

SALZER (*sérieux*) : Aucun ne sera torturé, compris ? Aucun ne sera battu, c'est clair ?

LE CORRECT : S'il ne veut pas prier ?

SALZER : Ils le voudront, s'ils le peuvent. Va chercher le café et le pain.

LE CORRECT : Mais oui, Commandant.

Il sort.

LE VOYOU : Devons-nous leur faire passer la visite, Commandant ? Très belles, très jeunes souris chez les Juives.

SALZER : Tu ne me toucheras à aucune ! Dans une heure, tu pourras rentrer chez toi et baiser ta petite amie. Tu n'es pourtant pas un de ces vieux moines qui épinglaient une gentille femme prétendue sorcière, lorsqu'ils ne pouvaient absolument plus s'en passer.

LE VOYOU : Moi, un moine, oh non, je ne serais pas fameux dans le rôle ! (*Puis, d'un ton faussement triste, avec le geste de se couper le cou*) : Les jeunes filles juives, Commandant, vont-elles aussi en Pologne ?

SALZER (*achève sa toilette, il se peigne*) : Personne ne va en Pologne de ceux qui sont ici, ils vont travailler en Autriche. Nous y avons une villégiature à Mauthausen. Ah ! ah ! Voilà Witzel... avec les calotins.

Witzel a émergé de la porte menant au souterrain ; à côté de lui, se tiennent Carlotta, une jeune fille d'environ vingt ans, un homme d'une quarantaine d'années et le vieux Luccani. Aucun ne porte l'étoile. Tous sont épuisés, les hommes n'ont plus de lacets de souliers, ni de ceinture, ni de cravate, ils ne sont pas rasés. La très belle fille est pâle, négligée.

WITZEL (*aux Juifs, criant*) : Face au mur ! Demi-tour ! Ce sont les trois de la cellule nº 1, Commandant. Ils affirment toujours qu'ils sont catholiques. Mais cela ne se sent pas dans la voix. De celui-là, le grand, il n'y a rien non plus à tirer. Il dit seulement qu'il est industriel et qu'il travaille pour l'armée.

SALZER (*doucement, du premier plan*) : Tiens, tiens, c'est de la belle marchandise que vous m'avez emballée. Witzel, cela n'est pas concevable ! (*Plus haut, ne se contenant plus*) : Je ne veux pas vous revoir avant le petit déjeuner !

Le voyou regarde la fille et va sans bruit vers elle ; il la sépare des hommes, se met à parler vivement avec elle. Il lui met une cigarette dans la bouche, etc...

WITZEL (*très décontenancé, montre le quadragénaire dont il vient de parler : c'est un homme très bien habillé dans la mesure où on peut encore s'en rendre compte*) : Celui-là... il a même affirmé...

SALZER : Je ne veux pas savoir maintenant ce qu'il a affirmé ! Maintenant, je veux, mille tonnerres ! boire enfin un café. (*Calme*) : N'y a-t-il pas eu de tailleur arrêté, un bon tailleur d'uniformes ?

WITZEL : Non, Commandant, pas de tailleur, mais un marchand de chaussures. Ils sont allés en chercher un dans sa boutique. Et un coiffeur...

SALZER : Je m'en fiche de votre coiffeur ! Mais vous me faites penser que je dois encore me faire raser. C'est à cause de cette canaille, ces crasseux qui vous volent le sommeil, qu'on gâche son temps. Après le café, c'est le Germain récupéré qui me rasera, compris !

WITZEL : Compris, Commandant. Voilà le café qui arrive.

Il se hâte de déplier la nappe sur la table ; l'homme correct a apporté un grand plateau avec du café et du pain. Witzel le prend et le pose sur la table. Salzer, debout, prend aussitôt un morceau de pain. Il regarde maintenant le voyou qui au fond essaie d'embrasser la fille. Il l'a prise par la taille et les épaules, et elle se défend avec dégoût. Alors, elle s'arrache à lui et lui porte au visage un coup si violent que sa casquette vole dans la pièce. Salzer, qui voulait justement intervenir, se met à rire tout haut, aux larmes. Même le " Correct " se réjouit, tandis que Witzel, avec le sens de l'ordre propre au Minus Habens, *et un sentiment tout nazi de l'honneur, prend le milicien au collet.*

WITZEL : Et toi, espèce de cochon, n'as-tu aucun sentiment de l'honneur ! Ouste, sors d'ici ! Fricoter avec des Juives, qu'est-ce que c'est que ça ? (*Il le pousse dans la cour finalement, d'un coup de pied. Il met longtemps à se calmer. Son sens de l'ordre est si fort qu'il ramasse la casquette du voyou, et même l'époussette d'une main, puis il ouvre la porte et y jette la casquette. Il crie*) : Ce vaurien... Je lui casserais la gueule !

SALZER (*rit toujours*) : Vous ne comprenez rien du tout à cela, Witzel, les Italiens ressemblent physiquement aux Juifs. (*Avec du pain et une tasse à la main, il va vers la fille, impressionné*) : Mille tonnerres ! Vous êtes toujours aussi distante quand un homme s'approche de vous ! (*La jeune fille ne répond pas*). Mais vous n'en avez pas du tout l'air. Vous avez pourtant sûrement un ami ! Est-il aussi là-dessous, à la cave ?

CARLOTTA (*froidement*) : Mon fiancé a été tué en Afrique.

SALZER (*très peiné, touché, parle vite*) : Quoi ? Quand donc ? Tué ? Comment ça ? Du côté des Anglais ? Ou quoi ?

CARLOTTA : Du côté des Allemands, bien sûr. Il était d'ici, de Rome.

SALZER (*s'efforçant de changer de sujet*) : Depuis quand une Juive peut-elle épouser un Italien ?

CARLOTTA : Je suis devenue catholique.

SALZER : Ah bien. Mais nous devons, hélas, vous emmener dans les usines d'armement en Autriche. Comme vous n'êtes pas encore mariée avec cet Aryen, vous êtes encore, d'après la loi, complètement juive. Votre religion ne joue aucun rôle. Nous autres Allemands, nous sommes tolérants. Et chacun peut prier comme il l'entend.

CARLOTTA (*elle a peur*) : Mais je serais mariée depuis longtemps, et serais donc demi-Aryenne selon la loi, si mon fiancé n'était pas tombé pour... pour l'Allemagne. Je vous en prie, laissez-moi en liberté. Je suis attendue là-bas, chez les sœurs; je dois entrer au couvent comme novice, le 1er novembre.

SALZER (*embarrassé, très sérieusement*) : Votre cas est compliqué. Je ne peux rien décider tout de suite... ici... (*Il fait signe au* " *Correct* ") : Tu ne la touches pas, compris ?

LE " CORRECT " : Oui, Commandant.

SALZER : Reconduis-la dans la cellule.

CARLOTTA (*elle a très peur*) : Ah ! je vous en prie, non, je vous en prie, pas cela !

SALZER : Le 1er novembre, tout sera éclairci.

Le Milicien sort avec la fille. On se rend compte que Salzer se sent mieux dès qu'il n'a plus la fille sous les yeux. Witzel, au premier plan, boit du café. Il se lève lorsque Salzer va vers lui.

SALZER : Restez assis. Écoutez, Witzel, si le marchand de chaussures dont vous m'avez parlé tout à l'heure peut faire lui-même des bottes, un bon travail sur mesure, alors, pour moi, il sera provisoirement, lui et sa famille, Aryen. C'est clair ? Il restera donc ici.

WITZEL : Oui, un bon cordonnier, c'est précieux.

SALZER : J'ai besoin de bottes avec lesquelles je puisse me montrer. Vous pourriez aussi en commander une paire; des bottes à la fois souples et rigides tout de même, dans un cuir qui se laisserait nettoyer et brillerait. Ces godasses de merde (*il montre ses bottes*) sont maintenant bonnes pour le fumier. A chaque pas, on sent que c'est leur quatrième année de guerre. Elles ne veulent pas reluire.

WITZEL : Oui, Commandant.

Witzel a fini de déjeuner, il sort. Salzer a aussi rapidement qu'un juke-box changé sa voix, tout de suite après avoir parlé avec Witzel. Il s'adresse aux deux hommes en criant, d'un ton rauque ; les deux Juifs sont encore tournés vers le mur. Ce qui suit maintenant n'est pas du tout en contradiction avec l'intention de Salzer de bien traiter les Juifs tant qu'ils sont à Rome : le " traitement " des Juifs qui étaient arrêtés dans d'autres pays, sauf quelques exceptions, ne pourrait être représenté sur aucune scène.

SALZER : Vous les Hébreux baptisés, là, demi-tour ! Allons, demi-tour, j'ai dit allons ! (*Le vieux Luccani se retourne vers les spectateurs.*) Bon, montrez que vous êtes catholique. Ta carte d'identité. (*L'homme de quarante ans montre sa carte*) : Comment êtes-vous venu ici au bureau ? Vous n'êtes pourtant pas catholique ! Witzel ?

Il se tourne, Witzel n'est pas là. Le " Correct " de la Milice revient, ramasse la vaisselle et disparaît sans prononcer un mot. Pendant ce temps, l'interrogatoire se poursuit.

LE FABRICANT (*avec précipitation, comme passant un examen*) : Je travaille pour votre Armée. J'ai de grandes fabriques de drap. Ma famille est catholique, de noblesse catholique. Je n'étais dans la ville qu'accidentellement, et c'est tout à fait accidentellement que j'ai été pris dans cette razzia. On m'a arraché de ma voiture. Je vous dis que mon arrestation vous attirera des interventions énergiques.

SALZER (*agacé*) : Vous devez travailler comme vos frères. Vous êtes bien Juif ? A la rigueur, je peux prévenir votre famille.

LE FABRICANT (*prend précipitamment son portefeuille et sort un carnet de notes*) : Je vous en prie. Voici l'adresse et le numéro de téléphone. Je vous en prie.

SALZER (*rit grossièrement, lui arrache le carnet des mains et le jette au loin dans la chambre, puis, sarcastique*) : Où ta famille va-t-elle donc se plaindre, puisqu'elle ne sait même pas que nous t'avons arrêté ?

LE FABRICANT (*effrayé*) : Comment ? Mais... ! On dit partout que vous nous avez arrêtés. Tout Rome, et toute l'Italie le savent !

SALZER (*maintenant, contrairement à sa résolution, se comporte aussi méchamment que d'habitude*) : Si vous me menacez, Monsieur l'Industriel, vous, Monsieur le Possesseur de fabriques de textiles, vous disparaîtrez tout simplement, et pour toujours. Vous serez porté disparu, vous aurez glissé dans un égout... ou bien dans le cul d'une prostituée de la Via Appia, que sais-je, moi...

LE FABRICANT (*se mettant à bredouiller de peur*) : Mais je vous en prie. Je travaille depuis 41 pour l'armée allemande. Mes usines...

SALZER : ... continueront à travailler pour nous. Vous allez maintenant rejoindre vos frères en religion.

LE FABRICANT (*s'éloigne ostensiblement d'un pas de Luccani*) : Ce ne sont pas mes frères, ils ne l'ont jamais été. J'ai fait un mariage catholique. C'est un cardinal, à Saint-Pierre, qui l'a béni. Il y a déjà plus de seize ans. Je n'ai rien de commun avec les Juifs. Mon arrestation est une erreur qui aura pour vous les plus graves conséquences !

Salzer est extrêmement irrité. Il craint en effet les suites de cette aventure, non seulement à cause d'une éventuelle protestation du Pape, mais parce que ce Juif a été témoin de ce qui s'est passé dans la cave de la Gestapo. Il ne doit donc plus pouvoir en parler. Witzel est entré. Derrière lui, très militaire, le soldat Katitzky, un Letton long et blond. Il porte un plat à barbe.

SALZER : Vous recommencez à me menacer. Oh ! Je n'ai vraiment aucune peur des... des suites. Allons, Katitzky, savonne-moi...

KATITZKY : A vos ordres, mon Commandant.

Witzel a tiré au milieu de la pièce le fauteuil où dormait Salzer ; devant celui-ci, il y a une chaise sur laquelle Salzer pose les pieds.

SALZER : Puisque vos usines travaillent pour l'armée allemande, c'est donc que vous approuvez nos mesures à l'égard des Juifs. Comprenez-vous ces mesures, ou non ?

Il se met dans le fauteuil, mais pousse encore Katitzky de côté. Witzel s'assied à une table, timbre méthodiquement un tas de formulaires, en soufflant à chaque fois sur le tampon comme s'il voulait l'avaler. Puis il se nettoie méticuleusement les dents et les oreilles, en écoutant l'interrogatoire.

LE FABRICANT : Je les comprends, oui. Mais moi, je ne suis plus dans le coup, du moins depuis mon mariage, il y a plus de seize ans...

SALZER : Votre mariage ne m'intéresse pas du tout.

LE FABRICANT : Je dis seulement qu'intérieurement comme extérieurement je suis depuis longtemps étranger au judaïsme. Oui, depuis longtemps déjà. Dès la promulgation des lois antisémites de Mussolini j'ai aussitôt éloigné, comme on peut en faire la preuve, de toutes mes usines tous les Juifs qui y avaient des participations. C'est le comte Ciano personnellement...

SALZER (*aimable*) : ... qui attend d'être exécuté à Vérone.

LE FABRICANT : J'ai même été traité comme une exception par le Duce lui-même.

SALZER : En tant que bon contribuable.

LE FABRICANT : Non, en tant que bon fasciste. J'aurais pu émigrer dix fois...

SALZER : Une seule aurait suffi.

LE FABRICANT : Je voulais fournir ma quote-part à la victoire de l'Occident sur le bolchevisme. Je pensais...

SALZER (*se lève*) : Tiens, tiens, vous parlez comme un livre. Notre combat vous semble bon et juste ? Et vous approuvez aussi le fait que nous rendions les Juifs responsables de la guerre ?

LE FABRICANT : Les fauteurs de troubles doivent toujours être punis.

SALZER : Vous vous exprimez de façon très générale. Mais je veux entendre une profession de foi plus claire. Vous rangez-vous contre votre peuple aux côtés d'Adolf Hitler qui veut délivrer le monde de ce peuple ?

LE FABRICANT : Ma conduite dans cette guerre est une profession de foi.

SALZER : Une conduite par laquelle on gagne autant que vous gagnez à la guerre n'est pas une profession de foi. Pas de bavardage : approuvez-vous l'extermination des Juifs, oui ou non ?

LE FABRICANT : Le Führer sait ce qu'il fait.

SALZER : Oui ou non, que diable, ne me retardez pas !

LE FABRICANT : Oui.

SALZER : Cela a été dur à sortir. Venez ici et crachez à la gueule de ce Juif.

LE FABRICANT : Je vous en prie, le vieux monsieur est catholique aussi. Et il ne m'a rien fait personnellement. Non !

SALZER : M'a-t-il fait, à moi personnellement, quelque chose ? Allez, crachez-lui dessus.

LE FABRICANT : Non, je ne le ferai pas.

SALZER : Bon. Witzel, conduisez ce gros industriel avec ses coreligionnaires.

WITZEL (*se levant*) : Allez, à la cave, vite.

LE FABRICANT (*presque soulagé d'être emmené*) : Monsieur le Commandant, craignez la protestation du Duce et du Pape. N'osez pas...

SALZER (*convaincu qu'il doit à présent le faire disparaître, se livre*) : Tu continues à me menacer, mon gaillard !... Tu n'es même pas catholique. Prouve-moi donc tu que as, au moins intérieurement renié ton passé juif ! Qu'est-ce qui pourrait m'autoriser (*avec un extrême cynisme*) à vous laisser courir ? N'espérez, tout de même pas, qu'on vous cherchera ici, chez nous. Si votre veuve déplore votre absence, où vous cherchera-t-elle ? Elle cherchera, bien sûr, dans les bordels de la Via Veneto. Elle cherchera là-bas un certain temps, juste un certain temps. Mais l'homme oublie vite l'homme. Nous sommes comme des allumettes, livrables en masse. On nous sort de la boîte. Nous étincelons un peu, nous flambons un instant, et c'est fini. Personne ne s'en préoccupe ensuite. Même votre veuve ne vous cherchera pas longtemps. Si vous vous aidez vous-même, ça va. Mais menacer ! C'est ridicule de me menacer. Allez, crachez sur le vieux, alors vous n'aurez pas besoin de retourner à la cave, ma parole d'honneur. Allez, crachez. Ce sera une profession de foi, Ça !

L'homme est épuisé. Il a compris que lui, même lui, qui est privilégié, peut réellement disparaître dans cette maison " comme une allumette ". Ce qui lui arrive maintenant n'est pas agréable, mais humain... Ce n'est qu'après cette suprême déchéance qu'il retrouvera sa dignité d'homme : c'est ainsi que plus tard, à l'entrée du camp d'Auschwitz, on le verra soutenir le vieux Luccani. Après les dernières paroles de Salzer, il n'hésite plus, mais se met rapidement les mains devant les yeux, le visage déformé par la douleur, et crache sur le costume du vieillard. Salzer, ainsi que Witzel et l'Italien, rient, chacun différemment. C'est Witzel qui rit le plus longuement et le plus grossièrement.

SALZER : Dommage, cela aurait fait une bonne photo pour le *Stürmer* [1]. Allez, ne l'emmenez pas à la cave, nous tenons notre parole. Conduisez-le dans notre chenil.

On rit de nouveau, sauf Salzer.

LE FABRICANT (*se met à crier*) : Non ! Salauds !

WITZEL : Allez, aux chiens, enlève ton pantalon, allez, enlève-le, viens.

LE FABRICANT (*s'est repris tout à coup*) : Aux chiens, oui. (*Suppliant, à Luccani*) : Pardonnez. Pardonnez-moi... (*Luccani se tait*

1. Feuille grossièrement antisémite (N. d. T.).

et le regarde) (*Désespéré*) : Je vous en prie, ne me méprisez pas. La peur, cette peur terrible. J'ai honte.

LUCCANI : Tout cela ne me touche plus. Priez.

Witzel tire brutalement le fabricant et le pousse dehors, devant lui. Salzer est maintenant tellement " engagé " qu'il oublie ce qu'il redoutait, ici, à Rome. Il est tombé aussitôt sur Luccani) :

SALZER : Vous aussi, priez, allez, priez, priez, prouvez que vous êtes catholique. Chantez, allez, chantez, chantez un *Ave Maria* ! Allez, vite, chantez.

LUCCANI : Non, je ne veux pas invoquer en vain le nom de Dieu.

SALZER : En vain ? Brave homme, si vous ne chantez pas maintenant, vous irez bientôt le faire au ciel avec les anges; ou bien, avec les hommes dans le feu. (*Il fait approcher le milicien*) : C'est votre dernière chance : un coreligionnaire examinera si vous savez chanter un *Ave Maria* sans faute. Allez, toi, catéchiste d'occasion, fais-lui passer un examen.

LUCCANI (*pathétique, immense, méprisant*) : Je ne répondrai jamais à un traître à sa patrie. Jamais...

LE MILICIEN (*crie*) : Traître, moi ! Quoi ?

Il donne à Luccani un coup mal dirigé à la poitrine, le vieux chancelle, fait un faux pas, se reprend rapidement. Salzer tire le milicien par le bras, en arrière.

SALZER : Viens ici ! Tu ne le frapperas pas !

LE MILICIEN : Commandant ! C'est une insulte : traître à la patrie. Je ne me le laisserai pas dire !

SALZER (*dangereusement intéressé*) : Qu'avez-vous voulu dire par là ?

LUCCANI : (*d'un ton très tranchant, et en articulant*) : Qu'un Italien qui livre un vieil officier romain aux Allemands est un traître. Peut-être ai-je combattu dans les tranchées avec le père de ce poltron sur le front de l'Isonzo. Voilà...

Il met la main dans sa poche et en tire deux décorations. Salzer, ému et gêné, dit vite :

SALZER : Pourquoi n'avez-vous pas dit aussitôt que vous étiez officier. Que diable !

LUCCANI (*au milicien*) : N'as-tu pas honte, toi, morveux ? Nous avons combattu au front contre les chasseurs alpins autrichiens, c'étaient des tireurs d'élite. Et toi où combats-tu ? Contre tes concitoyens sans défense. Traître ! (*Salzer se tait. Au fond de lui-même il n'est pas mécontent de voir humilier la Milice qu'il méprise comme il méprise tous les soldats italiens. Mais il ne voit pas que les paroles de Luccani peuvent également se rapporter à son " combat ". Le vieux a tourné le dos au milicien et dit, très calme, à Salzer*) : En qualité de Consul général à Innsbruck et en tant que soldat de la première guerre mondiale, j'ai appris aussi à estimer les soldats allemands, et je ne peux pas y croire encore; Monsieur, je vous en prie, permettez-moi une question, une prière...

SALZER (*intérieurement, à présent, est extrêmement gêné : le vieil officier a touché sa veine sentimentale, surtout parce que Salzer lui-même a toujours craint d'aller au front*) : Bien sûr, j'estime en vous l'officier. Évidemment, vous n'irez pas à Auschwitz, mais à Theresienstadt, où jusqu'à la fin de la guerre vous serez prisonnier sur parole.

LUCCANI : Je vous remercie... pour votre offre chevaleresque... Mais ma prière... J'ai soixante-douze ans, ne me favorisez pas, laissez-moi avec mon fils et ma belle-fille. Là, à la cave. Eux aussi, ils ne font que leur devoir. Mais vous devez bien vous-même avoir des enfants, Monsieur. Il y a là mes petits-enfants, un garçon de neuf ans, une petite fille de six. Laissez les enfants en liberté. Je connais des sœurs qui viendraient les chercher et les élèveraient dans la religion catholique, je vous en prie... je... (*il perd un peu contenance*) : Je n'ai encore jamais supplié quelqu'un de ma vie, mais maintenant je vous supplie... Pensez donc à vos propres enfants, je, je... (*il bégaie au milieu de ses larmes*).

SALZER (*d'une voix rauque*) : On ne touchera pas à un cheveu des enfants, que pensez-vous donc de nous autres, Allemands ! Vous irez à Theresienstadt, les Juifs plus jeunes devront construire des routes, là-haut, dans les Apennins.

LUCCANI : Mais tout de même pas les enfants ! On les a arrachés hier soir à leurs parents. Doit-on donc réellement croire ce qu'on entend dire sur vos camps de Pologne...

SALZER : Tout cela n'est que mensonges, des mensonges de la propagande de Churchill. N'écoutez donc pas la radio anglaise. Si ce que l'on racontait là était vrai, croyez-vous qu'alors le Pape recevrait aussi aimablement en audience des milliers de ressortissants allemands de l'armée ? Partez maintenant... Nous ne toucherons pas à un seul de vos cheveux.

LUCCANI (*qui s'est ressaisi, mais a très peur, c'est pourquoi il dit de si grands mots*) : Vous êtes, en tant qu'officier, un homme d'honneur : comment pourrez-vous regarder votre femme, vos enfants dans les yeux ! Je vous demande, au nom de votre mère...

Salzer lui a tourné le dos, atteint au plus profond de lui-même, écœuré. Pendant que Luccani parle, Witzel est entré avec le marchand de chaussures, qui porte une serviette de cuir : c'est un Juif rond, d'âge moyen, qui reste timidement à la porte jusqu'à ce que Witzel, d'un mouvement de main, lui signifie qu'il doit tourner son visage vers le mur. Aux derniers mots de Luccani, Salzer commence soudain à interpeller, en hurlant comme un fou, le milicien Katitsky et ensuite Witzel. Ses propres cris augmentent encore son incapacité à se contenir. Il sort finalement son revolver, comme si le fait, ridicule, de saisir une arme pouvait le protéger d'une émotion humaine.

SALZER : Qu'avez-vous à bayer aux corneilles, comme des gourdes dans le coin ! Emmenez-le ! J'ai commandé qu'on l'emmène. Ne le brutalisez pas. Sortez tous d'ici. Même celui-ci (*il montre le cordonnier*). Emmenez-le. Allez. Qu'avez-vous à tourner en rond ! Allez. Witzel, viendrez-vous jamais quand on aura réellement besoin de vous ?

WITZEL : C'est le cordonnier, Commandant. Il a amené avec lui ses outils.

SALZER (*toujours criant*) : Cela m'est égal, je ne veux plus voir personne ! Vous non plus, je ne veux plus vous voir. Dépêchez-vous de sortir ! Tous dehors, allez !

WITZEL : Chef ?

SALZER : Le premier qui protestera encore, nous le déculotterons et nous regarderons s'il est circoncis. Catholique ou non, cela ne fait rien. Circoncis ou non, c'est ce que je veux savoir.

WITZEL : Bien, Chef. Et pour les femmes ? Comment voit-on ça sur les femmes ?

SALZER (*crie à nouveau*) : Ne me rendez pas fou ! Imbécile ! Foutez-moi le camp, enfin, je ne veux plus vous voir !

WITZEL : Bien, Commandant.

Pendant que tous sortent, Gerstein est entré par la porte du fond presque en se glissant dans le dos de Salzer. Il voit Witzel et le milicien emmener les deux Juifs. Il pose sa main sur l'épaule de Salzer. Ce faisant, l'expression de son visage qui révélait une grande lassitude s'est totalement changée : son visage est empreint, maintenant, d'énergie et de vigilance, qu'il cherche à cacher derrière un sourire.

GERSTEIN : C'est le sommeil qui vous manque, hein ? Heil Salzer ! Vous êtes bien pâle.

SALZER (*gêné*) : Diable, Gerstein, vous m'avez fait peur. Vous arrivez toujours si soudainement et si doucement... où étiez-vous durant toute la nuit ?

GERSTEIN : Que s'est-il donc passé ?

SALZER (*encore embarrassé*) : Comment ne pas avoir les nerfs qui craquent ! Mon adjudant, cet idiot ne m'a-t-il pas récolté, par bêtise, un plein sac de catholiques au cours de la razzia.

GERSTEIN (*qui peut à peine cacher sa satisfaction, exagérant*) : Quoi ! Vous avez aussi arrêté des catholiques ? Eh bien ! avec eux, vous vous êtes mis dans de beaux draps. Le Führer n'a pas besoin pour le moment d'ennuis avec le Pape.

SALZER : C'est ce que je crains. Et moi, je me suis fourré dans une sale pétrin, Gerstein. Il y a là un vieil officier qui m'a montré ses décorations et m'a demandé la grâce de ses petits-enfants. Jamais une telle chose ne s'était encore produite. On est toujours victime de sa sensibilité, quand on veut regarder humainement des canailles de cette espèce, destinées à la chambre à gaz. Je ne suis pas assez endurci. J'en ai plein le dos. Vous n'étiez pas à Posen, le 4 octobre quand Himmler a dit que notre travail en faveur des enfants d'Israël était — au fait, comment a-t-il dit, l'oncle Heini ? — était une page de gloire *jamais écrite, et qu'il ne faudrait jamais écrire*, de l'histoire allemande... Oui, Gerstein, voilà la reconnaissance et pour moi : la honte et la peur.

GERSTEIN (*voit aussitôt une chance. Il se montre hypocritement indigné*) : Tiens, tiens, Himmler est aussi de cet avis ! Cela, Salzer me renforce dans mon opinion que bientôt toute la ligne sera changée. Il a bien dit cela " une page de gloire " A NE PAS ÉCRIRE Vous vous rendez compte ! Le chef suprême des S. S. reconnaît lui-même ouvertement que la " solution finale " sera la plus forte manifestation de volonté du siècle, du millénaire peut-être, on n'osera jamais l'avouer devant l'Histoire... oui (*d'un ton plus sombre, apparemment trèe informé*) : ce ne sont plus seulement des rumeurs, je commence à y voir clair, tout à fait clair. (*Changeant apparemment de conversation, comme s'il en avait déjà trop dit*) : Avez-vous une tartine de beurre et une tasse de café pour moi ?

SALZER (*extrêmement intéressé*) : Quoi ! De quoi parlez-vous donc ? Bien sûr, vous pouvez boire votre café ici. Diable, Gerstein, parlez donc ! Vous êtes bien informé, vous êtes toujours à Berlin, vous. Moi, je ne suis au courant de rien ici. Que se passe-t-il donc ?

GERSTEIN (*mystérieux, d'un air lourd de signification*) : Salzer, je ne dois rien dire. Mais, entre amis, un bon conseil : à l'heure actuelle un diplomate, à l'occasion, refait le voyage de Stockholm, pour rencontrer les interlocuteurs les plus étranges ; il serait très fâcheux que précisément, maintenant, le Pape parle. Ne le provoquez pas : le Führer sait pourquoi il ne le fait pas. Rome est un centre d'espionnage. Il le sait. Mais il n'y touche pas.

SALZER (*agité*) : A Stockholm ? Avec qui va-t-on négocier ? Avec les Russes, ou bien... ? Ma parole d'honneur, je n'ouvrirai pas la bouche.

GERSTEIN (*qui n'a aucune idée, mais a écouté ce que les émetteurs ont colporté en termes imprécis et exagérés*) : Pas un mot de plus, Salzer, pas une syllabe. Vous avez toujours été un camarade pour moi, c'est pourquoi je vous préviens : ne faites rien à Rome qui risque de provoquer des protestations internationales contre l'Allemagne. Ce ne sont pas quelques Hébreux qui en valent la peine !

SALZER (*fâché*) : Pourquoi, alors, Berlin m'ordonne-t-il d'embarquer le troupeau !

GERSTEIN : Qu'est-ce que ça veut dire, Berlin ? C'est Eichmann qui commande ! Il aime se rendre important et parle toujours d'ordres du Führer, parce qu'il ne veut rien indiquer à son propre compte. Il vous laissera tomber comme une vieille chaussette si le Führer prend une crise parce qu'une protestation du Pape brise tous les fils noués à Stockholm.

SALZER (*furibond, incertain*) : Comme si, moi, je pouvais comprendre la haute politique !... Comment ça ? A moi, on ne me donne que des ordres.

GERSTEIN (*haussant les épaules*) : On dira que vous auriez dû voir les menaces venant du Vatican.

SALZER (*très agité*) : C'est pourtant ce que j'ai fait, Gerstein ! Ne me croyez pas complètement idiot. J'ai essayé, à deux reprises, de me défiler de cette action stupide ! Fin septembre est arrivé l'ordre de procéder aux arrestations dans la première quinzaine d'octobre. Le consul Mœllhausen a déclaré que c'était politiquement inopportun, et il m'a traîné devant Kesselring. Le maréchal, Dieu merci, déclara qu'il n'avait pas de troupes libres pour cette razzia. Je pouvais me retrancher derrière cela. Berlin céda, mais exigea des Juifs cent livres d'or comme rançon. C'est ce que j'ai fait, il y a trois semaines. Le Pape le sait. Il était même prêt à donner de l'or, si les Juifs ne rassemblaient pas les cinquante kilogs. Cet empressement du Pape (nous pensions qu'il ferait un scandale !) nous a encouragés à déporter les Juifs. Vraisemblablement cela se passera bien. Si le Pape, lors de cette énorme exigence, s'est tu, pourquoi pas maintenant ? On sait bien qu'il est très proallemand, c'est un homme sympathique. Vous... avez bien dû voir, Gerstein, avec quelle bonté il accorde audience ici à nos compatriotes — des milliers déjà, Berlin ne voit pas cela d'un œil favorable. Mais vous pouvez toujours y aller, c'est une expérience !

GERSTEIN (*est touché, il ne peut rien répondre de longtemps, puis*) : Votre raisonnement me semble trop optimiste, Salzer. Le fait que le Pape ait voulu contribuer à payer l'or des Juifs montre clairement qu'il est de leur côté. Et si alors, il y a trois semaines, il a fermé son bec, c'était précisément parce qu'il croyait acheter à prix d'or la liberté des Juifs. Maintenant, vous l'avez proprement trompé. Faites attention, demain il criera sur les ondes ce que vous avez fait cette nuit.

WITZEL (*est entré, à Gerstein*) : Heil Hitler, chef !

GERSTEIN (*fatigué*) : Salut et victoire !

SALZER : Rapportez-nous donc le pain et le café, Witzel.

WITZEL (*sort*) : Oui, mon Capitaine.

SALZER : Il est bien possible que le Pape fasse du pétard aujourd'hui. L'important : moi, personne ne peut me rendre responsable. Pas moi. En outre, Gerstein, Berlin ne risque pas de faire brûler immédiatement les Juifs de Rome : la première fournée doit aller à Auschwitz par Mauthausen. Si le Pape proteste, on peut toujours les renvoyer chez eux. On ne les brûlera que si l'on est certain qu'il continuera à ne pas s'en occuper.

Il offre des cigarettes à Gerstein. Gerstein essaie encore une fois d'intimider Salzer.

GERSTEIN : Merci. C'est un étrange discours qu'Himmler a tenu à Posen : c'est donc pour cela que Blobel doit, depuis le mois d'août, ouvrir nos fosses communes en Russie et brûler les cadavres à la chaîne. C'est un joli travail ! A côté de ça, vous avez la partie belle !

SALZER : En effet : pourquoi nous donner cette peine, je ne comprends pas bien. Comprenez-vous cela ?

GERSTEIN : Regardez donc la carte. Au mois d'août, Blobel a incinéré le contenu des fosses près de Kiev mais par malchance des avions russes, en rase-mottes, observaient. Oui, Salzer, je comprends ce que cela signifie : le Führer, hélas, ne semble plus croire que Kiev, dans l'avenir, sera la capitale d'une Ukraine allemande... C'est dur... La page est tournée. Je n'ai rien dit. (*Il n'en dit pas plus long, parce que Witzel apparaît avec le café et le pain. A Witzel*) : Merci bien. Merci.

WITZEL : Je vous en prie, mon Capitaine.

SALZER (*soucieux*) : C'est pour *ça* qu'on va à Stockholm, Gerstein ? C'est diablement triste ce que vous me rapportez là.

Gerstein met le doigt sur la bouche lorsque Witzel lui tourne le dos.

SALZER (*à Witzel, cherchant un sujet de conversation anodin*) : Que fait donc notre cordonnier, Witzel ? (*A Gerstein*) : Nous avons arrêté un cordonnier qui doit nous faire des bottes.

GERSTEIN : Tiens ! J'en aurais bien besoin de neuves.

WITZEL : Il a des outils avec lui, je le lui ai demandé. Il manque seulement de cuir, nous devrons aller en chercher dans sa boutique. Mais il a une pleine sacoche d'outils. « Qu'est-ce que tu comptes faire de tout ça », je lui dis. « Ben, qu'il fait, en Pologne, faudra bien que je gagne le pain de mes enfants ! » (*Witzel, qui s'amuse bien, éclate de rire. La fascinante bestialité de toute l'histoire s'exprime avec le maximum de « véracité » dans ces phrases débitées sur un ton de gouape spirituelle, paisiblement écrasées dans le patois graillonneux des faubourgs de Kassel.*) Alors, que je lui dis, tu veux t'occuper de tes enfants ? Eh bien, occupe-toi d'eux. Tu connais ton métier ? On t'installera à Auschwitz une belle boutique, avec des vitrines, ou peut-être même, à Varsovie, une grande affaire, parce que tu es adroit. Tu pourras t'occuper de ta famille. Naïf, hein ?

Il est content, rit. Gerstein ne peut plus avaler, il s'est levé, s'efforçant à l'indifférence. Mais même Salzer est travaillé par le cynisme imbécile, faussement bon enfant, de Witzel ; il dit, agacé :

SALZER : Bon, Witzel. Prenez une cigarette. Et sortez. Nous avons encore à parler.

WITZEL (*prend une cigarette, sort*) : Merci beaucoup, mon Capitaine.

SALZER : Vous ne mangez rien du tout, Gerstein, vous aviez pourtant faim et soif quand vous êtes arrivé ?

GERSTEIN (*se retourne*) : Le discours d'Himmler m'obsède : ils changeront bientôt de politique. Nous serons alors les inquisiteurs dont ils auront honte, comme l'Église aujourd'hui a honte de ses brûleurs de sorcières.

SALZER (*décontenancé*) : Oui, le fait que Blobel soit obligé d'exhumer ses morts laisse, en effet, soupçonner que le Führer craint de reperdre l'Ukraine. Zut alors !

GERSTEIN (*reprend un morceau de pain et essaie, du ton le plus naturel possible, de reprendre le fil*) : C'est pourquoi vous ne devez pas encore mettre le Pape aux chausses du Führer ! Ne déportez pas vos Juifs avant après-demain : il protestera sûrement. Et c'est vous qui aurez les ennuis.

SALZER (*fatigué, sentimental et un peu inquiet*) : Ah, Gerstein, il vous est facile de parler. Je souhaiterais, moi aussi, être à Rome pour visiter les églises et les musées : je voudrais me baigner à Ostie avec les enfants ou bien acheter quelque chose de beau pour ma femme, *Via Veneto*... au lieu de cela, oui, mon Dieu, dois-je être plus papiste que le Pape ? S'il se tient tranquille jusqu'à ce soir, je dois faire le chargement cette nuit. (*Le téléphone sonne. Salzer montre l'appareil d'un air significatif et opine en allant le décrocher*) : Quand on parle du loup. A c't'heure, faites gaffe que le Pape ne se pointe pas... ! (*A l'appareil*) : Oui, branchez. (*A Gerstein*) : Le Commandant de la place ! Oui, ici Salzer. Heil Hitler, mon Général. Ainsi, ah, ah, nous étions justement en train d'en parler. Oui, réellement ! Mille tonnerres, ainsi donc, une protestation ! (*Il fait signe à Gerstein d'approcher. Gerstein est allé à côté de Salzer, extrêmement attentif, et peut ainsi suivre la conversation*) : (Je m'y attendais), oui... sont... Comment, je vous prie ? Merci, oui... oui... mon Général, êtes-vous en possession du texte complet ? Ainsi, déjà en route vers moi, bien, je vous remercie respectueusement, mon Général. Ah, ah, ainsi ! C'est déjà moins dangereux. Donc, il ne vient pas du Pape personnellement, mais la menace est expresse, tiens. Mon avis ? Mon Général, vous savez bien, je n'ai fait qu'exécuter l'ordre à contrecœur. Mais malheureusement cette lettre de l'évêque au général ne nous libère nullement du devoir de déporter... Très bien. On n'en restera pas là ? C'est ce que je crains aussi. Naturellement, mon Général, très bien. Les Juifs, tant que je les ai encore dans la cave, seront tout particulièrement bien traités. Oui, nous devons attendre. Mes respects, mon Général. Heil Hitler, Heil, mon Général !

Il raccroche, regarde Gerstein.

GERSTEIN : Il vaux mieux annoncer tout de suite cela à Berlin. S'il y a des protestations, c'est vous qu'on pendra.

SALZER : Maudite histoire ! Que dois-je faire ? (*Puis, très haut*) : si seulement ce damné Pape voulait dire enfin clairement ce qu'il en est ! S'il nous laisse les mains libres, comme il l'a fait jusqu'à présent, mais apaise sa conscience de chrétien par cette lettre de l'évêque ? Alors, je dois les déporter ce soir même.

GERSTEIN : Pour l'amour de Dieu, Salzer, c'est tout de même la protestation attendue !

SALZER (*presque méfiant*) : Gerstein, comment pouvez-vous dire une telle chose ? C'est le commentaire d'un évêque, ce n'est pas une protestation ! Ils se moqueront bien de moi à Berlin si c'est à cause de cela que je relâche la canaille. Il n'est pas question de les remettre en liberté...

GERSTEIN (*un peu plus prudent*) : Je ne veux pas vous égarer, Salzer : mais je ne croirai jamais de ma vie que le Pape vous laissera les mains libres à Rome...

SALZER (*à nouveau irrité*) : Je ne crois pas cela non plus, Gerstein ! Maintenant, après une lettre de l'évêque, je crois fermement que Pie XII jettera les hauts cris pour ses agneaux, et que le Führer devra naturellement céder. Que représentent onze cents Juifs ! Mais mon affaire, Gerstein, mon affaire, ce n'est pas cela ! Je n'ai aucune envie de refuser l'obéissance à un ordre et ce, aussi longtemps que l'Église ne tient que des propos d'ordre général...

Gerstein dès les dernières phrases de Salzer est atteint d'une extrême agitation, il regarde constamment l'heure, fait les cent pas, car il veut aller le plus vite possible trouver Riccardo. *Il prend congé de façon brutale et sèche. Dehors, il fait maintenant tout à fait jour.*

GERSTEIN : Salzer, il est temps que je parte. Adieu. Tâchez de vous arranger avec le Pape !

SALZER (*sans méfiance, souriant, toujours amusé*) : Je ne connais personne qui soit aussi nerveux que vous ! Comme un lion en cage. Vous vous promenez toujours de long en large, comme si vous étiez enfermé. Même maintenant, Gerstein, vous ne le remarquez pas : pourquoi, tout à coup, cette nervosité sémite ?

GERSTEIN (*soupçonneux, puis détendu*) : Comment cela ? Suis-je réellement si nerveux ? Je veux encore voir quelque chose de Rome. (*Une allusion*) : Qui sait si un Allemand comme moi pourra longtemps encore voir le Tibre ? Vous m'avez beaucoup déprimé. (*Il fait comme si c'était Salzer qui avait prononcé des paroles " si défaitistes "*) : Ce que vous m'avez raconté, Salzer... et le fait que les Américains soient déjà à Naples, les Russes à Kiev : votre état d'esprit m'a contaminé.

SALZER : Mon Dieu, c'était l'interrogatoire qui m'avait un peu mis sens dessus dessous.

GERSTEIN (*lui tend la main*) : Et grand merci pour vos tartines de beurre.

SALZER : Ah, Gerstein, c'est moi, uniquement, qui dois vous remercier. C'est dommage que vous partiez. Connaissez-vous la route de l'aérodrome ? Saluez la Finlande de ma part.

WITZEL (*entre et annonce*) : Chef, le supérieur est dehors, il veut vous parler d'urgence.

SALZER (*tandis que Gerstein recule nettement*) : Il ne manquait plus que lui ! Bon, que nous reste-t-il d'autre à faire, sinon lui dire amicalement boujour ? Allons !

Witzel sort.

SALZER (*à Gerstein*) : Vous aviez raison : c'est déjà la protestation. L'homme vient tous les trois jours, c'est un fieffé entêté qui arrive toujours à vous soutirer quelque chose.

Witzel (*annonce officiellement*) : Mon capitaine, Sa Révérence, le Révérendissime Père général, Monseigneur.

Salzer a rapidement bouclé son ceinturon et remis sa casquette. Il se tourne vers la porte et regarde le Père général, qui entre rapidement, d'un pas assuré. Gerstein secoue la tête derrière Salzer, en faisant un signe néga-

tif, et pose son doigt sur ses lèvres, dès que Witzel a fermé la porte derrière le visiteur.

LE PÈRE GÉNÉRAL (*qui ne laisse pas voir que Gerstein l'a quitté il n'y a que quelques heures*) : Bonjour, Monsieur Salzer. Je dois malheureusement vous déranger de bien bonne heure. Mais vous avez une visite...

SALZER (*riant amicalement*) : Bonjour, Révérendissime Père. Oui, une visite de Berlin : un cher collègue. Voici Monsieur le Supérieur général des Salvatoriens qui vient chaque semaine, par ordre de Sa Sainteté, arracher un communiste aux méchants nazis que nous sommes.

Tous trois rient. Gerstein est soulagé.

GERSTEIN : Très heureux de vous connaître, Monseigneur. Le camarade Salzer m'a déjà fait ses doléances. Il paraît que vous êtes un négociateur tenace.

LE PÈRE GÉNÉRAL (*flatté*) : Tiens, tiens. Il s'en est plaint. C'est un compliment pour moi ! Aujourd'hui, je viens à nouveau à cause d'un communiste, ou de ce que vous nommez communiste : je veux parler du jeune Tagliaferro, âgé de dix-huit ans, que vous avez arrêté à Milan. Mon Dieu, si celui-ci est communiste, alors, je suis mahométan. (*Il rit*) : Son père est le plus grand juriste de Milan, il s'est adressé hier au Pape : relâchez ce galopin, son père lui tirera les oreilles s'il distribue encore des tracts, ce jeune sot...

GERSTEIN (*aussi désappointé que Salzer est soulagé d'apprendre que le Religieux n'est pas venu à cause des Juifs, dit vite*) : Excusez-moi, je vous en prie, Monseigneur. Salzer, il me faut réellement partir. Au revoir, au revoir !

LE PÈRE GÉNÉRAL (*malin, tient solidement la main de Gerstein et demande, irrésistible*) : Au revoir ! Quel est votre nom, déjà ?

GERSTEIN : Je m'appelle Gerstein. Je m'envole aujourd'hui pour l'Allemagne.

LE PÈRE GÉNÉRAL : Ah, ah ! Monsieur Gerstein, bien... Je n'avais pas bien compris tout à l'heure, comme toujours. Alors, bon voyage, je vous souhaite du beau temps !

GERSTEIN : Je vous remercie, Monseigneur. Au revoir.

Salzer accompagne Gerstein à la porte.

SALZER : Ne pensez-vous pas aussi que vos soucis (*avec un geste de la tête vers le Père général*) étaient un peu exagérés ? (*Il lance au Père général*) : Prenez donc un siège, Révérendissime Père.

GERSTEIN (*doucement, et ensuite avec un mouvement en direction du Père général*) : Je vous le souhaite, Salzer. Mais je crois simplement qu'on ne lui a encore rien dit aujourd'hui. Allons, Messieurs, bonjour...

SALZER ET LE PÈRE GÉNÉRAL (*en même temps*) : Salut Gerstein, au revoir, bon voyage...

Rideau

« Et comme je regardais, je vis un drapeau qui décrivait aussi rapidement un cercle que s'il était trop fier pour se poser; derrière lui venaient une longue file d'hommes et tant de gens que je ne pouvais croire qu'il y en eût déjà tant qui eussent expiré. J'avais déjà reconnu certains, lorsque je vis et reconnus l'ombre de celui qui lâchement rejetait la grande mission. »

DANTE. *L'Enfer*, Chant III.

ACTE IV

IL GRAN RIFIUTO

SCÈNE I

Dans le palais pontifical.

Une salle d'audience, petite et presque vide, habituellement utilisée comme salon de réception intime et pour les conversations d'affaires. Elle est tendue de rouge pourpre, couleur cardinalice, laquelle, on le sait, signifie que celui qui en est revêtu est prêt à témoigner pour la foi « jusqu'à verser son propre sang ».

Le Pape, bien entendu, est vêtu de blanc. Sa soutane est aussi blanche que la colombe au rameau d'olivier de ses armoiries, figurée en tapisserie, avec la tiare et les deux clés croisées, au-dessus du trône. Cette garniture murale s'élève jusqu'au baldaquin suspendu si près du plafond qu'il n'est plus visible. Des deux côtés du trône, qui n'est pas élevé, se trouvent deux portes, hautes et étroites, qui sont également tendues de rouge et d'or. Sur le mur gauche se trouve une console baroque avec une horloge astronomique et de quoi écrire. Au-dessus est accroché un grand crucifix de cuivre. Quelques tabourets dorés sont accotés au mur. Il n'y a pas de gardes.

Le Cardinal est en conversation avec Fontana senior. Le comte, une serviette sous le bras, porte sur son frac l'ordre du Christ. Son Éminence bien qu'ici chez elle, est plus impersonnelle qu'au cours de ses visites dans la maison Fontana et au couvent, plus avare, plus sobre de paroles et de gestes.

LE CARDINAL (*plaintif*) : ... en tout cas, n'est-ce pas, M. Hitler a cependant, en septembre... seulement...

FONTANA : Ah, tiens, tout récemment...

LE CARDINAL : Oui. Tout à fait confidentiellement il a fait transmettre au patron qu'il considérait les bombardiers comme n'importe quelle autre arme, n'est-ce pas. C'est le Gouvernement du Reich, d'abord, qui avait utilisé cette arme. Et il espérait faire payer sous peu aux Alliés, avec le maximum de vigueur, leurs ripostes actuelles... Nous verrons bien, n'est-ce pas.

FONTANA : Naturellement, l'orgueil interdit à Hitler d'envoyer le Pape comme solliciteur à la Maison Blanche.

LE CARDINAL (*non sans malice*) : Mais le Patron est très vexé, comme toujours, qu'on l'écarte en tant que négociateur. Il aime tellement écrire des lettres à Monsieur Roosevelt, n'est-ce pas ?

FONTANA (*avec feu*) : C'est à Hitler qu'il devrait écrire, Éminence. J'ai eu cette nuit une terrible discussion avec Riccardo. Il était décidé à accompagner les Juifs.

LE CARDINAL : Sainte Madone ! Comte, préservez votre fils d'une telle folie.

FONTANA : Personne n'aurait pu l'en préserver, quand est survenue, à l'aube, par cet ami que Riccardo a dans la S. S., l'annonce soulageante que tout de même le Pape avait — enfin ! — protesté.

LE CARDINAL (*stupéfait, voire effrayé*) : Protesté ? Impossible. Le Patron n'a sûrement pas protesté, Comte. Le voici ! Non, je ne sais rien de *cela*.

FONTANA (*gêné*) : Mais si ! Ce matin, il a...

Le Cardinal et Fontana ont chuchoté les derniers mots, car la porte à deux battants de droite a été ouverte sans bruit par un Suisse. Le Pape est entré rapidement et sans un mot ; la porte s'est refermée. Sa Sainteté est ici, debout, et ce n'est d'abord qu'une grande lumière blanche devant les deux hommes, qui ont plié le genou droit pour baiser l'anneau. Le Cardinal s'est relevé d'abord, le Pape relève et attire à lui le comte, d'un geste bienveillant, près, encore plus près de son froid visage souriant. Après les premières paroles du Saint-Père, qui commence sans préambule à s'occuper des affaires courantes, Fontana recule peu à peu de quelques pas pendant que Sa Sainteté se tourne davantage et presque exclusivement vers le comte, s'assied ensuite sur le trône et essuie ses lunettes ; le Cardinal passe à la gauche du Pape.

(*L'acteur qui joue Pacelli doit considérer que Sa Sainteté est moins une personne qu'une entité. Il suffit de gestes larges, d'un jeu vivant de ses mains extraordinairement belles, et d'une froideur aristocratique, mais souriante ; il faut ajouter à cela, derrière les lunettes dorées, la flamme glaciale de ses yeux ; tout le reste doit être rendu par le langage bien particulier et solennel du* “ Pontifex Papa ”. *Il a alors soixante-huit ans, il est au sommet de son efficacité et n'a rien d'un vieillard.*)

LE PAPE : Cher Fontana ! Nous sommes heureux de vous recevoir pour entendre vos conseils et également ceux de notre vénérable frère. Nous sommes pleins d'une douloureuse sollicitude pour nos usines. Les centrales de force motrice, les gares, les barrages également. Chaque entreprise exige impérieusement protection. Nous apprécions naturellement en réaliste la chance que nous avons d'être écouté en ce qui concerne l'industrie et les mines. M. Weizsäcker a été assez empressé pour demander au maréchal Kesselring la réduction de la garnison allemande à environ mille hommes. Les Allemands, il faut le dire, montrent sur ce point infiniment plus de compréhension que les destructeurs de San Lorenzo. Mais, à la Maison Blanche, on se gardera de nous provoquer encore une fois. Nous avons déclaré avec autorité qu'en tant qu'évêque de cette ville, en tant que représentant d'un demi-milliard de catholiques qui avaient les yeux fixés sur Saint-Pierre, nous protesterions énergiquement. Le Mont-Cassin ! (*plaintif*) : Mais jeter des bombes sur les industries d'armement est un droit de guerre ! Nous dûmes déjà recommander, comte Fontana, de vendre des papiers aux gens de l'entourage de Roosevelt, à des industriels et à des militaires, aux États-Unis ainsi qu'à Londres. Pensez-vous amener des financiers influents, mon cher comte, à prendre des participations aux industries italiennes qui sont si menacées ?

FONTANA : Ce sont de très bonnes valeurs, les meilleures que nous ayons, et elles sont aussi convoitées qu'auparavant, Très Saint-Père. Je pense en ce moment surtout aux actions que possède la Société de Jésus qui...

LE CARDINAL : Dieu m'en garde, la Société de Jésus ! Oui. Pourquoi nous cache-t-elle ses livres, n'est-ce pas ? Huit mille Pères en Amérique sont rebelles à notre autorité. Oui.

LE PAPE (*enchaînant aussitôt*) : Uniquement pour ce qui est de l'argent. Sinon, ce sont de pieux serviteurs de notre cause; le Seigneur nous garde de ne pas voir cela, Éminence.

LE CARDINAL (*très respectueux*) : Oui, n'est-ce pas, oui. Et ils ne sont pas avares non plus. Le diocèse de New York, *à lui seul*, verse au Saint-Siège plus que tout le vieil Occident réuni, n'est-ce pas.

FONTANA (*souriant, tandis qu'il tire deux chèques de sa serviette*) : Très Saint Père, nul besoin d'être ingrat envers la Compagnie à laquelle appartient mon fils : un des deux chèques que je dois remettre aujourd'hui à Votre Sainteté vient de la Compagnie de Jésus. Une somme... (*Il tend les deux chèques au Pape, le Pape enlève ses lunettes pour lire les chiffres*) : ... propre à calmer l'irritation qu'inspire à Votre Éminence la liberté d'allure des Pères.

LE CARDINAL (*riant, très curieux de voir les chèques*) : Ai-je l'air si intransigeant, n'est-ce pas ?

LE PAPE (*il reste impassible, rend les chèques à Fontana qui lui tend son stylographe et lui tient le porte-documents sur lequel le Pape contresigne les chèques ; puis il les remet au Cardinal*) : Cher comte, Éminence : dites tous deux, en notre nom, un merci aux donateurs pour ce denier de Saint-Pierre...

LE CARDINAL (*qui a additionné les sommes d'un regard, regarde le Pape, puis Fontana*) : Oh oui. Cela fait, oui... oui, n'est-ce pas ! Je remercierai le Cardinal Spellman.

Il rend les chèques à Fontana qui les remet dans son porte-documents.

FONTANA : Je prierai les Jésuites, Très Saint Père, de céder en toute discrétion leurs actions de Toscane à des membres du gouvernement des États-Unis ainsi qu'à des messieurs influents de Londres.

LE PAPE (*méfiant*) : A perte ?

FONTANA : Pas à perte. Les Pères ont acquis la plupart de leurs papiers à leur valeur nominale, et ils y gagneront encore.

LE PAPE : Essayez ! Vous pouvez essayer, Fontana. Car Notre cœur est tout dévoué aux familles prolétaires qui, par la destruction des usines, et surtout des mines, non seulement deviendraient plus pauvres, mais encore deviendraient extrémistes. On n'ose y penser. Peut-être que, de la sorte, nous pourrons protéger le plus efficacement la vie économique de Notre pays, et surtout ces pauvres gens ! Quel intérêt ont donc les Alliés à dévaster encore à ce point l'Italie ?

LE CARDINAL (*sincèrement attristé*) : Oui, n'est-ce pas, la chute de Mussolini, qui a toujours tenu tête aux communistes et qui était un garant de l'ordre social, a creusé un vide qui m'angoisse beaucoup, n'est-ce pas. Dieu soit loué, les Allemands sont encore dans le pays, eux qui n'admettent pas une grève, ni aucun retard dans le travail. Mais que se passera-t-il si leurs troupes partent, n'est-ce pas !

LE PAPE : Ensuite, nous aurons ici des Américains, Éminence. Nous allons recevoir l'envoyé du président cet après-midi. Seulement, Monsieur Taylor vient malheureusement encore Nous reparler de la prière que Nous adresse Monsieur Roosevelt de condamner les infamies d'Hitler. Ce ne sont pas les Allemands qui ont bombardé San Lorenzo. Les Allemands ont mis à l'abri dans le Château Saint-Ange chaque livre et chaque parchemin du Mont-Cassin. (*Avec affliction*) : Puis sont arrivés les bombardiers de Monsieur Roosevelt qui ont détruit ce refuge de paix et tout réduit en poussière. C'est d'autant plus déplacé que maintenant les Allemands emmènent les Juifs hors de Rome aussi. (*Indigné au suprême degré*) : Avez-vous entendu parler de cela, Comte, Éminence ?

LE CARDINAL : Oui, n'est-ce pas, une insolence infâme !

FONTANA : C'est un véritable soulagement que Votre Sainteté menace à présent si énergiquement de prendre publiquement position. Puis-je demander bien humblement si le commandant allemand de la place a déjà réagi ?

Le Pape regarde avec méfiance, et sans comprendre, le Cardinal, puis Fontana.

LE CARDINAL : Le commandant de la place ? Réagi à quoi donc ?

LE PAPE (*méfiant*) : Réagi ? A quoi donc, Comte ?

FONTANA (*un peu hésitant, il pressent déjà ce qui va suivre*) : Oui, j'ai entendu mon fils dire que l'évêque Hudal avait, ce matin, menacé le commandant allemand d'une protestation de Sa Sainteté, la première depuis le début de la guerre.

LE PAPE (*d'un ton tranchant*) : L'évêque a menacé ? En Notre nom ! Éminence, avez-vous donné le droit à Hudal, au nom du Saint-Siège, ou même en Notre nom...

LE CARDINAL : Dieu m'est témoin, Très Saint-Père ! Je n'ai entendu parler de cette protestation que maintenant, par le Comte...

FONTANA (*troublé*) : Je ne connais pas les termes exacts. Peut-être l'évêque n'a-t-il pas élevé la protestation au nom de Sa Sainteté, mais a-t-il annoncé qu'il fallait s'attendre à une prise de position du Saint-Père. Mon fils dit...

LE PAPE (*très mécontent*) : Votre fils, Comte Fontana, où est votre fils ? N'a-t-il pas son poste à Lisbonne ?

LE CARDINAL (*effrayé, empressé*) : Le Secrétaire m'attend en bas, à la Secrétairerie d'État, Très Saint-Père.

LE PAPE (*extrêmement contrarié*) : Qu'il monte ! Il doit nous apprendre comment il peut se permettre, en tant que membre de nos Affaires étrangères, de mettre constamment le nez dans ces affaires ? Les Juifs et les Allemands sont l'affaire des deux Pères que nous en avons spécialement chargés.

Le Cardinal s'est aussitôt dirigé vers la porte et à voix basse, a transmis l'ordre à un Suisse. Son obéissance, affrontée à la colère du Pape, va si loin qu'il offre à présent, lui aussi, un visage de pierre à Fontana senior.

FONTANA : Pardon, Très Saint-Père, pour mon fils. Son zèle est celui du désespoir. Il a vu, de ses yeux, à Berlin, les nazis jeter dans des camions des enfants juifs...

LE PAPE (*mécontent, fait de la main un signe de réprobation et parle maintenant avec ardeur et naturel*) : Vu de ses yeux ! Comte, un diplomate doit voir beaucoup de choses et savoir se taire. Votre fils n'a aucune discipline. Le nonce de Presbourg avait entendu dire dès juillet de l'année dernière que l'on avait gazé des Juifs de Slovaquie dans le district de Lublin. S'enfuit-il pour autant ? Non, il continue à faire son devoir, et voyez le résultat : il a obtenu que plus aucun Juif ne soit déporté en Pologne. Nous nous en remettons, hic et nunc, au pasteur en place du soin de décider par lui-même jusqu'à quel point des déclarations épiscopales pourraient provoquer des représailles. Quand nous nous taisons, cher Comte, nous nous taisons aussi *AD MAJORA MALA VITANDA.*

FONTANA (*avec émotion*) : Le Nonce de Votre Sainteté à Bratislawa a pu sauver d'innombrables vies sans provoquer la vengeance des assassins.

LE PAPE : Songez à Notre dernier message de Noël : ce n'est qu'un appel à l'amour du prochain ! Et le résultat, c'est que les assassins l'ont ignoré.

FONTANA : Très Saint-Père, j'ai été moi-même profondément affligé que ce message restât sans effet. Malheureusement, Votre Sainteté n'avait pas mentionné les Juifs *expressis verbis* dans ce message — pas plus que l'offensive aérienne de terreur contre les villes ouvertes. Face à Hitler et à Churchill, à mon sens, il faut être extrêmement net, voire brutal.

LE PAPE (*impatient*) : Celui qui veut être utile ne doit pas provoquer Hitler. Il doit agir, secrètement, comme le font nos deux Pères, avec un ruse de serpent : c'est de cette façon qu'on doit s'y prendre avec les S. S. Nous avons caché des centaines de Juifs à Rome, délivré des milliers de laissez-passer. M. Hitler n'est plus dangereux. On dit au Portugal et en Suède qu'il parle de paix avec Staline. Ce sont des rumeurs qui nous sont chères, parce que nous savons qu'il n'en est rien, que, cependant, nous l'espérons; elles mettront un peu la Maison Blanche et Londres dans un état d'esprit plus propice à un compromis : on doit négocier, on ne doit pas jouer l'Europe entière à quitte ou double et faire de M. Staline le successeur d'Hitler. (*Il se détourne pour faire face à Riccardo.*) (*Souriant, plus amical*) : Votre fils ! Le voilà, cette tête chaude !

Riccardo est entré, il est gêné, il suppose que le Pape a protesté, c'est pourquoi il a le sentiment de l'avoir méconnu la veille au soir. Il baise l'anneau. Le Pape sourit.

RICCARDO : Très Saint-Père...

Puis il s'incline devant le Cardinal, qui le renvoie froidement au Pape.

LE PAPE : Nous avons plaisir à vous voir, Riccardo, et considérons votre zèle avec amour. Qui prend parti pour les persécutés parle toujours en notre office. Seulement Nous venons d'apprendre avec stupeur que vous, ou l'évêque Hudal, avez protesté en Notre nom contre l'arrestation des Juifs, n'est-ce pas ? Éminence, je vous en prie, faites appeler le Père général.

Le Cardinal, à la porte, donne un ordre au Suisse.

RICCARDO (*très poliment, il ne comprend pas,*) : Moi ? Non, Très Saint-Père. J'ai entendu dire par mon informateur qui est dans les S. S. que Votre Sainteté, par l'intermédiaire de l'évêque Hudal, aurait menacé d'élever une protestation.

LE PAPE (*en colère*) : Avez-vous la prétention de conspirer avec la S. S. ?

LE CARDINAL (*méchant*) : Le Saint-Père, n'est-ce pas, vient d'entendre le premier mot de cette prétendue prise de position.

LE PAPE : Laissez-le, Éminence !

RICCARDO (*comme anéanti, tourné vers son père, il parle doucement*) : Ainsi donc, on n'a — n'a rien fait du tout ! (*Il ne le croit pas encore.*) Très Saint-Père, Votre Sainteté a pourtant bien menacé de protester ? Je ne comprends pas... (*Il a compris, il dit passionnément, presque dans un cri*) : Saint-Père, les Juifs sont déportés, assassinés.

LE CARDINAL : Taisez-vous.

LE PAPE : Mais non. Dieu te bénisse, Riccardo, parle, ton cœur est bon. Seulement, tu ne dois pas traiter avec la S. S. Le Père nous dira ce qui s'est passé. Contiens-toi. A ton âge, seule la modération peut nous faire honneur.

RICCARDO : Il ne s'agit pas de mon honneur, Très Saint-Père. Il s'agit de l'honneur du Saint-Siège, qui m'est plus cher.

FONTANA : Riccardo !

Le Pape se tait, Le Cardinal répond, vite, pour lui :

LE CARDINAL : Ah ! C'est de l'honneur de la Curie qu'il s'agit ! Vous n'avez jamais entendu dire, n'est-ce pas, que nous avions créé des organes complets, bureaux et comités, uniquement pour aider, pour sauver les opprimés ? Oui, je pense pourtant que nous en avions déjà discuté à plusieurs reprises, n'est-ce pas ?

RICCARDO (*il perd de plus en plus la maîtrise de soi-même*) : Cette aide n'atteint que quelques Juifs d'Italie, Éminence ! Cela aussi a été assez souvent débattu. (*A présent, se tournant aussi vers le Pape*) : Mais pourtant la terreur fait rage dans tous les pays ! Un million huit cent mille Juifs ont déjà été tués, rien qu'en Pologne. Comme ce chiffre, Très Saint-Père, a été affirmé officiellement par l'envoyé de Varsovie à la Maison Blanche au Légat du Pape à Washington, Dieu ne peut pas vouloir que Votre Sainteté les ignore !

LE CARDINAL (*indigné*) : Sortez, n'est-ce pas. Comment osez-vous parler ainsi en présence du Saint-Père ! Comte, interdisez donc à votre fils...

Pendant les dernières paroles de Riccardo, le Pape s'est levé, mais il se rassied. Un moment passe avant qu'il puisse parler, avec un extrême effort.

LE PAPE : " Ignore ! " Nous n'avons pas l'intention de rendre des comptes à Riccardo Fontana. Monsieur son père n'a rien à dire ? Cependant, nous serions heureux d'en dire encore une fois un mot ici. (*Avec une irritation croissante et tout en essayant de la réprimer*) : Savez-vous, *exempli causa*, Monsieur le Secrétaire, que depuis déjà des semaines nous avions pris des mesures pour sauver (avec de l'argent, avec beaucoup d'argent) les Juifs de Rome que l'on voulait arrêter ? Les bandits d'Hitler ont promis contre rançon la liberté des Juifs. Ensuite on a voulu nous extorquer une somme qui n'était plus acceptable, réellement. Cependant, nous l'aurions payée !

RICCARDO (*il s'est tourné, décontenancé, vers son père. Maintenant, il dit doucement au Pape*) : Votre Sainteté savait donc, depuis des semaines déjà, les plans de la S. S. concernant les Juifs ?

LE PAPE (*irrité, évitant de répondre*) : Que dites-vous ? Le Père général peut témoigner que tout a déjà été fait en ce sens, les couvents sont ouverts...

Le Père général de l'Ordre que nous connaissons est entré, le Pape se tourne vite vers lui. Le prélat fait une génuflexion, baise l'anneau, s'incline devant le Cardinal ; il est aussitôt mêlé à la conversation. L'Éminence évite de regarder Riccardo qui est allé à côté de son père. Avant que le garde ait pu se retirer, il a frappé dans ses mains : le garde est allé chercher quatre tabourets contre le mur pour les grouper autour du Pape. L'Éminence s'assied, puis le vieux Fontana, qui est très nerveux et épuisé.

LE PAPE (*au Père général, froidement*) : Père Révérendissime, je vous en prie : informez-Nous de ce que l'évêque Hudal s'est chargé de dire en Notre nom contre l'arrestation des Juifs. Est-ce de lui-même qu'il a eu cette louable idée ?

LE PÈRE GÉNÉRAL : M. Von Kessel, de l'Ambassade d'Allemagne, est venu secrètement me trouver à l'aube et m'a prié de menacer, par l'intermédiaire de Son Excellence l'Évêque, le commandant allemand de ce que Sa Sainteté élèverait une protestation.

LE PAPE (*réjoui, soulagé*) : Voyez-vous ! C'est un Allemand qui fait cela, comme il est sympathique. Il y a des époques où le crime de haute trahison est la dernière arme des Justes !... Un Allemand a honte des S. S. ! Tiens, cet homme s'appelle Kessel. Nous Nous souviendrons de ce nom. Maintenant, cette lettre de l'évêque fera son effet et sauvera, si surtout il y a quelque chose à sauver...

RICCARDO (*avec la brutalité de celui qui a, de toute façon, tout perdu*) : Elle ne sauvera rien, cette lettre, Votre Sainteté seule...

FONTANA (*il se met entre Riccardo et le Pape*) : Puis-je parler à la place de mon fils, Très Saint-Père ?

LE PAPE : Qu'y a-t-il, Comte ?

FONTANA : Très Saint-Père, si je peux vous prier en toute humilité... : menacez Hitler de forcer un demi-milliard de catholiques à protester chrétiennement s'il poursuit les assassinats en masse !

Le Pape sent qu'il doit répondre de façon objective à ce conseiller averti. Il est gêné, irrité, il parle comme s'il avait souvent expliqué cela, et cependant se domine pour aller vers Fontana et poser la main sur son épaule.

LE PAPE : Fontana ! Un conseiller aussi perspicace que vous l'êtes ! Comme il est pénible que vous aussi, à présent, vous mépreniez sur Nous ! Ne voyez-vous pas que, pour l'Europe chrétienne, la catastrophe approche si Dieu ne fait pas de Nous, le Saint Siège, le médiateur ? L'heure est sombre : sans doute savons-nous qu'on ne touchera pas au Vatican (Hitler vient encore récemment de le garantir), mais nos navires en pleine mer, que nous devons diriger ? La Pologne, tous les Balkans, voire l'Autriche et la Bavière encore ? Dans quels ports vont-ils aborder ? Ils pourraient facilement se briser dans la tempête, ou partir à la dérive, abandonnés, et s'échouer sur les côtes de Staline. L'Allemagne, c'est aujourd'hui Hitler. Seuls des esprits chimériques affirment que l'écroulement du régime actuel en Allemagne n'aurait pas pour conséquence l'écroulement du front. Ces généraux d'Hitler qui veulent le supprimer, nous avons moins confiance en eux que pas du tout. Ils voulaient déjà agir au printemps 40, comment ont-ils donc agi ? Ils se sont laissés décorer par Hitler et ont mis en pièces toute l'Europe. Nous connaissons leurs semblables de Berlin : le corps des généraux n'a aucune opinion; si Hitler tombe, ils rentreront chez eux...

LE CARDINAL : Et Staline aurait le passage libre pour aller à Varsovie, Prague, Vienne; même jusqu'au Rhin, n'est-ce pas ?

LE PAPE (*il s'est assis à nouveau*) : Est-ce que le président se rend compte ? Staline ne s'en laisse même pas parler. Depuis Casablanca, ce n'est plus la raison seule qui tient le sceptre à la Maison Blanche, et M. Churchill est trop faible. Il ne semble pas décidé à ouvrir un deuxième front à l'Ouest. Il voit d'un bon œil les Russes s'épuiser d'abord complètement contre les Allemands, et les Allemands contre les Russes.

LE CARDINAL : Nous pourrions aussi ne pas en être fâchés, n'est-ce pas.

LE PAPE (*il tape à chaque mot sur l'appui de son trône*) : Seul Hitler, cher Comte, défend actuellement l'Europe. Et il combattra jusqu'à sa mort, parce qu'aucun pardon n'attend l'assassin. Cependant, l'Ouest devrait lui accorder ce pardon aussi longtemps qu'il est utile dans l'Est. Nous avons déclaré publiquement, en mars, que Nous n'avions rien, absolument rien à voir avec les projets des États-Unis et de la Grande-Bretagne. Ils doivent d'abord s'entendre avec l'Allemagne. Le ministre espagnol des Affaires étrangères a déjà malheureusement propagé cette idée dans le monde entier. Quoi qu'il en soit : la raison d'État interdit de clouer au pilori monsieur Hitler comme un bandit, il doit rester un interlocuteur possible. Nous n'avons pas le choix. Le service secret d'Hitler, ici à Rome, a pris contact avec le général de la Société de Jésus. Il est regrettable, Monsieur le Secrétaire, que vous ne sachiez rien des tentatives de votre chef.

RICCARDO : Je suis au courant, Très Saint-Père. Mais je ne peux pas comprendre que nous envisagions d'utiliser Hitler comme un instrument.

LE PAPE : Un instrument que nous abandonnerons, s'il le faut.

LE CARDINAL : Dieu soit loué que votre avis, Monsieur le Secrétaire, soit de si peu d'importance.

RICCARDO (*hostile*) : Le Saint-Père m'avait posé une question, Éminence ! Dois-je répondre à Votre Sainteté ?

LE PAPE (*froid*) : Objectivement, oui, objectivement. Objectivement.

RICCARDO (*partant comme à la charge, si bien qu'aucune de ses paroles ne trouve plus audience*) : Très Saint-Père, il faut se souvenir que nous autres, Jésuites, avons depuis des années formé des spécialistes pour la Russie, lesquels, à la suite d'Hitler, c'est-à-dire de l'armée allemande, devaient établir des missions chez les Russes.

Le Cardinal (*irrité*) : Oui, et puis ? Auriez-vous donc su, Monsieur le Secrétaire, dès avant l'invasion, que Staline pourrait tenir si longtemps ?

Riccardo (*il continue en s'adressant au Pape*) : Les commentaires de nombreux évêques à l'appui de la prétendue croisade d'Hitler sont... des blasphèmes. C'est aussi la faute du Vatican, Très Saint-Père, si maintenant la tempête rouge approche de l'Europe. Qui sème le vent... La Russie, enfin, avait été envahie !

Le Pape fait deux gestes vifs des mains. Il se tait, soit qu'il soit trop agité et que, comme auparavant, la parole lui manque, soit qu'il estime déchoir en répondant.

Le Cardinal (*aussitôt après les paroles de Riccardo*) : Que votre Sainteté, je vous en prie, rompe l'entretien ! C'est tellement inouï, n'est-ce pas, ce que le secrétaire... (*A Riccardo*) : Je vous tenais pour doué, oui, mais les polémistes sont tout à fait inutiles à la Secrétairerie d'État, n'est-ce pas. Vous parlez comme... un journal de Londres, oui.

Le Pape (*sa voix semble d'abord comme rouillée, puis avec une ironie mordante*) : Comte Fontana, votre fils Nous semble exceptionnellement mûr pour prendre du repos...

Fontana : Très Saint-Père, à Berlin, Riccardo, par l'intermédiaire du prélat Lichtenberg emprisonné, et aussi de ses propres yeux...

Le Pape (*sarcastique, mais tremblant encore d'indignation*) : Oui, Nous souffrons pour lui. Riccardo, allez un trimestre à Castelgandolfo, mettez notre bibliothèque en ordre, si vos nerfs sont à la hauteur de ce travail. Surtout, courez vous promener, loin des études, et regardez la " Campagne " romaine et l'eau. Le matin, au bord du lac d'Albano, emplit l'âme d'harmonie. La fraîche clarté des journées d'octobre offre, avec la vaste perspective sur la mer, la possibilité de voir clair en soi-même... Partez dès aujourd'hui. Nous vous accordons très volontiers un congé...

Le Cardinal : Oui, n'est-ce pas, et seulement quelques lectures, pour ménager vos nerfs. Lisez le nouveau chef-d'œuvre de Ferrero sur le Congrès de Vienne. C'est étonnamment actuel n'est-ce pas. (*Gravement au Pape, quelque peu volubile, afin de sauver la situation*) : Ces messieurs du Foreign Office et de Washington devraient le lire aussi, comme des écoliers, n'est-ce pas ! Car il faut tenir compte encore de l'Allemagne. Oui, un homme comme Talleyrand — qui, sans doute, comme tout serviteur de Napoléon, avait du sang sur les mains — fut cependant admis aux discussions. La façon dont, à Vienne, il divisa l'Alliance de la veille, tous des ennemis de la France, et coalisa secrètement contre Alexandre l'Autriche et l'Angleterre : c'est un conseil très avisé pour le présent, n'est-ce pas. D'ailleurs — Monsieur le Secrétaire, je dois vous instruire en toute charité, puisque vous êtes si préoccupé du bien du Kremlin : il arriva également, pour le bien de la Russie, qu'on mît le holà à ses désirs d'expansion ! La paix en Europe a tenu durant des dizaines d'années, et l'équilibre a tenu un siècle, n'est-ce pas.

Riccardo s'incline en direction du Cardinal, avec une ironie à peine perceptible.

LE PAPE (*comme si les Fontana n'étaient plus dans la pièce, spontanément, content d'avoir un autre sujet de conversation*) : Oui, Éminence, c'étaient encore des diplomates qu'il y avait alors au Congrès de Vienne ! Quand on mesure à leur habileté l'exigence de Casablanca, cette rudimentaire reddition sans conditions ! Avec cela, les Alliés n'ont obtenu qu'une chose : que les pauvres Allemands se sentent plus fortement qu'auparavant solidaires de leur misérable Hitler. Pourquoi ne déclare-t-on pas qu'on accordera la paix dès qu'Hitler sera éliminé ? Ce serait une base qui Nous permettrait aussi d'accuser Hitler sans que la protestation soit obligée de s'adresser à toute l'Allemagne. A défaut de Monsieur Hitler, les Allemands doivent absolument rester dignes de négocier.

LE CARDINAL : Oui, Très Saint-Père, je ne doute pas qu'il y ait aussi un Talleyrand allemand, par exemple Monsieur Von Hassel, ou...

LE PÈRE GÉNÉRAL : Même avec lui, on ne traitera pas, Éminence ! Les Allemands se sont trop fait haïr.

LE PAPE : Très juste, cher et Révérendissime Père. Cependant : aucune paix ne sera possible en Europe sans le Reich comme centre du continent, comme rempart entre l'Est et l'Ouest. Les grands propriétaires restent d'accord seulement quand leurs propriétés ne se touchent pas.

LE CARDINAL : Oui, si l'on partage simplement le Reich comme un butin, n'est-ce pas, cela aurait les mêmes conséquences que le partage de la Pologne entre Hitler et Staline, ou que la paix de Tilsitt en 1807. Cela suffirait à décider de la prochaine guerre.

LE PAPE : C'est ce que Nous disons toujours à l'envoyé du président, Éminence ! Monsieur Hitler ne doit tomber que dans la mesure où le Reich survivra comme butoir entre l'Est et l'Ouest, comme une petite puissance militaire autonome, pas très puissante, mais assez cependant pour ne pas être totalement occupée et partagée.

LE CARDINAL : Ce que les Allemands se permettent ici à l'heure actuelle, déporter des catholiques, n'est-ce pas, est une insolence dont il faudra se souvenir. Tenez-les à genoux, les Allemands !

FONTANA (*amer*) : Durant des dizaines d'années, Éminence ! Pour toujours, pour toujours, il faut tenir les Allemands à genoux.

LE CARDINAL (*d'un ton froid à Fontana, sa première phrase vaut aussi pour Riccardo dont la mère, nous le savons, était Allemande, puis il s'échauffe*) : Oui, n'est-ce pas, le protestantisme — je veux dire : la mégalomanie et la bonne musique, voilà ce dont ils ont fait cadeau au monde : il faut doser cela intelligemment, sinon on les aura bientôt à nouveau sur le dos, n'est-ce pas. Si leur guerre contre Moscou n'a pas d'autre but que de faire marcher le Russe jusqu'à... jusqu'en Silésie et à Stettin — cela en a presque tout l'air — alors, ils auront perdu le choix, à un moment quelconque, de prendre encore les armes. Ensuite, on ne devra pas, n'est-ce pas, comme avant Bismarck qui est leur barbare de génie — on ne devra pas leur donner plus de fusils qu'il n'en faut pour qu'en jouant à la guerre et à la révolution, ils puissent se saigner mutuellement. Cela a été leur principal plaisir pendant mille ans : l'Europe s'en est bien trouvée, n'est-ce pas...

LE PAPE (*impatient*) : *Tempi passati*, Éminence — il y a déjà longtemps. Il est certain que la terreur exercée contre les Juifs est écœurante, mais elle ne doit pas Nous emplir d'amertume au point de Nous faire oublier quelle charge sera imposée, dans un proche avenir, aux Allemands, en tant que protecteurs de Rome. Et ce n'est pas seulement pour la frontière de l'Est que l'Allemagne doit subsister, mais aussi pour conserver l'équilibre. L'équilibre du continent est plus important que son unification. Cette dernière ne saurait séduire les vieilles nations. Dieu dirigea très rarement les fleuves de l'Europe dans une seule direction, dans un seul lit, car le fleuve s'enflait trop, débordait et submergeait l'ordre ancien : c'est ce qui s'est passé sous Philippe II d'Espagne, Napoléon et

Hitler. Non, à chaque pays son propre fleuve, sa propre direction, sa limitation, ses frontières. C'est plus sain et cela se règle. Des alliances ? D'accord, mais pas d'unité. Qu'est-ce que Dieu a pensé lorsque, dans l'hiver 39, il a empêché que Londres et Paris, comme il était prévu, ne soutiennent la Finlande dans sa lutte contre Moscou ? Les plans étaient faits, mais il n'en est rien sorti. Alors, sans qu'on y prît garde, se décida le destin du monde : la France et l'Angleterre contre Staline ? Cela aurait porté Hitler, qui savait déjà à ce moment-là qu'il romprait avec la Russie, du côté de la Grande-Bretagne. Le continent serait sorti du combat unifié sous la direction d'Hitler. La Grande-Bretagne aurait conservé son Empire. Pourquoi Dieu n'a-t-il pas voulu cela ? Pourquoi a-t-il permis que, maintenant, l'Occident se déchire lui-même ? Depuis longtemps, nous n'avons pas trouvé de sens à cela, mais aujourd'hui nous savons qu'Hitler vainqueur écraserait tout, tout, même Nous. Il ne sera supportable que s'il survit, sans plus. Cette heure était l'heure de Dieu. Le Seigneur a voulu Notre salut. Dieu soit loué ! Nous devons conclure : notre chère Congrégation nous attend. Nous voulons poursuivre la canonisation d'Innocent XI : nous attachons beaucoup d'importance à ce que ce grand prédécesseur entre à nouveau dans le champ de vision des Européens conscients : sous sa direction, la Chrétienté a conclu une alliance pour lutter contre les Turcs. Que Dieu nous aide, et que l'attaque venant de l'Est échoue, cette fois encore, parce que l'Europe comprendra encore à temps qu'elle doit devant cette menace enterrer ses querelles intestines. (*Il se prépare à partir, mais s'arrête lorsqu'il sent que les Fontana veulent se mettre sur son chemin*) : Et priez, dites votre foi dans le Seigneur. Priez pour les Juifs dont beaucoup, bientôt, verront la face de Dieu.

FONTANA : Très Saint-Père, avec tout le respect de ce qui Vous impose le silence : je supplie Votre Sainteté, en toute humilité, je prie...

LE PAPE (*qui semble mal à l'aise, gêné*) : Pouvez-vous croire, Fontana, que nous voulions sans un mot de commentaire oublier cette faute commise sous Nos fenêtres ? Bien sûr que non ! Il va de soi qu'un appel va attester que le Pape prend une très grande part à la souffrance des victimes et se range de leur côté... Éminence, nous avons encore le temps de faire cela, nous allons le faire immédiatement ! Le secrétaire, s'il vous plaît... Personne ne doit pouvoir dire que Nous sacrifierons la loi de l'amour à des calculs politiques, non ! Comme toujours Nos pensées aujourd'hui sont avec les opprimés.

Comme s'il n'avait jamais projeté autre chose, le Pape se donne à présent l'apparence de protester officiellement contre l'arrestation des Juifs. Le Cardinal a appelé le secrétaire, un long moine médiéval, frêle comme une araignée, qui travaille avec autant d'absence de volonté qu'un employé de bureau dans le métier depuis quatre générations. Son inutilité distinguée ferait honte à tout homme normal. Il a passé un doctorat en Allemagne : " Sur le symbole du lys chez les préraphaélites ". Pendant que le bénédictin fait les trois génuflexions protocolaires, puis prend place devant la console, stylo en main, le Vicaire du Christ se " recueille ". La froideur et la dureté de son visage, dont les apologistes de l'Église ont si volontiers et si souvent parlé comme d'une sublimation supra-terrestre, ont atteint pour ainsi dire le point de congélation. Il regarde, comme il aime le faire sur les photos, au-delà de tout ceux qui l'entourent, très loin, très haut.

Il est inévitable que la scène donne tout à coup une impression d'irréalité, et même de fantasmagorie. Des mots, des mots, une langue complètement dégénérée, moyen classique de parler pour ne rien dire. C'est un soulagement qu'il soit impossible techniquement, avec ce décor-là, de montrer à l'arrière-plan quelques-unes des victimes : des familles en guenilles, du nourrisson au vieillard, quelques-unes des cent mille familles européennes, et même catholiques, quelques-uns de ces moines, de ces religieuses en route pour le gaz, abandonnés aussi par le Vicaire du Christ. Cela s'est passé en Europe, de 1941 à 1944.

LE PAPE (*il dicte*) : Plus pressant et plus pitoyable que jamais parvient jusqu'au Saint-Père l'écho des malheurs que le présent conflit, par sa durée, accroît sans cesse.

LE CARDINAL : Cela fera beaucoup de peine aux Allemands, oui.

Les Fontana se regardent en silence, le visage du père est figé.

LE PAPE (*il va et vient à présent, en dictant*) : Après que le Pape, comme on le sait, se fut efforcé en vain d'empêcher l'ouverture des hostilités, tandis qu'il... tandis qu'il prévenait les conducteurs des peuples de l'effroyable péril qu'il y avait à l'heure actuelle à prendre les armes, il n'a pas manqué, par tous les moyens qui étaient en son pouvoir, d'adoucir les souffrances qui de... qui, sous quelque forme que ce soit, sont les suites de l'immense embrasement du monde. Avec l'augmentation de si nombreuses souffrances, l'aide active, universelle et paternelle du Pape s'est encore accrue — point virgule, accrue; elle ne connaît — il faudra imprimer ceci en italique — ...

LE SECRÉTAIRE (*avec une voix très mince*) : Bien, Très Saint-Père : il faudra imprimer en italique.

LE PAPE (*avec un grand geste et d'une voix qui s'élève*) : ... connaît aucune frontière, virgule, ni de nationalité, virgule, ni de religion, ni de race. (*Aux Fontana*) : Êtes-vous satisfaits, chers amis en Dieu ?

LE CARDINAL (*apparemment impressionné*) : La race aussi, Très Saint-Père, oui, c'est un sujet brûlant d'actualité, n'est-ce pas. Mais ici, il faudrait encore... si, en toute reconnaissance et humilité, n'est-ce pas, je peux me permettre d'ajouter, compléter, s'il vous plaît : (*Tourné vers le secrétaire, pathétique*) : cette activité de Pie XII, multiforme, incessante (*il s'incline, ainsi que le Père*), n'a fait que s'étendre ces derniers temps lors de l'arrestation des Israélites, entreprise maintenant même à Rome, la Ville éternelle...

LE PAPE (*faisant violemment non de la tête*) : Non, Éminence, mais non, non ! Pas aussi directement, ni avec autant de détails : ce, serait déjà une intervention dans le déroulement des hostilités. Le Saint-Siège doit rester la demeure de l'Esprit neutre. (*Impatient*) : Pas aussi directement... alors, secrétaire : qu'y avait-il avant que l'on parle directement de Rome et des Juifs ?

LE SECRÉTAIRE (*se levant, s'inclinant, un filet de voix*) : Cette activité de Pie XII, multiforme, incessante (*génuflexion puis se relevant*) n'a fait que s'étendre ces derniers temps par... " par " était le dernier mot, Votre Sainteté.

LE PAPE : Alors, nous disons : par suite des souffrances... oui des souffrances accrues de tant... tant de malheureux. Éminence, nous pensons que c'est plus large, plutôt que de ne mentionner ici que les Juifs.

LE CARDINAL : Sans doute, n'est-ce pas, Très Saint-Père, assurément plus large.

LE PAPE (*réconcilié*) : Cher et vénérable Frère, si vous aviez mentionné par là Notre modeste personne, alors il conviendrait de mentionner à bon droit, et avec joie, les prières de tous les croyants. Allons, secrétaire (*il dicte maintenant très vite*) : Puisse cette activité féconde, virgule, surtout grâce aux prières de tous les croyants du monde entier... (*Le Pape, tout en dictant, s'est retourné et se trouve face à Riccardo. Celui-ci le regarde un moment en face, puis baisse les yeux. Le Pape a un mouvement de vive impatience, se retourne vers le secrétaire et dit*) : Qu'avons-nous dit ?

LE SECRÉTAIRE (*il s'incline, puis d'une voix menue, presque en chantant*) : ... prières des croyants du monde entier. Je pensais, si je peux me permettre de proposer respectueusement cette expression à Votre Sainteté...

Le Pape, mouvement de la main donnant son assentiment.

LE SECRÉTAIRE : Qui, dans un sentiment unanime et une ferveur brûlante, ne cessent d'élever leur voix vers le ciel...

Le Cardinal et le Pape se regardent.

LE PAPE : Oui, c'est tout à fait dans Notre esprit. Bon, comment disais-tu : élever vers le ciel — oui, virgule, obtenir dans l'avenir que des résultats plus grands mûrissent et que paraisse bientôt le jour (*très appuyé, chantant presque liturgiquement*) — où la lumière de la paix brillera de nouveau sur la terre, où les hommes déposeront les armes, où chaque discorde, où toute rancune s'éteindra, où les hommes se retrouveront comme des frères pour, enfin, collaborer au bien commun dans l'amour. Point.

Pendant la dernière longue phrase, le Pape s'est approché du secrétaire. Après le mot " déposeront ", il va vers le Cardinal et Fontana pour y achever sa dictée, d'un ton presque chantant. Pendant ce temps, Riccardo a passionnément assiégé le Père général.

RICCARDO : Ce discours ! Révérendissime Père, vous savez comme moi qu'il ne sera même pas remarqué par Hitler. Aidez-moi ! Il me faut aujourd'hui encore — il nous faut à tous les deux — parvenir à l'émetteur !

LE PÈRE GÉNÉRAL (*pendant qu'il se détourne de Riccardo, doucement, rapidement*) : Vous êtes fou ! Taisez-vous...

LE CARDINAL (*pendant que Riccardo parle avec le Père général*) : Cet appel, Très Saint-Père, n'est-ce pas, autorise l'espoir que...

Le Pape a entendu le Père général parler à Riccardo. Il se détourne du Cardinal et dit en souriant, mais sans amitié :

LE PAPE : Alors, Monsieur le Secrétaire, toujours mécontent de Nous ?

Même le Cardinal se tourne vers Riccardo. Avant que Riccardo, extrêmement agité, ait pu répondre, son père dit :

FONTANA : Très Saint-Père, ce manifeste, qui ne dit pas un mot des arrestations, ne peut pas être entendu comme une allusion à la question juive.

LE PAPE (*à bout de patience*) : N'avons-nous pas dit, *expressis verbis*, des hommes de toutes races, Comte Fontana ?

LE CARDINAL : Cet appel passera dans l'Histoire, oui.

LE PÈRE GÉNÉRAL : Nous faisons ce que nous pouvons.

FONTANA : Père Révérendissime, le Saint-Siège a, comme vous le savez bien, d'autres moyens encore pour se faire entendre. Que votre Sainteté lance un ultimatum à Hitler. Ou bien simplement, dans une lettre que Weizsäcker lui remettra.

Le Pape, agité, avec un regard vers le secrétaire auquel il fait signe de s'éloigner.

LE SECRÉTAIRE (*il s'incline*) : Votre Sainteté n'a pas — si je peux le lui rappeler en toute humilité — n'a pas encore signé.

Pendant qu'il va vers le Pape qui, extrêmement irrité, saisit l'écritoire qu'on lui tend, Riccardo a fixé à sa soutane l'étoile de David qu'il avait sur lui. Le Pape s'en aperçoit maintenant. Il reste sans mot dire, prend, ou plutôt cherche en tâtonnant, le regard fixé sur Riccardo, le calame doré que lui tend le moine. Il trempe la plume dans l'encrier. Ce devait être une plume d'oie, la même que celle avec laquelle le Pape a signé, le 1er novembre 1950, le dogme de l'Assomption. Il plonge, comme absent, la plume dans l'encre et, tandis qu'il appose sa signature, le Cardinal dit :

LE CARDINAL (*le souffle coupé, ulcéré*) : Monsieur le Secrétaire, vous ne savez plus ce que vous faites, à présent ? Éloignez-vous ! Ceci ! Ici ! Allez ! Que vous permettez-vous, en présence du Saint-Père !... Blasphème... sur un habit de prêtre... blasphème !

FONTANA (*implorant*) : Riccardo, non, je t'en prie.

RICCARDO (*sans se laisser déconcerter, passionnément*) : Votre Sainteté donne carte blanche à Hitler, pour se comporter comme il le voudra avec les Juifs, comme depuis... toujours...

Tandis que le Pape, dans une extrême colère, signe, la plume glisse de ses doigts, il se salit la main avec l'encre et la regarde d'un air si plein de reproche que cela se voit.

LE CARDINAL (*il a crié, aussitôt après les paroles de Riccardo*) : Taisez-vous ! Très Saint-Père, je vous le demande en toute humilité, coupons court à cette scène !

Le Pape s'est repris et peut à nouveau parler. Il parle en s'interrompant, bien que sans bégayer, ce qui arrivait souvent au Cardinal Pacelli, mais seulement rarement au Pape.

LE PAPE : Au nom des victimes... encore cette... cette présomption ! Et cette impertinence. Là, avec l'étoile sur le vêtement des serviteurs du Christ.

Maintenant, il regarde à nouveau sa main tachée d'encre et la montre — elle qui était habituellement si soignée. Il la montre à ceux qui se trouvent autour de lui. Il est profondément humilié, comme d'une blessure. Le Cardinal ordonne de sortir au secrétaire, puis montre du doigt l'endroit où Riccardo, sur sa poitrine, a fixé l'étoile de David.

RICCARDO (*il a répondu aussitôt au reproche du Pape*) : Voici cette étoile que tout Juif doit porter depuis l'âge de six ans, pour montrer qu'il est hors-la-loi. Je la porterai aussi longtemps...

LE PAPE (*tremblant de colère*) : Vous ne ferez pas cela ! Nous vous interdisons — interdisons *ex cathedra* de porter cela — cela sur votre soutane...

Il s'arrête, parce que la parole menace de lui manquer.

RICCARDO (*presque calme, objectif*) : Je porterai cette étoile aussi longtemps que Votre Sainteté n'aura pas maudit devant le monde entier l'homme qui assassine bestialement les Juifs d'Europe.

Le Pape reste muet, impuissant.

LE CARDINAL : Sacrilège et folie ! Sortez !

RICCARDO (*sa voix s'intensifie*) : Folie ? Non, Très Saint-Père. Le roi de Danemark, un homme sans défense, a menacé Hitler de porter cette étoile avec chaque membre de sa Maison si on y obligeait les Juifs du Danemark !... Ils n'y ont pas été obligés ! Quand, enfin, le Vatican agira-t-il en sorte qu'il nous soit à nouveau permis, à nous autres prêtres, d'avouer sans honte que nous sommes les serviteurs de l'Église qui voit dans l'amour du prochain son suprême commandement ?

LE CARDINAL : Dans l'obéissance ! C'est dans une obéissance absolue que le Jésuite reçoit le suprême commandement, Monsieur le Secrétaire !

RICCARDO : Oui, dans l'obéissance à Dieu.

LE CARDINAL : ... qui se sert, n'est-ce pas, de la voix, de la volonté de Sa Sainteté, oui. Obéissez ! (*Le Pape se tait ostensiblement.*) Qu'avez-vous juré, en tant que membre de la Société de Jésus ?

RICCARDO : Éminence, pardon : chaque Cardinal ne jure-t-il pas, comme l'indique la pourpre de son manteau, de verser pour la Foi jusqu'à la dernière goutte de son propre sang ? Mais notre Foi, Éminence, repose sur l'amour du prochain. Pensez aux déportés avant de me juger.

LE CARDINAL : Je ne vous juge pas, je prie pour vous, n'est-ce pas ! Mais ce sacrilège-là, sur la soutane... Retirez-vous des yeux du Saint-Père.

LE PAPE (*il essaie encore de partir, sincèrement ému et ébranlé*) : De la rébellion dans ces appartements. Désobéissance et arrogance, Protestantisme ! Pff ! C'est le remerciement pour tout le bien que Nous avons fait au Secrétaire.

FONTANA : Je prie Votre Sainteté de me relever de mes fonctions.

LE PAPE : Restez, Comte. Vous êtes assez éprouvé avec ce fils, vous ne devez pas payer pour sa folie.

FONTANA : J'en adjure Votre Sainteté; que je sois relevé de mes fonctions.

LE PAPE (*souverain, froid*) : Vous restez, un point, c'est tout. Vous, Révérendissime Père (*il se tourne vers le Père général. Le secrétaire est entré sans bruit. Il porte maintenant une grande coupe de laiton ou de cuivre, avec de l'eau et une serviette*) : garantissez-Nous que ce scandale en restera là. Accompagnez le Secrétaire chez lui. Que Dieu le protège, il ne sait pas ce qu'il dit, Nous lui avons pardonné. Naturellement, il ne peut pas retourner à son poste, ni même à Lisbonne...

Riccardo assiste à tout cela, comme si depuis longtemps rien ne le touchait plus ; on ne sait même pas s'il écoute. Le moine va vers le Pape avec la coupe. Fontana, qui est un homme brisé, tombe à genoux devant le Pape, le moine semble sur le point de mourir d'effroi tout debout.

FONTANA : Très Saint-Père, je vous en prie. Je supplie, Votre Sainteté...

LE PAPE (*gêné*) : Relevez-vous donc, Fontana, qu'y pouvez-vous ? Le comportement de votre fils ne peut tout de même pas nous séparer. (*Définitivement limpide et dur*) : *Non possumus*, Nous n'écrirons pas à Hitler, Nous ne le pouvons pas, Nous ne le ferons pas. Il ne se sentirait que provoqué et tous les Allemands se sentiraient atteints *in corpore* en sa méprisable personne. Cependant, on doit, comme Roosevelt le doit aussi, Nous considérer comme un loyal intermédiaire. Et maintenant, Nous en avons fini avec cela, *ad acta.*

Il est retourné à son trône durant la dernière phrase, et va commencer à se laver les mains dans le plat qu'on lui tend. Lorsque Riccardo, déjà à la porte, dit d'une voix ferme et calme :

RICCARDO : Dieu ne laissera pas péricliter l'Église uniquement parce qu'un Pape se dérobe à son appel.

Le Pape s'est levé, il ne peut pas parler. Il ne réussit pas à cacher que ces paroles l'ont touché au plus profond. Tous regardent la porte qui est restée ouverte et par laquelle Riccardo est sorti rapidement et brusquement. Tout le monde est épouvanté, personne ne parle, seuls les gestes et les visages le montrent. Fontana, qui naturellement ne sait rien des projets de son fils, pense qu'il s'agit en ce moment pour lui de quelque chose de plus qu'un " scandale " inexpiable. Complètement désemparé, il fait trois pas vers la porte, dans une grande anxiété, comme s'il voulait suivre Riccardo, puis il se retourne, comme anéanti. Il regarde par terre, il se tient debout contre la console. Un Suisse avec une hallebarbe est maintenant visible à la porte. Le Cardinal, très agité, lui fait un signe et la porte est refermée de l'extérieur. Maintenant le Pape s'assied et se met à se laver les mains. Il ne peut rien dire, il est bon qu'il puisse cacher le tremblement de ses mains en les lavant. Le Cardinal l'observe, très touché ; puis il va vers lui et dit, avec une façon de parler intime dont il se sert rarement) :

LE CARDINAL : Très Saint-Père, ne vous laissez donc pas... blesser par des sottises. Ce sont des impertinences, n'est-ce pas !

Le Pape lui sourit douloureusement et avec reconnaissance. A présent, il peut parler. Il parle au Père général et cela calme un peu sa conscience déchirée :

LE PAPE : Cher Père, y a-t-il dans les couvents assez de pain pour les réfugiés ?

LE PÈRE GÉNÉRAL (*consolant, comme à un grand malade*) : Pour les premières semaines, Très Saint-Père, sans aucun doute, les couvents sont largement pouvus de subsistances.

LE PAPE (*amer d'être si mal connu*) : *Summa injuria !* Comme si Nous ne voulions pas, tous, tous les aider ! Ce qu'il Nous était permis de faire a été fait. Nous sommes, Dieu le sait, innocent du sang qui est versé là. Comme les fleurs (*d'une voix soutenue, déclamatoire*) de la terre sous l'épaisse couche de l'hiver attendent les souffles tièdes du printemps, les Juifs doivent savoir attendre en priant, et dans la confiance, l'heure des consolations célestes. Nous voulons (*il s'est essuyé les mains, il se lève*), nous qui sommes réunis ici au nom du Christ, prier pour la conclusion de la guerre. Fontana, je vous en prie, venez aussi dans notre cercle, s'il vous plaît.

Fontana vient à contrecœur entre le Père général, qui est à gauche, et le Cardinal, qui est à droite, et qui sont tombés à genoux devant les marches du trône. Le moine a porté la coupe d'eau et la serviette sur la table et s'agenouille très dévotieusement. Le Pape descend les deux marches, se penche vers Fontana et dit doucement :

LE PAPE : Fontana, qui saurait mieux que Nous ce que c'est qu'être père : c'est une couronne d'épines.

Fontana doit baiser l'anneau au doigt qu'on lui tend, puis le Pape, à nouveau pleinement maître de la situation, revient au trône. « La silhouette haute et maigre se dressa... et tourna les yeux vers le Ciel... Avec ses bras largement étendus, le Pape semblait vouloir enlacer toute l'humanité dans une étreinte paternelle. »

LE PAPE (*tandis que, dès les premiers mots, le rideau tombe*) : *Exsurge, Domine, adjuva nos, et libera nos propter nomen tuum. Sit super nos semper benedictio tua.*

Rideau

Acte v

AUSCHWITZ, OU LE PROBLÈME DE DIEU

Scène i

Par mauvais temps, ou par vent fort, l'odeur d'empyreume s'étendait sur de nombreux kilomètres et avait pour résultat que toute la population environnante parlait de la crémation des Juifs malgré la contre-propagande menée par le Parti et les bureaux des services d'Administration. En outre s'élevait la protestation de la défense anti-aérienne contre les feux nocturnes visibles de très loin dans les airs. Mais il fallait continuer à incinérer, même de nuit, pour ne pas être obligé de stopper les transports arrivant à destination. Le programme détaillé des actions, fixé par une conférence des horaires tenue au ministère des Transports du Reich, devait être observé à tout prix pour éviter l'embouteillage et la confusion sur les lignes de chemins de fer intéressées, les raisons militaires étant prépondérantes.

“ Une jeune femme frappa mon attention alors qu'elle aidait, avec un excès de zèle, à déshabiller les enfants en bas âge et les femmes plus âgées, et courait de tous côtés... Elle n'avait pas du tout l'air d'une Juive. Elle s'affaira jusqu'à la fin autour des femmes ayant plusieurs enfants qui n'avaient pas encore fini leur déshabillage. Elle leur parlait avec bonté et calmait les enfants. Elle entra dans le “ Bunker ”” avec les derniers. Elle s'arrêta dans l'encadrement de la porte et dit : “ J'ai su depuis le commencement que nous venions à Auschwitz pour y être gazés. J'ai évité d'être reconnue apte au travail au moment du tri en prenant les enfants avec moi. Je voulais vivre consciemment et avec précision tout ce qui se passait. Espérons que ça passe vite. Adieu ! ” (Carnets du Commandant d'Auschwitz, Höss.)

Il est commun aux événements et aux découvertes décisives de notre époque qu'ils dépassent l'imagination humaine. Aucune méditation ne suffit à visualiser Auschwitz ou l'anéantissement de Dresde ou d'Hiroshima, ou les vols de reconnaissance dans le cosmos, ou seulement la capacité industrielle moderne et les records de vitesse. L'homme ne peut plus concevoir ce qu'il fait.

C'est pourquoi la question de savoir si, et pourquoi, Auschwitz doit être montré nous a longtemps préoccupé. Le naturalisme documentaire n'est plus un principe de style. Une figure aussi saillante que celle du Docteur, qui ne porte pas de nom, les monologues et d'autres choses encore rendent évident qu'on ne peut pas aspirer à la copie du réel et qu'on ne doit même pas y aspirer dans le décor. D'autre part, il nous semble dangereux de procéder dans un drame comme le fait Celan dans son poème magistral, *Fugue en mort majeure*, qui a complètement transposé en métaphores l'asphyxie de Juifs par le gaz, ainsi

« Le lait noir de l'aube, nous le buvons le soir,
Nous le buvons à midi, et le matin;
Nous le buvons la nuit... »

Car si grande que soit la suggestion qui sort des mots et des sons, les métaphores cachent encore le cynisme infernal de cette réalité qui est déjà en soi une réalité démesurément outrée; les métaphores la cachent à tel point que l'impression d'irréalité qui se dégage aujourd'hui, quinze ans après, rejoint notre forte tendance à la trouver incroyable comme une légende, ou comme un conte apocalyptique. C'est un danger que le dépaysement ne fait qu'augmenter. Si l'on se tient aussi loin que possible de la tradition historique, la langue, les images et l'histoire sur la scène sont déjà extrêmement surréalistes. Car le fait que nous puissions visiter aujourd'hui Auschwitz comme le Colisée peut à peine nous convaincre que cette monstrueuse usine, avec son embranchement de voie ferrée bien réglé, a été spécialement installée il y a dix-sept ans dans notre monde, pour faire tuer des hommes par d'autres, hommes normaux qui, maintenant, gagnent peut-être leur pain, facteurs, juges de première instance, moniteurs de jeunesse, représentants de commerce, retraités, secrétaires d'État ou gynécologues.

La scène est aussi sombre que possible. Il serait bon que le poste de garde, au premier plan à gauche, ne soit pas vu immédiatement.

Les monologues à l'intérieur d'un wagon sont dits ou « pensés » sans que les récitants eux-mêmes apparaissent, on ne le remarque que grâce au fond sonore : on entend un train de marchandises qui roule, puis s'arrête.

Le petit matin blafard illumine parcimonieusement la scène, si bien que seules sont visibles les silhouettes des déportés qui, entassés tout à fait à droite et au fond, sont accroupis entre des valises et des caisses.

A part le monotone martèlement des roues de wagons qui reste audible durant les monologues, il n'y a pas d'effets réalistes tels que pleurs d'enfants ou paroles, etc.

Les monologues

LE VIEUX : Ne pas mourir dans le wagon, sous les yeux de mes petits-enfants. Depuis longtemps, l'angoisse a effacé leur visage, éteint leurs questions. Ils sentent ce que je sais maintenant : la fin du voyage est aussi notre fin. Où que ce soit, ô Dieu terrible, ton Ciel est au-dessus de nous et les bourreaux sont des hommes à qui tu as donné le pouvoir. Regardes-tu aussi ? Oui, tu regarderas. Aussi fidèlement je t'ai servi au milieu de tous ceux qui Te méprisaient, aussi sûr j'étais de Ta toute-puissance : comment pourrais-je douter, ô Dieu inconcevable, que Tes mains, à Toi aussi, sont à l'œuvre ! Ma consolation jusque dans la vieillesse n'a-t-elle pas été la certitude que personne, personne, ne T'arracherait le gouvernail ? C'est cette foi en Toi qui m'anéantit. Laisse-moi Te mettre en garde, pour l'amour de Ton nom : ne montre pas Ta grandeur en faisant brûler les enfants en présence de leur mère, pour entendre à nouveau Ton nom dans les cris des suppliciés. Qui pourrait voir dans la fumée des fours crématoires un signe de résurrection ? Toi, Dieu sans mesure. Est-ce quand l'homme est sans mesure qu'il Te ressemble le plus ? Est-il un tel abîme de scélératesse parce que Tu l'as créé à Ton image ? Je ne peux plus être irrité, ô Toi qui es terrible, je ne peux plus prier, seulement supplier. Ne me laisse pas mourir dans le wagon à bestiaux sous les yeux de mes petits-enfants !

LA FEMME : Ils ont ricané lorsqu'ils ont trouvé dans ma valise les petits manteaux et les langes. Poliment ils m'ont écoutée dire que j'en étais au huitième mois. Et amicalement ils m'ont posé des questions sur mon mari. Comme si, deux jours auparavant, ils ne t'avaient pas arraché à ton atelier et ne t'avaient pas précipité dans l'escalier jusqu'à ce que le sang te sorte de la bouche. Comme tu as regardé autour de toi — ton visage. Ah ! si j'avais su ce que tu voulais dire encore ! Pensais-tu à notre enfant ? Que pensais-tu ? Et comme ils ont ri, comme ils ont ri, lorsque tu m'as crié que tu reviendrais.

Comme nous étions unis dans notre vie de tous les jours, nous n'étions l'ennemi de personne, nous jouissions du petit balcon de la cuisine et cherchions le soleil sur la *Piazza* à côté du marchand de raisins, ou la fraîcheur dans le parc de la ville. Le dimanche, notre distraction était le cinéma.

Et maintenant, jamais nous ne serons une famille à trois ! Jamais plus de repas et de conversations à notre propre table; jamais nous ne serons dans une pièce qui nous protège, jamais plus de chemins et de rêves sans danger. Plus jamais notre lait de tous les jours et le soir, plus de lumière, plus de lit et d'homme qui aime son travail et me donne consolation et chaleur dans la nuit. Nous avions oublié comme le monde est menaçant !

Comme il menace déjà l'enfant dans le sein de sa mère, et le vieillard aussi qui n'aspirait qu'à mourir dans sa chambre, comme l'animal blessé par le chasseur meurt dans le taillis après la battue de la vie. Nous parlions toujours de toi, nous te cherchions un nom et, heureux, t'achetions mois par mois tes premiers vêtements, ton berceau. Cela ne peut pas être. Cela ne peut pas arriver. Tu vis ! Je sens tes mains, ton cœur. Dans un mois, tu viendras au monde, tu seras alors sans protection.

Madonna, Mère de Dieu — Fais que cela n'arrive pas ! Laisse-moi encore mon enfant. Laisse-nous vivre !

La Jeune Fille : Aucun espoir, mon bien-aimé, que tu me trouves. Dieu est froid comme le pompeux décor de San-Giovanni. Cela ne Le touche pas que la femme enceinte, à côté de moi, ne devienne jamais mère, que je ne t'appartienne jamais. Dieu est froid, mes mains deviennent raides quand je les joins. Et les dieux des anciens sont morts comme leurs légendes et comme l'antique galet au musée du Vatican, dans l'ossuaire de l'Art. Ah ! sinon, il me resterait l'espoir que tu me trouves comme Orphée trouva Eurydice.

Mais ce wagon à bestiaux n'est pas une barque glissant vers l'Hadès. Les rails allant vers la Pologne ne sont pas le Styx. Même le monde souterrain est arraché aux dieux et occupé par des gardes qu'un chant n'émeut pas.

Jamais plus tu ne me trouveras, jamais, si longtemps que tu cherches. Prends une jeune fille qui te donnera plus que moi. Oublie-moi. Soyez heureux. Et n'attendez pas pour vous aimer ! Ceux qui s'aiment sont persécutés, sont toujours en danger. Ne laissez pas votre jour passer comme nous l'avons laissé passer dans la campagne romaine. Ne laissez pas le soir passer au bord de la mer, lorsque, sur la plage, le sable noir d'Ostie est encore chaud et offre une couche. N'oublie pas cela complètement, pas si vite; autour de nous, l'obscurité protectrice et le ressac qui noyait notre cœur et emportait au loin tes paroles, nos tendres murmures, là où nul homme ne les entendait. Je devenais si petite près de ton corps, en sûreté comme je ne le serai jamais plus, cachée, et ta bouche m'ouvrait à la vie. Ah ! pourquoi cette nuit qui nous était offerte ne nous appartint-elle pas ? Pourquoi — pardonne-moi, mon amour — ai-je résisté à tes mains ? que n'es-tu encore auprès de moi maintenant ! Je suis si terriblement abandonnée. Mais nous avons laissé passer l'heure. Si j'étais près de toi, sur la plage ! Si un raz de marée nous avait arrachés et emportés dans les vagues mais ensemble ! Je suis si seule. Prends encore une fois dans tes mains du sable d'Ostie et jette-le à la mer comme si c'était ma cendre, et crie mon nom, comme autrefois à Ostie.

Après le dernier monologue, on entend les grincements du train qui freine, puis s'arrête, et maintenant, avec l'ouverture des portes à glissières, commencent les vociférations rendues célèbres par diverses chroniques. Ces vociférations sont celles par lesquelles les Kapos faisaient évacuer les trains : rendus de façon très naturaliste et fréquemment réitérés, des ordres tels que : " Raus, allez, allez ! " — " Les paquets restent ici " — " Plus vite, plus vite ! " — " Les malades restent " — " Restez " — " Ouste, là, dépêche-toi, bonhomme ! "

Des enfants pleurent. Une femme crie : " Rachel, Rachel, où es-tu, Rachel ? "

Entre-temps des aboiements de chiens, des sifflets à roulette et le bruit d'échappement de la locomotive. Les hommes apeurés sont arrachés par les Kapos très vite et très brutalement, d'un wagon imaginaire, puis ils disparaissent dans l'obscurité de la scène.

Silence.

Scène II

Pendant toute la scène, il ne fait pas jour, seulement un crépuscule. Le " nuage " visible sur presque tous les dessins de détenus reproduisant ces camps pesait constamment sur Auschwitz, comme régnait perpétuellement la puanteur pestilentielle de chair qui brûle, et voletaient les myriades de mouches. Auschwitz préoccupait aussi la population de la région et les voyageurs sur le tronçon de voie ferrée de Cracovie à Kattowitz. (*Ils se pressaient aux fenêtres quand le train passait devant le camp.*)

La fumée stagnante et les lueurs du feu visibles jusqu'à trente kilomètres de distance, la pluie d'étincelles jaillissant des fours crématoires, les dix bûchers géants sur lesquels environ mille cadavres pouvaient être brûlés simultanément en plein air, tout cela créait une atmosphère infernale qui enveloppait cette usine de mort, toutes ses installations ferroviaires et ses avancées. Ce qui se passait à l'intérieur du monde inférieur, près du crématoire, n'est même pas imaginable. Il est donc, à plus forte raison, impossible d'en indiquer l'atmosphère.

Le décor est complètement fantomatique, comme dans un cauchemar, quelque " réalisme " qu'on puisse apporter à la présentation de cette réalité. De discrètes indications suffisent : Sur le devant de la scène, tout à fait à gauche, se trouve le corps de garde auquel correspondent, à droite, quelques parterres de fleurs soignés à l'extrême, et un banc. L'arrière de la scène, surélevé, tombe légèrement en arrière à droite, si bien que les déportés en route vers les chambres à gaz (qu'on ne voit pas) restent longtemps visibles. Un talus relie à droite le fond et le devant de la scène. L'arrière-plan est formé par le portail (souvent photographié et conservé intact de nos jours encore) par lequel entraient à Auschwitz les trains de détenus. Une bâtisse ressemblant à une étable, triste, longue, avec peu de fenêtres, et une tour de garde basse qui fait penser à un silo, occupe le centre de la scène.

Le poste de garde est surélevé de deux marches et ouvert sur la salle. L'arrière est formé d'une très grande fenêtre, encore sombre, devant laquelle se trouvent des machines à écrire, le téléphone, des chaises de bureau. Tout à fait à gauche, un étroit lit de camp; à côté, une table aux pieds bas, sur laquelle sont posés un service à café, des petits pains et de nombreuses bouteilles de schnaps qui n'ont jamais manqué aux cruels soldats d'Hitler l'abstinent.

Toute cette mise en scène ne sera caractéristique d'Auschwitz que si l'horrible arrière-plan, la fumée et le feu, pèse constamment sur tout cela. On doit sentir que cette triste baraque et le petit jardin ne sont qu'un semblant de façade humaine. Mais une façade qui découvre, plus qu'elle ne le cache, ce qui se passe derrière elle.

Malheureusement, on ne peut pas se rassurer en pensant que ce sont des malades mentaux ou des criminels par nature qui entretenaient le bon fonctionnement d'un camp comme Auschwitz; c'étaient des citoyens normaux, qui travaillaient ici comme ils auraient fait ailleurs. Nous allons examiner les personnages. Commençons par Helga.

Un vieux réveil sonne bruyamment. *Helga*, auxiliaire des transmissions, S. S., l'arrête, repousse la couverture de laine et se met sur son séant dans un lit de camp. Elle s'était endormie en laissant sa lampe de bureau allumée. Elle est aussi jeune que sexy, et seulement vêtue d'un costume de gymnastique : sur son maillot est cousu, sous le sein gauche, un insigne sportif, et son short blanc est décoré en haut à gauche des signes runiques noirs S. S. Mais elle tourne le dos aux spectateurs. De ce lit, émergent lentement la jambe droite, puis la gauche, elle a de très jolies jambes nues. Elle se lève devant le lit et se met aussitôt à fredonner tristement *Lili Marlène*, de Hans Leip. Elle court pieds nus brancher la résistance électrique qu'elle plonge dans une cafetière et va ensuite à son fauteuil roulant devant la machine à écrire. Elle enfile ses bas avec plaisir, car ils sont rares dans cette quatrième année de guerre. Maintenant, elle est complètement réveillée. Elle met, après sa blouse et sa cravate noire, son costume gris presque masculin qui souligne encore son allure de figurine de mode, ouvre la porte, hume brièvement l'air du dehors, dans le brouillard et la fumée, puis place son petit calot sur ses cheveux blonds. Son service de nuit se termine à 7 heures, donc bientôt. Elle plie la couverture, verse de l'eau chaude dans un filtre et veut se mettre à lire, tout en déjeunant, un gros livre qui était à côté de son lit, lorsque le colonel S. S. Fritsche arrive avec deux ingénieurs.

Encore quelques mots sur Helga et ses possibilités spécifiquement féminines d'être entièrement de l'avis de ceux qui font impression sur elle et de ne rien voir qui pourrait obscurcir son regard; elle n'a même pas dû les développer particulièrement car, comme tout ce qui est bien féminin, elles lui sont innées, et à tel point qu'elle trouverait Auschwitz “ normal ” si elle y avait jamais réfléchi. Bien sûr, elle ne réfléchit jamais. C'est pourquoi elle est ici pour accueillir les messieurs du camp qui, la nuit, voient des fantômes ; un somnifère particulièrement agréable ! elle n'a rien de commun avec les mégères qui étaient surveillantes de camp, bien qu'elle sache évidemment très bien à quoi elle contribue en tant que téléphoniste et télégraphiste. Beaucoup plus encore que le commandant Rudolf Höss, Helga prouve de façon inconsciente et simple, par son comportement aimable et son charme féminin, que l'homme, même s'il est meurtrier de profession, reste humain et que “ humain ” est devenu un mot totalement inutilisable parce qu'il est trop ambigu. L'occupation favorite d'Helga, quand un homme ne s'occupe pas d'elle, est de rêver qu'elle pourrait vivre très loin d'ici, peut-être dans la lande de Lüneburg. Elle voudrait réellement être une fiancée fidèle et heureuse au lieu de tromper son fiancé, un beau mais stupide valet de four crématoire, qui est sous-lieutenant. Constamment avec le Docteur, auquel elle est si complètement asservie qu'elle surmonte un grand nombre de peurs et de scrupules, seulement pour passer une heure à midi dans son lit. Elle hait ce médecin, parce qu'elle est esclave de son charme lascif, comme elle hait tout ce qui est mauvais et par trop intelligent. Dans son besoin de pureté et de bienséance, elle aurait même en horreur le massacre de Juifs (si le problème lui était venu à l'idée). Elle aurait trouvé cela aussi blâmable qu'un adultère ou l'écoute de la radio anglaise. Elle est non seulement, comme presque toutes les filles jeunes, parfaitement malléable sous la main de son amant, mais ressemble aussi à beaucoup de secrétaires qui, jusque dans leurs manifestations les plus intimes de sympathie ou d'antipathie, ne sont que le perroquet de leur patron.

C'est pourquoi deux ans plus tard, en 1945, elle comprendra aussitôt, et sans aucun esprit d'opportunisme, que ce n'était “ pas beau ” ce que l'on avait fait aux Juifs. Mais ce sera aussi un Juif, un officier des troupes d'occupation, d'une virilité marquée, qui le lui fera comprendre. D'ailleurs, par simple pudeur, même au lit, elle ne lui avouera jamais avoir su, jusque dans les plus effroyables détails, à quoi elle avait contribué à Auschwitz. Elle ne savait « naturellement » pas que l'on y tuait des hommes de façon systématique, et l'Américain ne la croira pas seulement parce quelle est charmante, mais il tiendra pour possible ce qu'elle dit, tout comme ses collègues, juges à Nüremberg, crurent Julius Streicher quand il affirma que les activités meurtrières lui avaient été inconnues !

Il n'y avait pas que des filles douces, dépourvues de caractère, qui étaient un jouet dans les mains du Docteur, mais aussi des citoyens dignes et pleins de caractère. Comme l'avait longtemps auparavant constaté le prince de Talleyrand, un homme marié, qui a une famille, est toujours prêt à tout faire pour de l'argent. A celui auquel Dieu envoie une fonction, il envoie aussi des collègues. Les messieurs qui vont maintenant voir Helga, bien qu' « inventés », nous sont déjà connus par la deuxième scène du premier acte. Mais ils nous sont depuis longtemps familiers, que nous les apercevions sur le toboggan qui les jette dans le miracle économique allemand, ou dans la glace de notre propre salle de bains. Dès ce matin, on se rend compte qu'à leur satisfaction hygiénique et financière ils survivront à la guerre. Tous en apparence indispensables à leur poste et, pour ce motif, dispensés du front, ils sont en réalité interchangeables comme des pneus d'autos. C'est pourquoi il suffira d'en considérer un sur trois.

Prenons celui qui porte un uniforme : Monsieur le *docteur Fritsche* : c'est un homme pâle à lunettes, ressemblant au Reichsführer Himmler comme une photographie non retouchée ressemble à un cliché de professionnel. Le wagon de matériel humain des deux sexes qui vient d'arriver en bon état est réparti par Fritsche dans les usines qui viennent de s'installer à Auschwitz. Moyennant quoi on lui remet un accusé de réception et, quelques mois après, il est chargé de récupérer — toujours contre reçu — les misérables épaves de travailleurs impitoyablement scarifiés par l'I. G. Farben ou autres firmes non moins honorables, et de les livrer à la chambre à gaz.

M. Fritsche n'a jamais éprouvé de scrupules à exercer cette activité, car il a une formation de juriste et sait qu'ici rien ne se passe qui n'ait été convenablement décidé par la voie hiérarchique. Il ne lui viendrait jamais l'envie de frapper un détenu, et il est convaincu que ses subordonnés ne se livrent à des fustigations que si un détenu, par sa simulation ou sa paresse, crée les bases légales de la schlague. La preuve qu'une maladie n'était pas simulée est apportée dès que le détenu en est mort !

M. Fritsche ne voit ni n'entend, par principe, l'accomplissement des punitions disciplinaires, il évite aussi de regarder fonctionner le four crématoire, car il craint en outre, parfois " de devenir faible, et de retomber dans nos erreurs petites bourgeoises ". Il combat de telles craintes par de longues promenades sous la protection de deux chiens-loups et par des lectures des *Lettres éducatives du national-socialisme*, bien qu'au point de vue politique M. Fritsche soit complètement non-engagé. Il a fait des études supérieures en se privant, et a épousé une jeune fille pauvre; c'est pourquoi il aspire, dans sa carrière, à une rapide réussite financière; mais jamais il ne s'enrichirait illégalement; la montre-bracelet en or que possédait un Juif d'Amsterdam est parvenue à son bras par voie de décret. Comme le Führer avait récemment parlé avec sarcasme des juristes, le docteur Fritsche ne voit plus beaucoup d'avantages à faire une carrière de juge. Le travail d'un avocat lui semble complètement absurde. Non pas qu'il ait eu le sentiment du grotesque quand ses complices par exemple, faisaient passer en jugement un homme pour avoir volé une bicyclette (ce qui fut très souvent pratiqué de façon notoire après 1950 en Allemagne de l'Ouest). Seulement, le colonel Fritsche se dit que le Droit, après la victoire finale, n'autorise plus guère que les deux mesures punitives suivantes : la mort, ou bien la déportation à temps dans les régions conquises de l'Est; car le Reich de la Grande Allemagne ne devra pas être encombré de bouches superflues dans les prisons. A partir de cette réflexion, et parce que cela fait bon effet, M. Fritsche parle du domaine héréditaire qu'il pense exploiter en Ukraine avec sa famille et qu'il obtiendra aussi sans doute pour services rendus; mais on est récemment, hélas, repassé de l'autre côté de la frontière et l'Ukraine est perdue pour les Allemands. Naturellement, il n'a aucune idée de ce qu'est l'exploitation agricole. Il est, en face de tout ce qui est vivant, d'Helga par exemple, d'une froideur totale. Par peur d'un coup de sabot, il évite même d'approcher un cheval. En 1952, c'est un financier d'une des plus importantes Sociétés d'épargne à la construction; en 1960, il est conseiller à la Cour d'Appel et a droit à une retraite.

Ce changement de profession, il s'y est résigné, étant devenu cardiaque, par souci de sécurité pour sa famille, malgré un sacrifice financier passager...

Autant que possible, malgré le brouillard et la fumée stagnante, l'atmosphère est devenue plus claire.

Pendant qu'Helga fait son café, Fritsche émerge, en manteau

d'hiver, avec une casquette à oreillettes, et va entrer dans le poste de garde pour se chauffer. Venant de gauche, arrive vers lui un officier à la mine sinistre, avec un casque de tranchée, un fouet, une lampe et un chien-loup.

L'OFFICIER : Commandant, une nouvelle !

Il attache le chien au banc.

FRITSCHE : De si bon matin ? Qu'y a-t-il ?

L'OFFICIER : Commandant, sur le quai de la gare extérieure, une surprise insensée ; le Pape nous a personnellement envoyé un prêtre...

FRITSCHE : Que dites-vous du Pape ?

L'OFFICIER : Le Pape a donné aux Juifs baptisés un prêtre pour les accompagner durant le voyage. Les Juifs viennent donc de Rome ! Il devait les accompagner pendant le voyage en tant que directeur spirituel, bien sûr. Et...

FRITSCHE : Et quoi ?

L'OFFICIER : Et un idiot quelconque, à Rome, a embarqué cet homme comme ces fripouilles elles-mêmes. Parmi le troupeau, au milieu du wagon, bien qu'il porte la soutane, un Italien, pas Juif, et à ce qu'il paraît, ce serait même un cousin des Pacelli !

FRITSCHE : Nom de Dieu ! Quelle sale histoire !

L'OFFICIER : Il m'a parlé, il faisait encore sombre, c'est une chance que je n'aie pas lâché le chien...

FRITSCHE : Où est-il maintenant ? A-t-il déjà vu quelque chose du camp ?

L'OFFICIER : Du camp, rien jusqu'à présent. Il est encore dehors sur le quai Un. Je l'ai aussitôt confié à la gendarmerie qui se charge du transport depuis Passau, et aussi aux cheminots. Il prend maintenant son petit déjeuner avec eux, et...

FRITSCHE : Saloperie ! Ne le surveillez pas trop. Il doit pouvoir se remuer jusqu'à son départ sur le quai de la gare extérieure, de façon qu'il ne montre pas trop de curiosité et ne nous tracasse pas trop, comme ceux de la Croix-Rouge.

L'OFFICIER : Je crains seulement qu'au cours du transport il en ait déjà vu beaucoup, beaucoup trop !

FRITSCHE : Venez, il faut un schnaps sur ce choc-là.

Ils traversent le petit jardin, Fritsche frappe presque timidement à la porte.

HELGA : Entrez !

FRITSCHE (*embarrassé*) : Ah ! Salut et victoire ! Pouvons-nous nous chauffer chez vous un bref instant, Mademoiselle Helga ?

HELGA : Oui, avec plaisir. Bonjour. Il fait froid, n'est-ce pas ? Sers-toi, Heinz, voilà les cigarettes. Monsieur Fritsche, je vous en prie.

L'OFFICIER (*il prend une cigarette*) : Merci bien, Helga, comment vas-tu ? Je n'ai pas besoin de schnaps, je ne suis pas de service en ce moment.

HELGA : Et vous, Monsieur Fritsche, du café ?

FRITSCHE : Non, merci, rien qu'un schnaps, je dois aller à la gare. (*A l'officier, pendant qu'Helga range ses couvertures*) : Il faut qu'il s'en aille d'ici. Il faut qu'il parte, ce prêtre. Je vais téléphoner à Berlin aussitôt 8 heures. Veut-il retourner à Rome, ce type ? Il ne nous manquait plus que lui ici.

L'OFFICIER : Il veut aller à Breslau. Il a de l'argent allemand. Il doit y rendre visite à l'évêque, puis il ira à Berlin à la Nonciature.

FRITSCHE : Comment donc ? Il veut se plaindre ?

L'OFFICIER : Non, il n'en parle pas. C'est là-bas qu'il travaillait. Naturellement, il est enragé contre l'idiot qui l'a embarqué dans l'Italie du Nord, ou bien à Rome, comme un petit Juiviot. Maintenant, il est calme.

FRITSCHE : Celui qui a fait ce coup-là va bientôt s'amuser sur le front russe. Un imbécile irresponsable. Se conduire ainsi, juste au moment où notre situation dans le sud est aussi précaire, s'y prendre comme en Ukraine. C'est incroyable ! Et notre Führer qui, récemment, a insisté sur le fait que l'Église ne doit pas être attaquée avant la victoire finale ! Et Himmler, — avez-vous entendu parler de cela ?

L'OFFICIER : Non, Commandant.

FRITSCHE : Himmler a dernièrement enterré sa mère avec la bénédiction de l'Église du Christ ! C'est beau, hein ? Allons, qu'il parte d'ici, qu'il s'en aille, ce corbeau ! Qu'il aille à Berlin, là ils savent ce qui convient à un monsieur du Vatican. Allons, encore un schnaps pour digérer ce coup. Helga, soyez assez aimable, versez-nous la consolation.

HELGA : Je dois toujours consoler. Et moi, qui me console ?

FRITSCHE : Bien. Ensuite, j'appelle Berlin. Bien. Heil Hitler, Helga, merci beaucoup !

HELGA : Au revoir.

L'OFFICIER : Je pars avec lui, je veux aller me coucher.

HELGA : Heil, Monsieur Fritsche. Heil, Heinz, dors bien. J'ai encore, moi aussi, à rattraper une nuit de sommeil.

Elle bâille et rit. Fritsche et l'officier sortent. Helga éteint la lampe de bureau et remonte le rideau sombre placé là pour la défense anti-aérienne, le long de la façade arrière. Une scie circulaire chante ; ce bruit provenant d'un des ateliers du camp scande de temps à autre des paroles particulièrement significatives du Docteur.

" Le Beau Satan " a émergé de droite, élégant, il saute par-dessus les bordures du petit jardin, gravit les deux marches conduisant à la porte, un stick à la main et un livre sous le bras. Il est déjà dans la pièce, riant et aimable, perfide et séduisant, très grand et mince. Helga est effrayée jusqu'au plus profond d'elle-même, mais on sent que c'est un effroi qu'elle aime plus que le repos de son âme. Elle tressaille, mais il l'a déjà attirée à lui et l'embrasse sur la bouche lorsqu'elle dit :

HELGA : Toi ! Va-t'en, laisse-moi, Satan. Je te hais, je te hais, laisse ! Si on nous voit ! Non ! La fenêtre, canaille, va donc voir ta Juive !

Après les premiers baisers, elle a essayé de le repousser loin d'elle ; il rit doucement et tendrement et l'attire dans un corps à corps tandis qu'acharnée, mais sans espoir, elle se débat. Il la serre dans ses bras comme dans un étau.

HELGA (*torturée, faiblissante, elle se serre déjà contre lui ; il lui mord l'oreille*) : Tu nous mettras tous les trois dans le malheur, tous les trois. Va donc coucher avec des détenues jusqu'à ce qu'on te pende !

LE DOCTEUR (*avec une tendre ironie dont elle doit rire enfin*) : Jalouse d'une si pauvre femme ? Je ne te hais pourtant pas parce que tu remplis la nuit tes devoirs de fiancée auprès de ton Günter. Tu n'as de temps pour moi qu'à midi. Aujourd'hui à midi ? Qui frappera à ma porte, qui passera rapidement dans ma cabane pour demander, rien que pour demander si Monsieur le Docteur peut lui prêter *Anna Karénine* ?

HELGA : Oh, maintenant, tu as ta Juive.

LE DOCTEUR : Tu viendras, ma petite chèvre, rien que pour demander si j'ai de quoi bouquiner... Il n'y a pourtant rien d'extraordinaire à cela ! Que peux-tu donc y faire si juste à ce moment-là je suis sous ma douche.

HELGA (*elle s'éloigne de lui de trois pas*) : Laisse-moi donc enfin, on peut nous voir.

LE DOCTEUR : Oui, quittons la fenêtre. (*Il la prend dans ses bras, elle gigote, il tourne en rond deux fois avec elle*) : Mais tu as des bas, pour la première fois !

HELGA (*qui se serre maintenant paisiblement contre lui*) : Il fait si froid ce matin. Ah ! toi...

Il l'étend rapidement sur le lit de camp et appuie son genou gauche contre ses pieds.

LE DOCTEUR (*tendrement*) : Je me réjouis d'avance pour aujourd'hui à midi. Regarde...

Il a tiré de sa poche un collier de perles, et le lui laisse pendre au-dessus du visage. Elle n'y fait pas attention, elle dit, tourmentée :

HELGA : Il te dénoncera ! Il nous tuera.

LE DOCTEUR : Cesse donc à la fin ! Ton Günter est trop content quand il n'a personne à tuer. Il est de service aujourd'hui à midi au four crématoire et nous, on se réchauffera au lit. Et puis quoi ? Tu auras très peur et tu seras très petite, mon petit chat tout nu. (*Doucement*) : et tout à coup tu seras si brûlante que tu oublieras avec qui tu es : regarde...

Il agite le collier.

HELGA : Tu es effrayant !

LE DOCTEUR : Le collier ne te plaît-il pas ? J'ai trouvé les perles hier matin sur une huître juive bien grasse. Je t'en ferai cadeau pour ton mariage.

HELGA : Je ne veux pas de cet objet. Que devrais-je dire à Günter ?

LE DOCTEUR : Que tu l'as hérité. Nous l'étrennerons aujourd'hui à midi. (*Il se lève, va et vient nerveusement dans la pièce et dit ironiquement*) : Tu n'auras plus besoin, alors, d'avoir honte en plein midi ! Je te mettrai les perles. Et ta main gauche restera d'ailleurs vêtue elle aussi : d'une bague de fiançailles...

HELGA : Et tu te moques encore de moi ! Je ne veux pas, je ne veux plus, je ne veux pas !

LE DOCTEUR (*très détendu*) : Cela te fait du bien, je le vois : tu es un miroir terni qu'on vient de refaire briller.

Elle secoue violemment la tête et ne peut s'empêcher de sourire ; puis elle l'enlace et l'attire sur le lit.

HELGA : Tu es un démon !

LE DOCTEUR : De quoi ai-je l'air, réellement, après ces amusements ?

HELGA : Tu es très calme, tu n'es plus nerveux, ni aussi méchant, surtout, tu n'es plus méchant !

LE DOCTEUR : Méchant comment cela, méchant ?

HELGA (*qui l'enlace plus fermement*) : Ton rire léger n'est pas plus sincère que ma fidélité à Günter. Et mon amour pour toi est abominable. Toi, vraiment, je ne sais pas si je t'aime. C'est souvent jusqu'à la folie, oui. Mais ensuite vient la haine, alors je te hais de tout mon cœur, réellement... Soyons honnêtes, je t'en prie, je romps mes fiançailles.

LE DOCTEUR : Mais tu couches encore avec lui chaque nuit !

HELGA (*elle se met à pleurer*) : Arrête ! Pas chaque nuit ! C'est seulement pour être avec toi l'après-midi. Pourquoi me renvoies-tu toujours ? Je ne veux pas savoir si je t'aime. Je sais seulement que je te suis soumise. J'ai besoin d'être près de toi. Je t'en prie, marions-nous donc...

LE DOCTEUR (*qui s'est peu à peu éloigné d'elle, se lève. Il va et vient dans la pièce, l'air inquiet*) : Nous marier, faire des enfants... Mon Dieu ! c'est le seul péché que je ne commettrai pas, jamais, cela je te le promets ! Mon petit cœur, reste près de ton Günter. Mon climat est trop dur pour toi. Günter est meilleur. Offre au Führer des soldats et des filles heureuses d'enfanter. (*Avec beaucoup d'ironie*) : D'ici que tes filles soient nubiles, j'aurai déjà déterminé comment naissent les jumeaux. Alors, je pourrai prescrire à notre race blonde, celle des maîtres, la recette des jumeaux, et alors ils se multiplieront comme des rats... Mon nom sera dans le dictionnaire. C'est ma dernière ambition et la plus bête. Cela ne te suffit-il pas, mon cœur ? Dois-je moi-même maritalement labourer, cultiver et semer ? Je rends pourtant assez de services à la propagation d'une humanité de race pure. J'enlève la vie et la crée à nouveau, et crée toujours la souffrance. Les uns souffrent parce que je les mets au gaz, les autres parce que je les pousse dans la vie : mais, petit chat, Monsieur le Docteur aime beaucoup trop ses propres enfants pour songer à les livrer à l'Histoire universelle. (*Il l'attire à lui et dit, presque passionnément*) : que nous fassions les pieds au mur sur la table ou sur le tapis, n'aie aucune crainte, je ne te ferai pas d'enfant.

HELGA : Je t'en prie, cesse, tu me deviens si étranger... ah ! (*elle parle de façon si hachée qu'elle peut à peine s'exprimer*) : dis-moi, pourquoi as-tu donc, précisément avec cette Juive, dont... elle avait pourtant deux enfants. Sait-elle que ses enfants, tu...

LE DOCTEUR (*il se détache d'elle, mais sans émotion. Objectivement*) : Je ne dois pas parler affaires devant toi. Ne sois pas si puérilement jalouse... Oh ! voilà des petits pains ! petits et blonds comme toi, et aussi appétissants. J'ai faim. (*Il l'embrasse, prend un petit pain, mange et va à la porte*) : Nous allons trier ces Italiens.

HELGA (*elle se met sur son chemin, montre pour la première fois une certaine fermeté, mais pas pour longtemps*) : Je ne serai pas jalouse, si tu me dis pourquoi c'est précisément cette femme...

LE DOCTEUR (*qui en a assez*) : Ça m'excite, mon enfant, ça m'attire.

HELGA (*sotte et féminine*) : Je ne t'excite pas assez ?

LE DOCTEUR : Petite bête, mon petit pain au lait chéri ! Ne comprends-tu donc pas : je veux expérimenter si cette pauvre femme couchera encore avec moi quand je lui aurai dit où sont ses enfants, et que c'est moi qui suis le maître de la vie et de la mort. C'est cette expérience que je veux faire.

HELGA (*elle s'éloigne de lui*) : Comme tu es horrible. Accorde-lui la vie, accorde-lui au moins la vie...

LE DOCTEUR : Qu'en tirerait-elle ? Sa famille est morte !

HELGA (*fort révoltée*) : Mais c'est ce qu'elle espère, c'est pour cela qu'elle vient, uniquement pour cela ! C'est ce que ferait toute femme, moi du moins.

LE DOCTEUR : Il se peut qu'au début elle ne soit venue que pour cela. Peut-être pour se laver à l'eau chaude et pour un dîner. C'est possible.

HELGA : Qu'est-ce que ça peut te faire, puisque tu le sais !

LE DOCTEUR (*souriant*) : C'est que ce n'est plus aussi simple aujourd'hui. Maintenant, elle vient aussi...

Il rit et s'interrompt.

HELGA : Tu me sembles de plus en plus inquiétant, toi. Oui (*péniblement, en s'interrompant*), si tu es avec elle comme avec moi, alors elle doit t'aimer tout simplement, même si, ce faisant, elle te maudit et se maudit elle-même pour l'éternité.

LE DOCTEUR : L'éternité !

HELGA : Je ne viendrai jamais plus te voir, jamais plus.

LE DOCTEUR (*il l'embrasse, sourit*) : Alors, bon, comme toujours, à une heure et demie. J'ai une telle envie de me réchauffer contre ta peau, mon petit chat.

HELGA (*elle crie, elle a des larmes dans les yeux*) : Jamais plus, j'ai dit jamais plus !

LE DOCTEUR (*il l'a reprise par le bras, doucement, tendrement*) : Dors d'abord. Ne frappe pas à la porte, regarde seulement autour de toi. Et si personne ne te suit, tu fais une fois le tour de la maison et tu entres.

HELGA (*décontenancée*) : Il me faut d'abord beaucoup réfléchir.

LE DOCTEUR (*il sourit*) : Nous y réfléchirons ensemble.

Helga l'a conduit à la porte, il est hors de la maison. Il mord dans le petit pain tandis qu'il dit les dernières paroles. Ils n'ont pas vu, au fond de la scène, arriver les déportés. Ils forment à gauche, au fond, un mur fantomatique ; ils n'ont pas de bagages, ceux-ci restaient toujours dans les trains.

(Nous divergeons de la tradition historique dans la mesure seulement où, ici, les femmes et les enfants ne sont pas encore séparés des hommes, tandis qu'en fait, dès la descente du train, et donc avant le tri, ils étaient séparés les uns des autres.)

La " musique d'accompagnement ", qui dure aussi longtemps que les déportés descendent le talus vers la droite, c'est la rumination légère et calme d'une bétonnière. Maintenant, de droite, part un coup de sifflet à roulettes, à peu près à l'endroit où le reflet du feu est visible, mais il ne doit naturellement pas être représenté au naturel. Un kapo se détache du groupe qui est resté à l'arrière-plan, compte sans mot dire six déportés pris au hasard et les fait descendre à droite. Le Docteur et Helga regardent un moment les premières victimes qui se traînent pour avancer, presque paralysées de peur, jusqu'à ce qu'elles aient disparu au fond à droite. Puis l'éclat du feu gagne en intensité. La bétonnière fait moins de bruit. A sa monotonie correspond le mécanisme stéréotypé de l'assassinat.

A présent, Helga a hâte de partir. Tout à coup, elle montre quelque chose à gauche et dit :

HELGA : Oh ! Regarde donc ! Là-bas au fond, le prêtre !

LE DOCTEUR (*en s'avançant et faisant deux pas à droite*) : Et puis... va dormir, maintenant, Helga.

HELGA : Non, écoute donc, toi. Fritsche a décidé que le prêtre — je suppose que c'est de celui-ci qu'il s'agit — ne devait pas entrer dans le camp. Il a été déporté par erreur.

LE DOCTEUR (*se retournant*) : Ils le sont tous, qu'est-ce que cela veut dire ?

HELGA : Il paraît qu'il n'est pas Juif !

LE DOCTEUR : Je décrète qu'il est Juif, disait Goering. Ne te fais pas de souci, je suis déjà au courant.

HELGA : A tout à l'heure. Comme cela sent fort aujourd'hui. C'est horrible.

LE DOCTEUR : Le brouillard empêche la fumée de monter. Fais de doux rêves, mon petit pain au lait.

Helga sort dans le jardin, tourne à gauche autour de la maison et disparaît, après qu'on a vu sa tête derrière la fenêtre, durant quelques pas encore. Le Docteur, tout en frappant de son stick ses bottes de cavalier élégantes et souples, regarde Riccardo, que l'on ne reconnaît plus qu'à peine, avec madame Luccani, son beau-père et les enfants : on entend le bruit perçant d'un camion qui démarre à proximité. La " lumière " angoissante, la fumée des gaz et la lueur du feu font que le spectateur ne peut regarder que le Docteur qui, le dos tourné à la salle, est campé là, les jambes écartées et cependant gracile. Il observe sans gêne Riccardo lequel, timide et angoissé, comme s'il sentait le poids de ce regard, tourne une fois les yeux vers lui ; puis Riccardo prend rapidement sur le bras la petite fille des Luccani.

LE DOCTEUR : Eh, toi ! Votre Sainteté ! Eh, le corbeau, viens donc par ici. (*Madame Luccani tient fermement son fils contre elle, tous les déportés regardent le Docteur, sauf Riccardo. Il est devenu très calme*) : Allons, viens ici.

Il va impatiemment au fond à gauche vers le groupe et fait signe à Riccardo qui ne peut plus l'éviter maintenant. La petite fille sur le bras, il sort du rang en hésitant. Le Docteur revient en arrière sans mot dire, aussi près que possible de l'avant-scène à droite, et signifie à Riccardo de le suivre. Riccardo le suit, toujours hésitant, Madame Luccani le voit partir avec son enfant et crie, hors d'elle) :

JULIA : Ne partez pas ! Restez ici, restez avec nous !

Elle pleure, son beau-père la prend par le bras pour la calmer et lui parle. Riccardo s'est arrêté à son premier cri et regarde en arrière. Il a peur.

LE DOCTEUR (*menaçant, comme à un chien*) : Viens ici, je te dis.

Riccardo approche encore un peu. Ils sont maintenant face à face, tout à fait au premier plan. Riccardo saigne au front et au visage, il a été maltraité.

LE DOCTEUR (*amicalement, ironiquement*) : Tu l'as fait toi-même, ce charmant enfant ?

RICCARDO (*méchamment*) : Les Allemands ont tué son père. Ils trouvaient drôle qu'il ait des lunettes.

LE DOCTEUR : Ce sont des méchants, ces Allemands. (*Il touche Riccardo avec son stick, qu'il manie comme un dandy ; il lui donne un petit coup, presque amical, sur la poitrine*) : Où as-tu mis ton étoile de David ?

RICCARDO : Je l'ai ôtée, parce que je voulais fuir.

LE DOCTEUR : J'ai entendu dire que tu n'étais pas Juif ? Tu as pourtant prétendu sur le quai extérieur de la gare que le Pape t'avait envoyé aux Juifs comme soigneur.

RICCARDO : C'est ce que j'ai dit pour me sauver. On m'a cru et on m'a laissé partir. Je suis Juif comme les autres.

LE DOCTEUR : Toutes mes félicitations ! Un fin piège de Jésuite. Comment t'a-t-on rattrapé, cependant ?

RICCARDO (*méprisant*) : Personne ne m'a arrêté. Je me suis glissé moi-même parmi les autres.

LE DOCTEUR (*sarcastique*) : Voyez-vous ! Comme c'est noble ! Nous manquons de volontaires. Et de prêtres aussi. Au cas où quelqu'un viendrait à mourir ici. Le climat d'Auschwitz a de ces malices ! Tu n'es, bien sûr, pas Juif...

Riccardo se tait.

LE DOCTEUR (*il s'assied sur le banc, très ironique*) : Un martyr, quoi... Et pourquoi t'es-tu enfui, ensuite ?

RICCARDO : N'auriez-vous pas peur, si vous étiez livré ici ?

LE DOCTEUR : Pourquoi peur ? C'est un camp d'internement. Et quand on est aussi près du Bon Dieu que tu l'es !

RICCARDO (*très pénétrant*) : Des hommes brûlent ici... l'odeur de chair et de cheveux brûlés...

LE DOCTEUR (*il lui dit vous maintenant*) : Vous dites des bêtises. Ce que vous voyez là, c'est simplement des usines : de l'huile de graissage et du crin de cheval, des médicaments et de l'azote, de la gomme et des grenades. Ici pousse une deuxième Ruhr. L'I. G. Farben, Buna ont ici leurs filiales, Krupp y sera prochainement. Les attaques aériennes ne nous atteindront pas, la main-d'œuvre est à bon marché.

RICCARDO : Je sais depuis un an ce qui se passe ici. Seulement, mon imagination ne me suffisait pas. Aujourd'hui, je n'aurais plus le courage... de partir avec eux.

LE DOCTEUR : Tiens ! Vous êtes donc au courant. Ah ! bien... Je comprends votre ambition d'être crucifié, et je m'offrirai même le plaisir, au nom de Dieu, du Père, du Fils et du Saint-Esprit, de rabattre votre superbe. J'ai un tout autre projet vous concernant.

Riccardo a placé à côté de lui l'enfant qu'il portait sur son bras, et le serre très fort.

LE DOCTEUR (*à la petite fille*) : Le tonton Docteur a des bonbons pour toi. Viens ici.

Il a tiré de sa poche un sac de papier. L'enfant tend la main avidement.

L'ENFANT (*timidement*) : Merci.

Le Docteur prend l'enfant et veut l'asseoir sur le banc à côté de lui, lorsqu'elle tient le cornet à la main. Mais la fillette s'y refuse, et se serre contre Riccardo.

LE DOCTEUR (*sarcastique*) : Très câline ! (*Gentiment, à l'enfant*) : Comment t'appelles-tu donc ? (*L'enfant se tait.*) Dommage que la petite n'ait pas de frère jumeau. Les recherches sur les jumeaux, c'est mon violon d'Ingres. Les autres enfants ne vivent ici, quand il y a affluence, jamais plus de six heures. Même leurs mères : nous avons assez de bêtes de somme, aussi passons-nous à la chambre à gaz les enfants de moins de quinze ans avec leurs mères. En procédant ainsi, nous nous évitons beaucoup de cris. Qu'y a-t-il ? Vous disiez pourtant que vous saviez ce qui se passe ici.

RICCARDO (*la voix rauque d'horreur*) : Abrégez.

LE DOCTEUR : Comment ? Vous ne voulez donc pas mourir, vous aussi ? Cela pourrait se passer ainsi pour vous : une inhalation d'un quart d'heure, et ensuite siéger comme un saint à la droite de Dieu. Non ! Je ne peux tout de même pas vous favoriser par rapport à tous vos semblables qui, sans consolation, montent en fumée. Tant que vous pourrez croire, cher pasteur, la mort ne sera qu'une plaisanterie.

Une bousculade à l'arrière-plan : les déportés doivent être emmenés, la file avance. Madame Luccani veut sortir du rang pour aller vers Riccardo. Elle crie :

JULIA : Laissez-nous ensemble. Je ne veux pas. Mon enfant !

(*Un kapo s'approche d'un bond et veut la repousser dans le rang. Luccani senior intervient maladroitement.*

LE VIEUX : Non ! Ne frappez pas les femmes. Ne frappez pas leurs enfants !

L'enfant veut entraîner Riccardo vers sa mère ; Riccardo hésite. Le Docteur intervient :

LE DOCTEUR : Lâche-la ! (*A la femme*) : Qui donc va pleurer, si on vous sépare !

Les déportés avancent à nouveau, le vieux monsieur veut rester, mais il est entraîné, il crie d'une voix lasse :

LE VIEUX : Julia ! Julia ! j'attends... viens donc.

Il est poussé hors de la scène. L'arrière-plan est vide après le départ du groupe, comprenant l'industriel qui soutenait le vieux et une femme enceinte. La bétonnière se tait.

JULIA (*au Docteur, le suppliant*) : Laissez-nous avec le prêtre. Vous voyez bien comme l'enfant l'aime. Il nous a tellement apaisés durant le voyage. Je vous en prie, laissez-nous mourir ensemble, le prêtre et nous autres.

SON FILS (*qu'elle avait fait sortir du rang avec elle, recule devant le Docteur*) : Viens, maman, viens.

LE DOCTEUR (*à Julia*) : Mais, mais personne ne meurt ici. (*A Riccardo*) : Dites la vérité à cette femme ! Là-bas, ce sont simplement les cheminées d'usine. Vous devrez travailler ici, travailler durement. Mais on ne vous fera pas de mal. (*Il passe la main dans les cheveux du garçon pour le calmer*) : Viens, mon garçon. Il y a à manger maintenant, viens par ici; tu auras un pudding comme dessert.

JULIA (*elle est encore à moitié folle de peur, mais maintenant pleine de confiance envers le Docteur*) : Ne savez-vous pas où est mon mari ? Où donc est parti mon mari ?

LE DOCTEUR : Maintenant allez. Voici votre petite sœur, emmenez-la. Votre mari ? Il est sûrement encore à Rome. Ou bien dans un autre camp. C'est que je ne connais pas tout le monde ici. (*A Riccardo*) : Allons, rendez cet enfant à sa mère ! (*A Julia*) : Voici, prenez votre enfant, nous avons encore à parler.

JULIA (*à Riccardo*) : Restez avec nous, je vous en prie, restez ! Ce matin, vous aviez soudain disparu, si brusquement, si longtemps. J'ai été si reconnaissante lorsque vous êtes revenu.

RICCARDO (*il caresse la petite fille, l'embrasse, et la donne à sa mère*) : Je viendrai ensuite, je viendrai. Aussi vrai que Dieu est avec nous.

LE DOCTEUR : Alors, s'il vous plaît, un moment. Dans un quart d'heure, votre ami sera de nouveau près de vous. (*Il fait venir le kapo et lui remet la famille.*) Celui qui ne suit pas n'a plus rien à manger quand il arrive. Dépêchez-vous, allez !

Tous sortent, sauf le Docteur et Riccardo. Riccardo chancelle.

LE DOCTEUR (*protecteur*) : Vous êtes fatigué, à ce que je vois. Prenez donc place...

Il montre le banc et se promène en sautillant, de-ci, de-là. Épuisé, Riccardo s'assied.

RICCARDO : Quel... démon vous êtes !

LE DOCTEUR : Un démon, c'est magnifique ! Moi : Satan, et vous : le chapelain de ma maison. C'est entendu : sauvez mon âme... mais, tout d'abord, je dois vous mettre un pansement. Je vous en prie... Venez. Qui donc vous a égratigné ici ?

Pendant que le Docteur entre dans la maison, Riccardo reste assis et tient son mouchoir ensanglanté sur son front, pour essuyer à nouveau le sang.

LE DOCTEUR (*à la porte*) : Allons, venez. J'ai beaucoup de projets vous concernant, Monsieur le Chapelain...

RICCARDO : Que voulez-vous réellement de moi ?

LE DOCTEUR : Une offre sérieuse. Savez-vous, réellement, ce qui vous attend autrement ?

Il est dans la petite maison et manipule quelque chose qu'il a sorti d'une armoire à pharmacie. Riccardo a gravi les marches et se laisse tomber sur le siège le plus proche.

LE DOCTEUR (*tout en lui collant un pansement adhésif calmant, presque sérieusement*) : Récemment, des brutes se sont fait un plaisir de torturer pendant dix jours un Père venu de Pologne. On l'avait enfermé dans un bunker pour y mourir de faim, parce qu'il était volontaire comme vous et voulait mourir à la place d'un détenu qui avait une famille. Il y a même eu à la fin un tortil de fil de fer barbelé en guise de couronne. C'est bien, il a eu ce qu'il voulait, ce que vous voulez tous : les tortures du Christ, et sûrement que Rome le béatifiera plus tard. Il est mort tout à fait individuellement, ce fut un beau destin isolé, à l'ancienne mode. Mais vous, cher ami, ne serez que gazé, tout simplement gazé, et personne, pas un homme, pas un Pape, pas un Dieu ne l'apprendra jamais. En mettant les choses au mieux, on vous portera disparu comme un caporal sur la Volga, ou un sous-marinier dans l'Atlantique. Vous mourrez ici, si vous ne renoncez pas, comme l'escargot sous un pneu de voiture... vous mourrez, comme, ma foi, meurt le héros d'aujourd'hui, obscurément, éteint par des puissances qu'il ne connaît même pas, à plus forte raison qu'il ne saurait combattre. Donc stupidement.

RICCARDO (*dédaigneux*) : Dieu ne verrait pas une victime du seul fait qu'elle n'est pas tuée avec emphase et pathétique ? Votre idée n'est tout de même pas aussi primitive ?

LE DOCTEUR : Ah ! Ah ! Dieu prend garde aux victimes ! Sans blague ? Au fond, tout mon travail ne compte qu'en rapport avec cette question... Oui, sincèrement, je fais ce que je peux. Depuis juillet 42, depuis quinze mois, jours ouvrables comme sabbat, j'envoie des hommes à Dieu. Croyez-vous qu'il m'ait marqué sa reconnaissance ? Il n'a pas même envoyé sur moi sa foudre. Comprenez-vous cela ? Vous devez le savoir pourtant. Récemment, en un seul jour, neuf mille hommes...

RICCARDO (*gémit, dit, tout en sachant le contraire*) : Ce n'est pas vrai, cela ne peut pas...

LE DOCTEUR (*détendu*) : Neuf mille en un jour. D'aussi mignonnes créatures que cette enfant sur votre bras... En une heure, évanouis ou morts. En tout cas, bons pour le four... Les petits enfants arrivent souvent évanouis dans les fours ; c'est un phénomène intéressant ; les nourrissons surtout. C'est curieux : le gaz ne les tue pas toujours.

Riccardo a mis ses mains devant son visage, maintenant il se précipite vers la porte, le Docteur le tire en arrière, rit.

LE DOCTEUR : Vous ne pouvez pas toujours aller faire le bien. Ne tremblez donc pas ainsi. Ma parole d'honneur : je vous laisserai la vie... Qu'est-ce que cela peut me faire d'envoyer un être de plus ou de moins par la cheminée !

RICCARDO (*crie*) : Vivre pour être votre prisonnier !

LE DOCTEUR : Pas mon prisonnier, mon partenaire.

RICCARDO : Croyez-vous que quitter la terre, où vous et Auschwitz êtes possibles, me soit plus difficile que d'y vivre ?

LE DOCTEUR : Le martyr aime mieux mourir que réfléchir. Valéry a raison : " L'Ange, dit-il — il se peut que vous en soyez un — (*riant*) se distingue de moi, du Diable, seulement par la réflexion qui lui fait encore défaut. " Je vous expose à cette réflexion comme un nageur à l'Océan. Si la soutane vous maintient à la surface de l'eau, je me laisse entraîner par vous dans le sein de l'Église du Christ. (*Il rit.*) Qui sait, qui sait ? Mais d'abord, vous devez vous exercer à la célèbre tolérance du négatif : vous me regarderez ici une bonne petite année, faisant les expériences les plus hardies à laquelle un homme se soit jamais livré. Seule une nature théologique comme moi... (*Il touche Riccardo au col*)... J'ai déjà porté un jour ce carcan... pouvait risquer d'assumer le poids de ces crimes...

RICCARDO (*se frappe le front avec désespoir, crie*) : Pourquoi ? Pourquoi donc ! Pourquoi faites-vous cela ?

LE DOCTEUR : Parce que je voulais une réponse... Une réponse ! Et je risquais ainsi ce que personne encore n'a risqué depuis que la terre tourne... J'avais juré de provoquer Dieu si démesurément, si complètement hors de toute mesure qu'il serait obligé de donner une réponse. Qu'elle soit même négative, ce qui serait la seule qui puisse encore l'excuser, comme le pensait Stendhal. Puisqu'il n'a pas donné de réponse, c'est qu'il n'existe pas.

RICCARDO (*sarcastique*) : Une plaisanterie de carabin — que des millions d'êtres paient de leur vie. N'êtes-vous donc... même pas un criminel ? N'êtes-vous rien qu'un idiot ? Aussi primitif que Virchow, lorsqu'il disait qu'il avait disséqué dix mille cadavres, mais pas trouvé d'âme.

LE DOCTEUR (*blessé*) : Ame ! N'est-ce pas primitif ! N'est-ce pas une monstrueuse légèreté de se dérober toujours par ces façons de s'exprimer ! (*Il imite un prêtre qui prie*) : *Credo quia absurdum est.* C'est toujours cela ? (*Sérieux*) : Écoutez la réponse : pas un seul soupir n'est venu du ciel, pas un seul soupir depuis quinze mois, depuis que j'envoie d'ici les touristes en voyage dans le firmament.

RICCARDO (*ironique*) : Tant de grossière barbarie, uniquement pour faire ce que réussit tout simplement, sans faire de tels frais, n'importe quel maître d'école ingénu quand il est assez borné pour s'y essayer : balayer par des preuves logiques ce qui dépasse l'entendement.

LE DOCTEUR : Trouvez-vous donc plus consolant que ce soit Dieu, personnellement, qui tourne l'homme sur la broche de l'Histoire ? L'Histoire serait LA théodicée, vraiment ? (*il rit comme un tortionnaire*) L'histoire : de la poussière et des autels, de la misère et du viol. Et toute gloire est une raillerie de ses victimes. Vraiment le Créateur, la création, la créature sont réfutés par Auschwitz. La vie comme idée est morte. Ce pourrait être le début d'une grande conversion, une délivrance de la douleur. Après cette intuition, il n'y a plus qu'une seule faute : malédiction sur celui qui crée la vie. Je supprime la vie, c'est la façon actuelle d'être humain, la seule délivrance de l'avenir. Je parle sérieusement, même à titre privé. C'est par pitié que j'ai toujours enterré mes enfants dans le condom.

Silence.

RICCARDO (*essaie de plaisanter, mais peu à peu crie pour ne pas pleurer*) : Délivrance de la douleur ! Voilà la conférence humanitaire d'un sadique. Sauvez, sauvez un seul enfant, qu'on voie que vous êtes un être humain.

LE DOCTEUR (*détendu*) : Qu'est-ce qui autorise des prêtres à regarder de haut les S. S. ? Nous sommes les Dominicains de l'âge technique. Ce n'est pas par hasard si tant de mes semblables, hommes en vedette, sont issus de souche catholique. Heydrich était Juif, très bien. Eichmann et Gœring, protestants. Mais Hitler, Goebbels, Bormann, Kaltenbrunner... Höss, le commandant, a voulu être prêtre... et le parrain d'Himmler est évêque de Bamberg ! (*Il rit.*) Les Alliés ont solennellement juré de pendre chacun de nous, s'ils nous avaient. C'est logique : après la guerre, l'uniforme S. S. sera le linceul du gibier de potence. Mais l'Église qui, en Occident, a pratiqué le meurtre pendant des siècles, joue maintenant le rôle d'instance morale d'une partie du monde. C'est absurde ! Saint Thomas d'Aquin, un mystique, un fou de Dieu comme Heinrich Himmler, qui raconte lui aussi nombre de bêtises dans une louable intention, a taxé d'hérésie les innocents aussi bien que les idiots d'ici le font des Juifs... Mais ne le chassez pas de votre temple ! Les recueils de morceaux choisis allemands pourraient contenir aussi, dans les époques à venir, les discours d'Himmler en l'honneur des mères de familles nombreuses. (*Avec une gaieté royale.*) Une civilisation qui à l'aide d'une Église discréditée par messieurs les inquisiteurs tire à elle l'âme de sa jeunesse, aboutit logiquement lorsqu'elle va chercher à nos bûchers humains les torches de ses fêtes funèbres. Admettez-vous cela ? Non, naturellement. (*Il crache et boit un schnaps.*) L'un est honnête, l'autre, croyant. (*Méchamment*) : c'est votre Église qui a montré qu'on pouvait brûler les hommes comme du coke. Rien qu'en Espagne, vous avez, sans fours crématoires, mis en cendres 350.000 hommes, presque tous vivants : pour cela, il faut l'assistance du Christ ?

RICCARDO (*très indigné, à haute voix*) : Je sais aussi bien que vous, sinon je ne serais pas ici, combien l'Église fut souvent coupable et l'est aujourd'hui encore. Je ne peux plus parler avec vous si vous rendez Dieu responsable des crimes de son Église. Dieu n'est pas AU-DESSUS de l'Histoire. Il participe au sort du fini. C'est en Lui que s'accumule chaque souffrance de l'homme...

LE DOCTEUR (*lui coupe la parole*) : Oui, oui ! C'est aussi ce que j'ai appris un jour. Sa souffrance dans le monde enchaîne le principe du mal. Mais comment cela, réellement ? Où suis-je ? Où ai-je jamais été enchaîné ? Luther raontait moins d'histoires : Ce n'est pas l'homme, disait-il, mais Dieu qui pend, inflige le supplice de la roue, étrangle, et fait la guerre... (*Il donne en riant une tape sur l'épaule de Riccardo qui recule.*) Votre dépit m'amuse, vous êtes un partenaire à la hauteur, je l'ai vu tout de suite. Vous m'aiderez au laboratoire et, le soir, nous nous querellerons sur ce produit de nerfs malades que vous appelez provisoirement Dieu, ou sur toute autre vétille philosophique.

RICCARDO : Je ne songe pas à égayer pour vous, comme un bouffon de cour, les heures où vous êtes livré à vous-même. Je n'ai jamais vu un homme dans une détresse aussi profonde que la vôtre, car vous savez ce que vous faites...

LE DOCTEUR (*touché*) : Je dois A NOUVEAU vous décevoir : toute votre foi est une illusion désespérée que vous vous donnez à vous-même; de même votre espoir que je me sente misérable ! Certes l'ennui me tourmente toujours. C'est pourquoi notre controverse me distrait et pourquoi vous resterez en vie. Mais misérable ? Non. J'étudie d'abord *l'homo sapiens* : hier, je regardais un des ouvriers du four crématoire, parmi les cadavres qu'il doit découper à la hache pour qu'ils puissent passer par les portes des fours : il a découvert sa femme; comment a-t-il réagi ?

RICCARDO : On ne dirait pas, à vous voir, que cette étude vous mette particulièrement en joie. Vous ne vous sentez pas mieux que cet ouvrier...

LE DOCTEUR : Non ? J'ai aussi mes livres. Ce qui m'occupe, justement, c'est de savoir combien de temps après sa mort Napoléon, ce scélérat qui, comme il le disait à Metternich, " se moquait diantre bien de faire tuer un million d'hommes ", est devenu l'idole de la postérité. C'est intéressant au point de vue d'Hitler. Naturellement, l'écœurant végétarien n'a pas, comme Napoléon, séduit toutes ses sœurs. Des traits si charmants lui manquent entièrement. Quoi qu'il en soit, il est plus sympathique que les philosophes (*il prend à la main un livre où est écrit " Hegel "*) qui ont fait passer par leurs circonvolutions cérébrales jusqu'à ce qu'elles fussent présentables toutes les horreurs de l'Histoire. Récemment, je relisais Nietzsche, l'éternel élève de rhétorique, parce qu'un collègue devait apporter comme cadeau d'Hitler à Mussolini, à l'occasion de ses 60 ans, (*il rit et cela résonne*) Nietzsche, *in extenso*, imprimé sur papier-*bible*...

RICCARDO : Nietzsche peut-il quelque chose au fait que même les fanatiques, les porcs et les assassins sont entrés par effraction dans son jardin ? Il n'y a que les fous qui le prennent à la lettre...

LE DOCTEUR : C'est exact, seuls les fous, seuls les hommes d'action. Il convient à ceux-là qu'il ait mesuré les vertus de l'homme à l'étalon du fauve. Vraisemblablement parce qu'il sentait en lui-même si peu de la bête qu'il ne réussit jamais à culbuter une fille. C'est grotesque; ou la bête blonde ou une timidité qui a marqué toute sa vie : résultat, le massacre de millions d'êtres. (*Il rit comme si on le chatouillait.*) Non, le critique d'Europe le plus riche en subtilité n'a sûrement pas fasciné Hitler. Tandis qu'en lui s'est éveillée la bête, le grand carnassier, l'accoucheur de ce monstre écrivait dans un allemand tel, avec une telle ivresse, une telle arrogance princière, qu'on aurait pu croire qu'il trempait sa plume dans le champagne. (*Sans transition*) : Vous pouvez avoir ici du champagne et des filles. Aujourd'hui, à midi, lorsque disparaîtra dans le four crématoire la famille avec laquelle vous êtes venu, je disparaîtrai entre les jambes d'une fille de dix-neuf ans. C'est une consolation qui vaut autant de votre foi, parce qu'on " l'a " réellement avec le cœur, la bouche et les mains. Et qu'on l'a ici sur terre où on en a besoin. Mais vous connaissez bien cela...

RICCARDO (*ironique*) : Sûrement une belle consolation. Seulement, elle ne dure pas très longtemps.

LE DOCTEUR (*met ses gants, souriant, presque triomphant*) : Nous nous entendons magnifiquement. Vous aurez au laboratoire deux gentilles filles; les derniers livres vous sembleront plus intéressants... *Habent sua fata divini*. Les saints se cassent le nez par terre. La lumière de la raison tombe sur les Évangiles. J'ai fait l'année dernière un pèlerinage à Marbourg pour entendre Bultmann. C'est hardi pour un théologien, cette façon de débroussailler le Nouveau Testament. Même l'Annonciation ne suppose plus l'homme capable de tenir pour vraie l'image mythique du monde...

Pendant les dernières phrases, résonne à nouveau dehors la rumination de la bétonnière. On ne voit pas encore de déportés. Mais tout à fait à droite, en haut, au fond, se renouvelle la lueur d'un feu puissant. On entend le bruit de deux camions. Coups de sifflets à roulettes.

RICCARDO (*s'est levé d'un bond, ouvre la porte, il est dehors et regarde la lumière venant du monde souterrain, il crie avec mépris, tandis que le Docteur l'a suivi lentement*) : Là... Là-bas, je suis au milieu d'eux. Qu'ai-je besoin de croire au Ciel ou à l'Enfer ? (*Plus près du Docteur, plus doucement*) : Vous le savez, vous savez que, déjà pour saint Jean, le Jugement n'était pas un événement cosmique. (*Fort, il fulmine*) : Vos simagrées de l'instinct, vos sottises, votre boue balaient loin de moi toute hésitation — toute. Comme il y a un Diable, il y a aussi un Dieu. Sinon, c'est vous qui auriez vaincu depuis longtemps.

LE DOCTEUR (*le prend par le bras, rire exubérant*) : Vous me plaisez ainsi. La danse de Saint-Guy du fanatique.

Il retient aussi par l'autre bras Riccardo qui veut se précipiter vers le fond, où des déportés sont apparus à nouveau et se taisent. Seul, un kapo court autour d'eux.

Le Docteur oblige à s'asseoir Riccardo dont les forces cèdent vite. Riccardo couvre son visage de ses mains, puis appuie ses bras sur ses genoux.

LE DOCTEUR (*pose un pied sur le banc à côté de lui et dit, " en camarade "*) : Complètement à bout de nerfs, hein ? Vous tremblez. Vous ne pouvez pas vous tenir sur vos jambes, tant vous avez peur.

RICCARDO (*recule, car le visage du Docteur est trop près de lui, il dit avec lassitude*) : Comme si j'avais dit le contraire. Courage ou pas, ce n'est finalement qu'une question de vanité.

LE DOCTEUR (*pendant que Riccardo l'écoute, d'abord à peine, car il regarde les victimes qui attendent*) : Je vous donne ma parole qu'il ne vous arrivera rien. J'ai d'autres projets pour vous... La guerre est perdue, les Alliés me pendront. Vous me trouverez une cachette à Rome, dans un couvent. Le Commandant me sera reconnaissant si je conduis hors d'ici l'envoyé du Saint-Père que nous n'avions pas précisément invité. D'accord ? Un moment...

Il s'approche de la petite maison, regarde autour de lui.

RICCARDO (*comme dans un rêve*) : A Rome ? — Je dois... retourner à Rome ?

LE DOCTEUR : Nous ferons un beau voyage en auto jusqu'à Breslau. (*Il entre dans la petite maison, va au téléphone, fait le numéro, écoute, décroche et dit, pendant ce temps, mi à Riccardo, mi dans le récepteur*) : Avec une fille blonde comme le soleil... et le Représentant du Christ. Helga, hallo ! Helga ? Elle dort déjà... et Pie XII vous aura à nouveau.

Il quitte la petite maison. Riccardo est bouleversé.

RICCARDO : Non — jamais ! Vous voulez uniquement que je fuie encore une fois, c'est tout. Je ne ferais pas plus de cent mètres. C'est seulement pour m'abattre pendant une tentative d'évasion.

LE DOCTEUR (*sort son portefeuille et lui montre un laissez-passer*) : Je comprends bien que le doute vous torture quand vous examinez mon offre. Mais regardez ceci : est-ce un passeport du Saint-Siège ?

RICCARDO : C'est vrai. D'où vient-il ?

LE DOCTEUR : Il ne manque que les dates, je les remplirai quand j'en aurai besoin. Alors, notre pacte : vous me cachez à Rome jusqu'à ce que je puisse filer en Amérique du Sud ?

RICCARDO : Comment voulez-vous déserter ? Rome est occupée par les Allemands !

LE DOCTEUR : C'est pourquoi il m'est très facile d'aller là-bas en pèlerinage. Avec un ordre de mission tout à fait régulier. J'y suis en une matinée — puis je disparais avec votre aide. D'accord ?

Riccardo se tait.

LE DOCTEUR (*impatient, pressant, convaincant*) : Oui, ne pensez donc pas toujours à vous, à votre âme ou à ce que vous voudrez. Partez pour Rome et accrochez votre message à la cloche de Saint-Pierre.

RICCARDO (*hésitant*) : Que pourrais-je annoncer de nouveau au Pape ? Des détails, certes. Mais qu'on passe les Juifs dans des chambres à gaz en Pologne — le monde le sait depuis plus d'un an déjà.

LE DOCTEUR : Oui. Mais le Vicaire du Christ doit parler ! Pourquoi se tait-il ? (*Avec zèle*) : Vous ne savez pas tout encore : la semaine dernière, deux ou trois bombes d'avion (qui n'ont tué personne) sont tombées sur les jardins du Vatican : c'est, depuis des jours, la sensation dans le monde ! Les Américains, les Britanniques et les Allemands, tous s'efforcent de prouver qu'ils ne peuvent y être pour rien. D'où l'on conclut encore une fois : le Pape est sacré, même pour les hérétiques. Profitez-en, lancez-lui un défi. Qu'est-ce qui vous prend ? Asseyez-vous. (*Il prend Riccardo par l'épaule, Riccardo s'est écroulé sur le banc*) : Vous êtes plus blanc que le mur de la chambre à gaz.

Une pause.

RICCARDO (*sur le banc, péniblement*) : J'ai déjà demandé au Pape de protester, mais il fait de la politique. Mon père m'assistait... mon père.

LE DOCTEUR (*dans un éclat de rire infernal*) : Politique ! Oui, c'est pour ça qu'il existe, l'orateur de la Pentecôte !

RICCARDO (*est pendant un moment comme absent. Puis, encore dans ses pensées*) : Ne le jugeons pas.

Pendant la dernière phrase, la bétonnière s'est tue. A droite, venant du fond, des bûchers, arrivent des coups de sifflet à roulettes. Le kapo pousse vers la droite ceux qui attendent, c'est la même scène que pour la dernière file, celle des Luccani et des autres Italiens.

Le Docteur, d'un signe, appelle à lui le kapo au sifflet. Les déportés ont descendu la pente, puis disparu. Le feu luit très haut.

LE KAPO (*revient, se met au garde-à-vous*) : Commandant !

LE DOCTEUR (*montre Riccardo*) : Cet homme vient avec vous au four crématoire. Pas de plaisanteries avec lui, compris. C'est mon patient personnel. Il doit travailler là-bas. (*Ironiquement, à Riccardo*) : Je ne vous oublierai pas, Père. Vous aurez assez à manger là-bas et un jour de travail normal de neuf heures environ. Vous pourrez faire des études, chercher Dieu. Dans quinze jours, je vous prendrai au laboratoire comme assistant, si vous le voulez, et vous le voudrez. (*Au kapo*) : Tu m'en réponds sur tes cendres ! qu'on ne touche pas à un seul de ses cheveux, pas à un cheveu. J'en parlerai à votre supérieur. Allez, fichez le camp !

LE KAPO : Bien, Commandant.

Il sort vers la droite avec Riccardo et descend la pente. Le Docteur les suit des yeux, immobile.

Rideau

Scène III

Le même décor. C'est à nouveau le matin de bonne heure, environ une semaine plus tard. Il neige. On entend une bétonnière. Helga est dans le poste de garde et se peigne, une glace à main devant le visage. Fritsche, avec les civils : le Baron Rutta et l'ingénieur en chef Müller-Saale. Ils ont des porte-documents.

Fritsche : Vous venez vraiment tôt ! Je ne peux malheureusement pas encore vous conduire au mess. Je vous en prie.

Il fait passer les civils devant lui.

Rutta : Nous sommes heureux d'avoir une journée devant nous, Commandant, et nous réjouissons de l'inspection. Monsieur Müller pourra vous montrer le contrat, vous le corrigerez, et il sera fin prêt pour midi.

Fritsche (*à la porte où sont restés les civils*) : Nous trouverons ici une table et un schnaps. L'hiver est arrivé diablement vite. Je ne pense pas de bon cœur à notre front de l'Est.

Il frappe et ouvre presque timidement.

Helga : Entrez !

Fritsche (*gêné*) : Excusez-nous ! j'amène des visiteurs venus d'Essen. Ces Messieurs iront ensuite au mess. Nous voulions juste boire un schnaps ensemble. Ils ont fait un long voyage. Je vous en prie.

Rutta (*charmant*) : Nous vous dérangeons beaucoup ? J'espère que vous vous êtes bien reposée. Bonjour !

Helga : J'étais de service de nuit, j'ai peu dormi. Ce n'est rien.

MULLER : Heil Hitler, Mademoiselle ! Bonjour.

FRITSCHE : Monsieur Von Rutta, Monsieur Müller-Saale... Mademoiselle Helga, notre jeune première, si j'ose m'exprimer ainsi. Nous sommes de service et avons froid, chère Helga.

RUTTA (*exagérément charmant*) : Nous nous connaissons ! N'est-ce pas, déjà à Berlin ! Mais où nous sommes-nous rencontrés ? Comme c'est charmant...

HELGA : A Falkensee, à l'auberge.

RUTTA : Mais oui ! Et maintenant, à Auschwitz. Le travail vous amuse-t-il ?

HELGA : Le travail reste toujours le travail. Mais mon fiancé est également ici.

MULLER : Ah ! Ah ! c'est l'amour qui vous a attirée ici. Votre fiancé est digne d'envie, je dois le dire !

HELGA : Je vous fais du café... ou bien voulez-vous un schnaps ?

RUTTA : C'est très gentil à vous, Mademoiselle Helga. Monsieur Müller prendra un schnaps, comme je le connais ?

MULLER : Ce ne serait pas si mal. D'un jour à l'autre, le temps est devenu bougrement froid.

RUTTA (*rit stupidement*) : Et moi, qui à vrai dire ne suis pas là pour vous embêter, j'aimerais mieux une tasse de café.

HELGA : Volontiers, l'eau est juste chaude.

Fritsche lui sourit un peu bêtement, il voudrait être aimable, mais ne sait comment. Elle pose les verres et les tasses ; les messieurs ont retiré leurs manteaux ; Rutta porte un manteau de fourrure et des guêtres. Tous s'asseoient. Müller-Saale a sorti de son porte-documents, un carnet, Rutta, un plan de construction qu'il étend sur le lit. Il montre Helga.

RUTTA : Mes compliments, Monsieur Fritsche. J'aurais à peine soupçonné tant de charme à Auschwitz.

FRITSCHE (*sourit comme si Helga était sa fiancée*) : Oui, la force par la beauté.

Le téléphone sonne. Helga décroche.

HELGA : Quai intérieur numéro un — oui — il est ici. Je vous en prie. Monsieur Fritsche, c'est pour vous...

MULLER (*d'une façon comiquement objective, lorsque Helga va au téléphone*) : Ce serait après la fin du service, je dirais bien que j'ai besoin d'un joli coup d'œil.

FRITSCHE (*toujours aussi plat et vide, écoute la conversation*) : Oui, nous sommes heureux que quelques dames... Excusez-moi... Merci. (*Il a pris l'écouteur pendant que Rutta déploie le plan sur le lit de camp*) : Ici, Fritsche. Oui, commandant. Gerstein ? Ah ! Il faut que ce soit *lui* qui aille le chercher ? C'est que j'ai des visiteurs d'Essen. Je ne peux pas vous amener le Père. Je propose que nous l'appelions ici et que Gerstein le reçoive lui-même. Oui, bien sûr. On n'aurait pas dû... C'est une légèreté inouïe, c'est ce que j'ai dit aussitôt. Merci. (*Il raccroche, murmure*) : Un beau pétrin ! (*Puis, sans transition, tourné vers le lit avec une attention soutenue*) : Mille tonnerres ! L'atelier de détonateurs.

RUTTA : N'est-ce pas. C'est tout de même idéal ! Une production de 500.000 détonateurs par mois ! Quand Krupp pourra-t-il lancer, à votre avis, la production à Auschwitz ? Vous avez sûrement assez de main-d'œuvre.

FRITSCHE : Plus qu'assez ! Un moment, s'il vous plaît.

Il écoute au-dehors, maintenant tous tendent l'oreille. Helga fait bouillir le café. Dans le lointain, un haut-parleur :

« Attention, un message : l'interné Riccardo Fontana, nº 16670, doit se présenter immédiatement au poste de garde du quai intérieur nº 1. Fin de la transmission. »

FRITSCHE : C'est un prêtre de Rome, un Aryen. L'Église l'a envoyé pour accompagner les Italiens, parce que quelques-uns étaient catholiques. Maintenant, il va partir. Il était là depuis dix jours... uniquement par erreur.

MULLER (*incrédule*) : Et voilà qu'il sortirait ? C'est-y pas très risqué ?

FRITSCHE : Nous lui donnons pour garants deux Polonais. Ce sont des religieux détenus; s'il parle, ils mourront. Alors, il la fermera.

RUTTA : Tiens, des otages. C'est aussi ce qu'on a fait à Essen : des ouvriers de Belgique ou de France auxquels on ne pouvait pas refuser un voyage chez eux : ils ont fourni un garant : un compatriote.

MULLER : C'est exactement comme chez le poète Schiller [1].

On rit.

FRITSCHE (*stupidement*) : Ah ! ah ! La Caution — ah ! bon ! Les ouvriers de l'Est, les Polonais, les Ukrainiens, peuvent donc, eux aussi, aller chez eux ?

MULLER : Manquerait plus que ça. Où irions-nous ?

Maintenant, le café est prêt. L'appel passe pour la deuxième fois dans le haut-parleur. Tandis que Müller-Saale cause avec Helga, Fritsche a une conversation téléphonique.

MULLER : Quel est votre pays d'origine, Mademoiselle Helga ?

FRITSCHE (*à Rutta, tout en prenant le récepteur*) : Excusez-moi, s'il vous plaît, Baron... oui ? Ici le commandant Fritsche : faites venir immédiatement au poste de garde, quai intérieur nº 1, le paquet 16670, une soutane. Quoi ? C'est un froc noir de curé catholique ! Vous ne pouvez pas le trouver si vite ? Êtes-vous fou ? 16670 a été livré la semaine dernière. J'ai expressément recommandé de ne pas le mettre avec tout le tas. Voyez donc, s'il vous plaît. Je l'espère bien. Bon. Tout de suite.

MULLER : Votre mère est-elle Saxonne, ou bien quelle est la personne de Saxe qui vous a appris à faire un café si parfait ?

HELGA : Je suis heureuse que vous l'aimiez. A Hambourg, nous savons le faire aussi.

RUTTA : Réellement excellent. Monsieur Müller, voulez-vous, s'il vous plaît, nous lire le projet ? Nous irons ensuite au bureau de Monsieur Fritsche.

MULLER (*fait la lecture*) : Voilà, grosso modo. Base du contrat : le bâtiment d'Auschwitz, 120 × 118 mètres, sera donné à bail par la S. S. à Friedrich Krupp. Deuxièmement : la sous-station de distribution construite par Krupp, installée aussi par Krupp, sera remise à l'administration S. S.

FRITSCHE : *Nous* sera remise ?

RUTTA : La sous-station de distribution seulement, Monsieur Fritsche. Les machines, n'est-ce pas, Monsieur Müller, restent la propriété de Krupp ?

1. Allusion au poème de Schiller : *la Caution.*

MULLER : Oui, oui. Troisième point : les machines restent la propriété de Krupp. Quatrièmement : le délai de résiliation est d'une année à compter jusqu'à fin d'année courante. Je crois que cela va dans votre sens, mon Commandant, si d'abord nous ne mentionnons pas du tout dans le contrat le loyer que Krupp verse par jour et par détenu à la S. S.

FRITSCHE : Bien sûr, Monsieur Müller, évidemment.

RUTTA : D'ailleurs, notre lieutenant-colonel, je pense au Docteur Von Schwarz, de l'O. K. H. [1], a déjà dit la semaine dernière ce qu'il pensait de ces plans, et il est d'accord.

FRITSCHE : Ce serait bien. Bon, nous y sommes. Encore une cigarette, et puis je dois partir.

On fume et on boit.

RUTTA : Merci de tout cœur ! Notre collègue Streifer, de l'I. G. Farben, n'a pas, Dieu merci, exagéré, lorsqu'il vantait l'harmonie exemplaire qui règne à Auschwitz entre la S. S. et l'industrie.

FRITSCHE : Oui, Siemens également occupe les travailleurs forcés de quelques camps de concentration.

MULLER : Alfried Von Bohlen voulait déjà, en septembre, envoyer quelqu'un à Auschwitz. Et Monsieur Von Bohlen sait que son bureau de Breslau, le bureau technique, entretient avec Auschwitz les rapports les plus étroits.

RUTTA (*sans transition*) : Les gens sont faciles à contrôler, ici !

FRITSCHE : Ici, oui ! Mais comment Krupp peut-il donc, à Essen, tenir en bride les vingt mille étrangers ?

RUTTA : Beaucoup obéissent. Sinon : la Police d'État, “ ton amie et ton aide ”, vient chercher l'un ou l'autre. Beaucoup reçoivent du courrier et écrivent des lettres. Le courrier des gens de l'Est est brûlé deux fois par semaine. Foutue corvée que ces gens-là ; nous ne nous en chargeons jamais avec plaisir.

Ricanements. Helga ne rit pas avec eux. Dehors, un casque d'acier est apparu. C'est Gerstein, inquiet, qui cherche quelque chose. Il jette un coup d'œil rapide dans la petite maison, hésite, son visage est sombre et crispé. Il sait qu'il ose l'intervention la plus dangereuse de sa vie. Maintenant, il se force à prendre une expression détendue et supérieure, il frappe, entre, salue.

1. Commandement suprême de l'Armée de terre.

GERSTEIN : Commandant, le chef de camp m'adresse à vous. Je vous dérange ? J'ai ordre de venir chercher ici un certain Père Fontana.

FRITSCHE (*amical*) : Heil Hitler, Gerstein... Messieurs... Je vous rejoins. Mademoiselle Helga sera assez aimable pour vous accompagner... Je suis au courant, Gerstein.

HELGA : Oui, je m'en vais aussi. Bonjour, Monsieur Gerstein.

GERSTEIN : Ah, Mademoiselle Helga, comment allez-vous ? Bonjour.

RUTTA : Nous vous remercions mille fois, Monsieur Fritsche.

MULLER (*tandis que tous trois mettent leurs manteaux en s'entraidant*) : C'était bien agréable dans votre wigwam, Mademoiselle Helga. Je voudrais bien que, tous les matins, ce soit vous qui m'apportiez le café. Heil Hitler !

RUTTA (*à Gerstein*) : Heil Hitler !

GERSTEIN : Heil Hitler !

HELGA (*crie en partant*) : Il y a encore du café, Monsieur Gerstein.

FRITSCHE (*aux civils*) : Je viens tout de suite. (*A Gerstein*) : Le curé va bientôt venir. Notre Docteur, ce n'est pas croyable, a fait la plaisanterie d'installer le Père au four crématoire comme dentiste; uniquement par plaisanterie ! Il veut, comme il dit, lui donner la deuxième communion. Seul, le Docteur est responsable de ce que ce type a pu pénétrer dans le camp. Je voulais aussitôt le renvoyer chez lui.

GERSTEIN : Où est donc le Docteur, maintenant ?

FRITSCHE (*rire réprobateur*) : Il était à nouveau parti en voyage. Il dort encore, ils dorment tous encore. Je peux à peine me tenir sur mes jambes : hier, nous avons fêté Höss (*confidentiellement*) jusqu'à quatre heures du matin. Vous savez, hein ?

GERSTEIN : Eh bien oui, mais on ne lui gardera pas rancune.

FRITSCHE (*rit en dessous*) : Le Docteur dit que Höss doit, maintenant, porter la croix du mérite militaire avec la feuille de vigne et le gland, très sérieusement : il monte même en grade, devient inspecteur de tous les camps du Reich. Toujours est-il que c'est un peu fort pour un chef de camp de coucher ici avec une Juive !

Voyez-vous, c'était sa consolation. Il a quotidiennement inspecté les fours, et au fond c'est un gaillard terriblement bon.

GERSTEIN (*sans donner le moins du monde une impression d'ironie*) : Oui, Höss a du cœur, il vous manquera ici. Aujourd'hui il est déjà à son poste, comme toujours. (*Le plus incidemment possible*) : A-t-on liquidé la Juive ?

FRITSCHE (*avec zèle*) : Non, pensez-vous, elle vit encore. C'est suspect, hein ? Je suppose que Kaltenbrunner la conserve pour avoir toujours Höss en main, ma foi. Vous ramenez donc le Père ?

GERSTEIN : A vous, Commandant ?

FRITSCHE (*lointain, évasif*) : Non, pas à moi. Je ne veux (*décidé*) rien savoir de cette affaire. Conduisez-le à Höss. Il signera là-bas une déclaration disant qu'il n'a rien vu d'autre que des parterres de fleurs.

GERSTEIN : Il se taira, s'il arrive seulement à sortir ici.

FRITSCHE : On n'a encore jamais vu personne libéré d'ici.

GERSTEIN : Je m'en suis étonné aussi. Mais ils doivent bien savoir ce qu'ils font. J'étais par hasard à l'appareil quand le Nonce a appelé. Je suis aussitôt allé voir Eichmann qui était aussi effrayé que moi.

FRITSCHE : Terrible légèreté de la part du Docteur que de laisser un curé entrer ici. Il se permet réellement trop de choses ! Hier soir, il a fait une imitation de Ley et de Heydrich : il m'a écœuré. Tout a des limites.

GERSTEIN : Heydrich, c'est assurément déplacé. Ley est bien réellement un cochon en pain d'épice, mais Heydrich !

Un kapo apparaît anxieux, émacié, portant un paquet de vêtements ficelé où pend le numéro 16670. Fritsche et Gerstein quittent la petite maison, le kapo doit apporter les vêtements à l'intérieur. Une sirène d'usine hurle, Fritsche regarde sa montre et la met à l'heure.

FRITSCHE (*rit*) : Cochon en pain d'épice est bon. Et toujours saoul. La soutane ! Là, dans la petite maison, pose-la ici. Ainsi Gerstein, le curé...

LE KAPO : Oui, oui.

FRITSCHE : ... va venir tout de suite. C'est qu'on est ici à deux bons kilomètres du crématoire.

GERSTEIN : Et malgré tout, toujours aussi pénétrante l'odeur de chair ? Que disent les habitants des environs ?

FRITSCHE : Ils sont au courant, naturellement. Ce que vous sentez là ne vient pas des fours. Ce sont les fosses d'incinération ouvertes. Nous ne nous en sortons plus avec les fours. Je dois partir maintenant, je ne veux rien, plus rien savoir de cette affaire. Cela peut mal tourner.

Carlotta vient, passe timidement devant les deux uniformes, avec un seau d'eau et une brosse, entre et commence à nettoyer le sol à genoux. Elle voit sur une chaise le miroir à main d'Helga, recule un peu son foulard et regarde ses cheveux coupés, son visage sali et ravagé. C'est la première fois depuis sa déportation qu'il lui est possible de faire cela. Puis elle se met à pleurer sans bruit. Lorsque Gerstein entrera dans la petite maison, elle s'efforcera de ne rien laisser voir.

FRITSCHE : Dites cela à Berlin, s'il vous plaît. Que je suis parfaitement irresponsable. J'ai pensé tout de suite qu'il ne resterait pas ici (*il montre le paquet*) et c'est pourquoi ses vêtements n'ont pas été jetés dans le grand tas. (*En partant*) : Ainsi, je n'ai commis aucune faute, Heil Hitler, Gerstein ! Et remontez-le un peu à la cantine. Heil.

GERSTEIN : Merci. Heil Hitler, mon Commandant, merci beaucoup. (*Entre ses dents*) : Trou du cul...

La nervosité le pousse à s'agiter, il allume une cigarette, puis prend garde à la fille qui frotte le plancher. Il entre dans la petite maison pour se délivrer de sa propre inquiétude. Lorsqu'il entre, la fille recule, chaque mouvement trahit son angoisse devant les uniformes. Gerstein tire de sa poche un morceau de pain, l'ôte du papier et le tend à Carlotta.

GERSTEIN : D'où venez-vous ? Tenez, mangez cela. Depuis longtemps ici ?

CARLOTTA (*sans se lever, ni prendre le pain*) : De Rome — merci — depuis huit jours.

GERSTEIN : De Rome ? Alors, vous connaissez le Père qui a été convoqué ici, le Père Fontana ? Prenez donc le pain.

CARLOTTA : Nous le connaissons tous. (*Refusant, de peur d'être espionnée*) : Pourquoi me donnez-vous du pain ?

GERSTEIN (*pose le pain sur la chaise*) : Parce que je viens pour cela. Vous avez faim. Puis-je envoyer une lettre pour vous ?

CARLOTTA (*après un silence*) : Non, merci.

GERSTEIN : Vous n'avez pas confiance en moi. Donnez des nouvelles au Père. On le laisse partir pour Rome.

CARLOTTA (*contente, puis triste*) : Partir ? Oui. Il ne fait pas réellement... partie de nous autres.

GERSTEIN (*prend une feuille et une enveloppe sur la table de la machine à écrire, dévisse son stylo et pose tout sur la chaise*) : Écrivez ici pour que personne ne le voie. Le Père portera la lettre à Rome.

CARLOTTA (*continuant à refuser ; avec une emphase tout italienne, à la fin, sa voix s'effondre dans les larmes*) : A qui donc dois-je écrire ! Mon fiancé est tombé en Afrique — pour l'Allemagne, à la conquête de Tobrouk. — En remerciement de cela, ils ont ensuite déporté mes parents, puis moi, et tous, ma sœur et ses enfants. Dites-moi plutôt, sont-ils déjà morts ? Dites-le-moi. Nous sommes arrivés le 20 octobre. On nous a séparés sur le quai de la gare. Une centaine environ est venue ici. On a emmené les autres en auto, où donc ? Des autos avec la Croix-Rouge. Vous devez savoir, où donc ?

GERSTEIN (*impuissant*) : Je ne fais pas partie de la garde du camp. Réellement. Je ne sais pas. Je ne vais pas à l'intérieur. (*La bétonnière se met en marche. Carlotta tend un moment l'oreille au bruit du dehors. Lui change de sujet*) : Votre fiancé n'était pas Juif ? Écrivez donc à ses parents. Ils chercheront, par l'intermédiaire du Vatican...

CARLOTTA : Non, mes beaux-parents sont responsables de ce que je suis devenue catholique.

GERSTEIN : Et vous le regrettez, pourquoi ?

CARLOTTA : Ce sont des catholiques, des fascistes catholiques, qui m'ont livrée aux Allemands et m'ont pris la dernière photo de Marcello et ma bague de fiançailles : c'est peut-être la punition de ce que j'ai quitté mon peuple et suis passée à l'Église.

GERSTEIN : Vous ne devez pas dire cela ! Des catholiques aussi sont poursuivis. Beaucoup de prêtres ont déjà été tués en Pologne et en Allemagne. Et le Père Riccardo qui est venu de lui-même...

CARLOTTA (*refusant de voir cela*) : Ce sont des cas isolés, des êtres en marge...

GERSTEIN : Bien sûr. Et pourtant. La plupart des Italiens ont horreur de la violence, que ce soit l'Église ou le peuple.

CARLOTTA (*en se mettant à nouveau ostensiblement au travail*) : Refusent la violence — comme vous, n'est-ce pas ? Chrétiens. Tous chrétiens. Marcello, lui, était chrétien. Il pouvait estimer une autre foi et me la laisser pratiquer. Mais j'ai écouté ses parents qui l'ont tourmenté jusqu'à ce que je devienne catholique. (*Très amèrement*) : Comme catholique, je me sentais en sécurité à Rome. C'est pourquoi je ne me suis pas cachée. Ne pouvez-vous pas savoir si ma famille vit encore ?

GERSTEIN : Vraiment, je ne le peux pas. Je ne le sais pas. Écrivez au moins votre nom pour le Père Riccardo.

CARLOTTA (*tout à coup changeant d'avis, commence, accroupie par terre, à écrire en toute hâte une lettre, se sert de la chaise en guise de pupitre. Ensuite, seule dans la petite maison, elle va se remettre à pleurer, puis déchirera ce qu'elle a écrit, peu de temps avant que Gerstein n'entre avec Riccardo, pour donner ensuite les morceaux de papier à Gerstein*) : S'il vous plaît, j'aurais bien voulu écrire une lettre. Je vous remercie. Excusez-moi.

GERSTEIN (*lui sourit, va à la fenêtre, dit vite, pour lui-même, mais à voix haute*) : Mais c'est Jacobson !

Il ouvre la fenêtre et bondit presque à sa rencontre, lorsqu'il sent que Jacobson ne peut que crier son nom, tant il est troublé de le retrouver ici. Un sourire éclaire sa " tête de mort ", sourire qui menace à tout instant de se changer en sanglots. Gerstein n'a pas le courage, malgré l'immense danger, de dire à Jacobson pourquoi il est venu.

JACOBSON : Gerstein, vous ?... (*Doucement*) : Je l'ai espéré autrefois.

GERSTEIN (*a reculé de trois pas pour fermer la porte de la maison*) : Seigneur Dieu, Jacobson ! Vous ici. Je pensais que vous étiez en Angleterre, où vous a-t-on attrapé ? Vous aviez pourtant le passeport de Riccardo.

JACOBSON : Au Brenner, sous prétexte que la photo du laissez-passer — une vieille photo — ne me ressemblait pas. Malgré tout, je m'en suis tenu à mes papiers, malgré les tortures, sinon ils m'auraient tué aussitôt. Je reste ici parce que je suis le Père, vous comprenez : je m'appelle Père Fontana. Je suis le Père, comprenez-vous. (*Pendant qu'il parlait, il s'est retourné plusieurs fois, méfiant, mais on sent qu'il s'est presque identifié avec ce rôle, qui est son seul espoir. D'une voix rauque*) : Je dois trier sur le quai extérieur les cadavres de ceux qui ont été gazés. Je trouve souvent des bijoux que je troque contre du pain avec les cheminots. C'est pourquoi je vis encore. Parce que je les hais, je veux sortir d'ici. Sinon, je serais depuis longtemps allé dans les fils de fer barbelés. Mais vous m'avez fait appeler...

GERSTEIN : Pas vous, Jacobson ! (*Désespéré*) : Comprenez donc : Riccardo Fontana est dans le camp ! C'est pour lui que je viens. Comment pouvais-je supposer que vous étiez à Auschwitz !

JACOBSON (*qui ne comprend pas*) : Comment donc ? Le Père ici ? Mais il n'est pas Juif ! Comment est-il venu ?...

GERSTEIN : On a déporté les Juifs de Rome, il est venu volontairement avec eux. Il est à Auschwitz depuis une semaine. Maintenant, on va le libérer.

JACOBSON (*sceptique, puis s'efforçant d'être cordial*) : Libérer d'Auschwitz ? Incroyable ! Mais... Je suis content pour le Père.

GERSTEIN : Nous rencontrer ici, Jacobson ! Il m'est insupportable d'être si impuissant en ce qui vous concerne.

JACOBSON (*incapable de cacher son amertume croissante*) : Oui, je ne suis pas un Père, Gerstein. Un Père vaut un ultimatum.

GERSTEIN (*rit brièvement et méchamment*) : Ultimatum ? De qui donc ? Croyez-moi, j'ai seulement simulé cette mission pour remettre Riccardo en liberté.

JACOBSON : Alors, vous simulerez encore une mission, pour qu'on sorte cette fille-là, ou moi, ou n'importe lequel d'entre nous !

GERSTEIN : Vous savez, Jacobson, je ne peux pas faire cela. Je suis sous-lieutenant, rien de plus. Ma vie est en ce moment plus en danger que la vôtre, Jacobson !

JACOBSON (*détourne les yeux*) : Pardon. Vous portez le même uniforme...

GERSTEIN : Comment aurais-je pu venir autrement ? Cet uniforme, le fait que je ne puisse plus l'enlever, est ma punition de la faute qui pèse sur nous tous. Notre résistance...

JACOBSON : Résistance ? Pourquoi, Gerstein ? Ne suffit-il pas d'arracher les rails menant à Auschwitz ? Où est donc votre résistance ? (*Doucement, instamment, désespéré*) : Ou bien êtes-vous toujours un isolé ? Comment, surtout, pouvez-vous vivre, tout en sachant ce qui se passe ici, jour après jour, depuis un an ! Vous vivez, vous mangez, vous faites des enfants, et vous savez, et vous savez pourtant tout sur les camps. (*Il prend Gerstein par les épaules, il y a des larmes dans sa voix*) : Que ça finisse, que ça finisse enfin, n'importe comment ! (*Incohérent*) : Les Alliés, pourquoi ne parachutent-ils pas des armes pour nous. Ah, Gerstein, je ne veux pas vous accuser, Dieu le sait : si je vis encore, c'est à vous que je le dois... C'est que... j'étais déjà assez engourdi pour oublier. Maintenant revient avec vous la conscience qu'il y a encore un monde au-delà du camp. Gerstein, vous pouvez bien encore faire quelque chose pour moi.

GERSTEIN : Si je pouvais quoi que ce soit...

JACOBSON (*vite*) : Vous direz que j'ai voulu me faire passer pour le Père et vous ai attaqué ensuite, lorsque le vrai est venu ! Tuez-moi.

GERSTEIN : Jacobson !

JACOBSON (*le suppliant*) : Tuez-moi, Gerstein. Je vous aurai attaqué. C'est pourtant possible ! Je vous en prie, Gerstein, aidez-moi ! Je n'ai plus moi-même le courage d'aller me jeter dans les fils de fer barbelés. Il y en a qui ne sont pas morts sur le coup.

GERSTEIN : Vous avez survécu une année entière, sûrement vous tiendrez jusqu'au bout, Jacobson ! Une année encore — au maximum un an encore, puis les Russes vous libéreront.

JACOBSON : Un an !

GERSTEIN : Ils ont déjà repris l'Ukraine.

JACOBSON : Gerstein, pourquoi ne le faites-vous pas ? Pourquoi ?

Gerstein secoue la tête, ne peut rien dire.

JACOBSON (*se détourne*) : Alors, je vais partir pour ne pas vous... mettre en danger, ainsi que le Père.

GERSTEIN (*désemparé, agité, n'y tient plus*) : Non, Jacobson, ne partez pas ainsi.

JACOBSON : Quatre mille, cinq mille, plus encore, sont passés quotidiennement ici à la chambre à gaz. Je ne peux plus que m'épouvanter du monde qui permet cela. (*Il se reprend, objectif.*) Et ce qu'il y a de plus diabolique, c'est que celui qui fuit provoque la mort de dix autres dans le Bunker. C'est arrivé un jour : on en a condamné dix à mourir de faim. Nous les avons entendus crier pendant sept jours. Le Père Kolbe doit avoir été le dernier. C'est ce qui m'a retenu; oui, la chance pouvait se présenter, là-bas, sur le quai. Récemment, j'aurais peut-être pu sortir dans un des wagons qui transportent à Breslau les chaussures des gazés.

GERSTEIN : Le Père doit être remis officiellement en liberté, croit-on ici. Personne ne devra donc expier, sauf moi, si l'affaire est éventée.

Riccardo, muet, ému de voir Gerstein ici, est apparu derrière Jacobson qu'il ne reconnaît pas aussitôt. Riccardo, au bout de huit jours, est terriblement marqué par le travail qu'il doit faire au crématoire.

GERSTEIN : Riccardo ! Je suis chargé par le Nonce de venir vous chercher.

RICCARDO : Gerstein ! Vous n'auriez pas dû venir me chercher. Jacobson, vous !

JACOBSON : Comment avez-vous pu arriver ici, Père ? Je vis grâce à votre nom.

RICCARDO : Jacobson, pardonnez-moi, je croyais que vous étiez arrivé à passer.

GERSTEIN (*pressant, car apparemment Riccardo n'a pas encore compris*) : Riccardo, vous allez être remis en liberté !

RICCARDO : En liberté ! (*Il s'assied, soudain épuisé, sur les marches de la salle de gardes.*) Je ne peux plus, je me suis déjà dit cent fois que c'était trop de présomption d'être venu ici. Je ne résiste pas, je ne résisterai pas. (*Il pleure sans bruit. Personne ne peut parler.*) Depuis une semaine, je brûle des hommes dix heures par jour. Et, avec chaque homme que je brûle, c'est aussi un morceau de ma foi qui brûle, c'est Dieu qui brûle. Des cadavres, des cadavres à la chaîne, un chemin de charognes sans fin, l'Histoire... Si je savais qu'Il voit cela (*avec dégoût*) je devrais... Le haïr.

GERSTEIN (*incertain, fait lever Riccardo*) : Nous tous ne Le comprenons plus, Riccardo. Mais maintenant, Il veut vous sauver.

RICCARDO (*fatigué*) : D'où le savez-vous ? Et pourquoi moi ? Je ne parlais pas de moi... Les familles... (*Murmure, incohérent*) : J'ai, j'aurais seulement peur d'être sauvé (*il montre le ciel d'un geste vague*) par Lui, ce monstre qui dévore ses enfants.

JACOBSON (*plus fort qu'auparavant, résolu*) : Père, parlez en notre faveur, aidez-nous ! Dites au Pape qu'il lui *faut* maintenant *agir*.

RICCARDO : Je ne parviendrai jamais plus jusqu'au Pape. Le Pape ! (*Soudain*) : Comment pouvez-vous donc penser à cela : aller à Rome ?

GERSTEIN (*avec fièvre*) : Vous devez survivre, Riccardo, vivre, n'importe où...

RICCARDO : Vivre ? De là-bas, on ne peut plus revenir pour continuer à vivre. (*Il montre Jacobson*) : Et lui ? Et tous les autres ? Je suis venu avec une mission qui doit me retenir. Sans doute ne sais-je plus si elle est encore valable, je ne sais pas. Mais si elle n'est plus valable, ma vie ne vaut plus rien non plus... Laissez-moi.

JACOBSON : Père, vous mettez Gerstein en danger si vous ne partez pas avec lui, car il a inventé sa mission.

GERSTEIN : Vous n'auriez pas dû dire cela.

JACOBSON : Pour qu'il parte enfin, c'est urgent !

RICCARDO (*a sursauté*) : Ainsi ! Je m'en étais douté, Gerstein. Vous étiez jadis tellement circonspect en dépit de votre hardiesse. (*Désespéré*) : Pourquoi maintenant cette folie de me suivre ?

GERSTEIN (*sombre*) : Parce que je vous ai sur la conscience. C'est moi qui d'abord vous ai mis dans cette voie.

RICCARDO (*marche rapidement vers lui*) : Et qu'aurais-je sur la conscience si je n'étais pas ici ? Souhaitez-vous que, moi aussi, je me dérobe ? Non : réellement, vous n'êtes pas responsable de ma présence ici. Mais ce n'est pas ma faute non plus, n'est-ce pas, si quelque chose vous arrive parce que je reste ? Comprenez-moi donc : je ne peux pas partir. Pourquoi me tenez-vous encore, vous voyez bien, je ne suis plus de taille à vous tenir tête en ce moment. (*Doucement*) : Je — j'expie, je dois le faire.

GERSTEIN (*ému*) : Vous avez expié depuis longtemps, Riccardo. Vous sortez du feu.

RICCARDO : Gerstein, je vous en prie : emmenez-le avec vous.

JACOBSON : Moi ?

GERSTEIN : Et s'il en meurt ?

JACOBSON (*fermement*) : Père, je n'accepte pas.

RICCARDO : Jacobson, je ne reste pas pour *vous*. Ce n'est ni pour ma propre personne, ni pour la vôtre. Je représente ici l'Église. Je ne peux pas partir, même si je le voulais. Je le voulais, Dieu le sait. Vous ne me devez rien, Jacobson. Si vous ne partez pas, personne ne partira. (*Il parle avec des interruptions accablantes, tandis que Gerstein, trouvant insupportable l'idée de les laisser là tous les deux, n'a plus qu'une présence passive — et nourrit cependant de sombres pressentiments.*) Mettez encore une fois ma soutane, si Gerstein est d'accord.

JACOBSON : Je ne peux pas accepter cela — pas de vous, à plus forte raison de lui.

Il a montré Gerstein, dont ils attendent tous deux la réponse. Pour ne pas montrer sa peur de l'entreprise, il se refuse à prendre une décision de lui-même.

GERSTEIN : Je n'ai rien à dire à cela. Décidez vous-mêmes.

RICCARDO : Vous pouvez faire tout ce que je ne peux pas. Vous pouvez tuer, saboter. D'ailleurs, vous ne survivrez pas. Gerstein ne doit pas vous libérer pour que vous vous cachiez...

GERSTEIN (*ne peut pas se taire plus longtemps*) : Le côté pratique : est-ce que vous, ou vous, êtes personnellement connu de quelqu'un à la direction du camp ?

JACOBSON : Non.

RICCARDO : Seul le médecin-chef me connaît.

GERSTEIN (*recule, hors de lui*) : Le Docteur ! Arrêtez ! Le fait que le Docteur vous connaisse, Riccardo, rend la fuite si difficile que nous devons nous demander si nous pouvons nous risquer à cela. Il habite à l'entrée du camp. Je ne suis pas de taille à me mesurer avec lui.

RICCARDO (*pressant*) : Ni le Docteur, ni personne ne peut prouver que vous me connaissiez, Gerstein, et que vous connaissiez déjà Jacobson.

GERSTEIN (*avec une extrême impatience*) : Oui, c'est peut-être mon affaire. (*Il montre Jacobson*) : Mais quelle chance lui reste-t-il si le Docteur le trouve avec moi ? Nous ne faisons que mettre Jacobson en danger.

Une pause, tous deux regardent Jacobson. Il hésite, puis doucement :

JACOBSON : J'aime encore mieux courir le risque et me casser le cou, qu'attendre dans la colonne, à la gare, que l'on me compte automatiquement pour passer à la chambre à gaz. Gerstein, je vous le jure : les bandits n'apprendront jamais de moi que vous me connaissez.

GERSTEIN (*impatient*) : Il ne s'agit plus de moi maintenant. Il s'agit de vous. Décidez. Ou bien retourner au travail; car là-bas, sur le quai, vous pourrez peut-être survivre... Alors, j'annonce au Commandant que le Père s'est refusé à garder le silence après sa libération et ne peut donc pas être remis en liberté. Ou bien nous allons vers la porte du camp, vers le Commandant; mais le chemin vous mènera peut-être dans les griffes du Docteur. Ce que cela signifie, vous le savez. Les chances sont à égalité.

JACOBSON : Et — que vous arrivera-t-il ensuite ?

GERSTEIN : Je m'en tirerai — peut-être — avec de belles paroles. Vous décidez uniquement pour vous-même.

JACOBSON (*vite, et fermement*) : Alors, je veux essayer.

A partir de maintenant, Gerstein réagit vite, sans sentimentalité et avec entêtement jusqu'à la fin, jusqu'au désespoir complet.

GERSTEIN : Pas ici, là, dans la petite maison. Bon. Essayons. La soutane y est déjà.

RICCARDO (*s'efforçant d'être objectif*) : Mon bréviaire est-il là ? Laissez-le-moi, et puis je m'en vais. Carlotta !

Riccardo et Gerstein vont dans la petite maison. Jacobson reste en arrière, il a peur tout à coup.

CARLOTTA (*cordialement*) : Père, vous êtes libéré !

GERSTEIN (*pressant à Jacobson*) : Venez donc, Jacobson, ça presse.

RICCARDO : Je reste avec vous, Carlotta. Votre père vit encore. Je l'ai vu hier soir à l'appel...

GERSTEIN (*à Jacobson qui hésite encore, très irrité*) : Changez de vêtements, que diable, changez de vêtements.

CARLOTTA : Comment était-il ? Et ma mère, ma sœur, les enfants...

Jacobson enlève maintenant sa veste et passe la soutane sur ses vêtements de dessous sales et déchirés. Tandis que Riccardo tire d'une poche de la soutane son bréviaire et son chapelet. Il essaie de cacher son visage à Carlotta, il sait que les femmes ont déjà été brûlées.

RICCARDO : Non, Carlotta, je n'ai pas vu les femmes. Votre père reste vaillant.

CARLOTTA (*sort les morceaux de papier de la poche de son tablier*) : Merci, je... ne pouvais pas écrire cette lettre. Prenez ceci, s'il vous plaît, pour qu'on ne le trouve pas sur moi.

GERSTEIN (*désespéré*) : Le Père reste avec vous.

CARLOTTA (*déconcertée, ne veut pas le chapelet que Riccardo lui tend, mais ne veut pas non plus repousser Riccardo*) : Non, Père, non. Gardez-le vous-même. Vous restez ?

RICCARDO (*qui ne comprend pas son refus et lui pose le chapelet dans la main, en souriant*) : Oui.

GERSTEIN (*à Riccardo, il a peur*) : Si le Docteur nous rencontre, Riccardo, vous nous reverrez demain tous les deux, là-bas.

Riccardo donne sans mot dire la main à Gerstein, Jacobson qui porte déjà la soutane prend Riccardo par l'épaule :

JACOBSON : Je vous remercie. (*Fanatique*) : Tenez jusqu'au bout ! Nous viendrons. Nous vous vengerons.

RICCARDO (*s'efforçant de sourire*) : Alors, vous devrez vous dépêcher... Adieu. Gerstein, mon père ne doit pas savoir où je suis. Dites-lui que mon destin s'est accompli. Vous savez la vérité. Carlotta !

Il sort vite et, quand il est sorti de la petite maison, fait un geste bref qui montre comme il est bouleversé. Gerstein l'a accompagné jusqu'à la porte puis se détourne. Un long silence.

GERSTEIN (*d'un ton pénétrant à Carlotta*) : Ne pas tomber malade, rester à tout prix capable de travailler. Ils ne peuvent pas vous tuer tous.

JACOBSON : Je dois avoir honte, parce que je pars et que vous restez.

CARLOTTA : Mais je suis très heureuse pour vous.

JACOBSON : Gardez-vous de la tristesse. Celui qui pleure ici est perdu.

Carlotta fait un signe de la tête sans rien dire, et sort vite pour chercher de l'eau, mais surtout pour faciliter le départ des deux autres. Gerstein donne ses instructions avec une maîtrise déjà convulsive. Jacobson vient de passer la soutane sur le pantalon rayé et troque les sandales de bois contre les souliers.

GERSTEIN : Maintenant, allons chez le Commandant. Parlez le moins possible. Vous êtes ici depuis huit jours, vous comprenez, huit jours. Vous devez signer, sur la vie de deux Pères, que vous vous tairez, faites-le. Et puis, nous partons. Parlez le moins possible... Vous étiez en fonction au four crématoire. Essayons.

JACOBSON : Il était là depuis huit jours ? Mais j'ai (*montre son bras*) un numéro complètement différent...

GERSTEIN (*sombre*) : Tant pis ! On ne vous le demandera pas. (*Il est déjà à la porte et sursaute*) : Là derrière, le Docteur ! Il faut seulement passer vite.

JACOBSON (*d'une voix perçante et lentement*) : Il vient ici !

GERSTEIN (*de même*) : Reprenez-vous. (*D'un ton de commandement*) : Père, s'il vous plaît, passez devant.

Il adopte vis-à-vis du Docteur l'attitude la plus détendue possible : le Docteur porte un calot, passe devant lui, accompagné d'un S. S. casqué qui tient un pistolet-mitrailleur prêt à tirer ; il tient son stick de ses deux mains, il est très élégant, depuis ses gants de cuir souple jusqu'à ses hautes bottes de cuir et à sa large cape noire. La " scie circulaire ", toute proche, a préparé son entrée.

LE DOCTEUR : Si pressé, Gerstein ? Salut !

GERSTEIN : Heil Hitler, Commandant ! Je viens chercher le détenu Fontana, le Père. (*Sans transition, faisant un essai inutile pour changer la conversation, il s'efforce de dire familièrement*) : D'ailleurs, Docteur, vous avez là une fille... (*Embarrassé, il regarde autour de lui*) : Elle vient de Rome. Où est-elle ? Ah oui, elle est allée chercher de l'eau. Son fiancé est mort pour l'Allemagne.

LE DOCTEUR : Alors, il ne sera pas obligé de la pleurer.

GERSTEIN (*en jargon*) : Vous allez la lever, Docteur ?

LE DOCTEUR (*rit*) : Je le veux bien, si elle est piquante. Je la prendrai dans mon laboratoire privé. Une Romaine qui a récemment échappé à notre fête des Tabernacles et à la grande récolte d'automne est, en tout cas, quelque chose de rare dans notre camp. Mais je me suis levé, Gerstein, pour prendre congé de notre Père. (*Il bâille comme une porte de grange.*) Vous faites du bruit de si bon matin ! (*Regarde Jacobson en lui ricanant au visage.*) Assez pressé, n'est-ce pas ? Touchant, touchant. Les Hébreux font-ils donc partie maintenant de *l'Una Sancta* ?

GERSTEIN (*avec une sûreté bien jouée, rogue*) : Hébreux ? Qu'est-ce que cela veut dire ! Pourtant, le Commandant S. S. Fritsche m'a bien...

LE DOCTEUR (*irrité par ce nom*) : Ah ! ne me parlez pas du Doctor *uris neutrius* Fritsche. Cela ne concerne nullement Fritsche !

GERSTEIN : J'ai mission du Colonel Eichmann...

LE DOCTEUR (*sarcastique*) : Tiens !

GERSTEIN : Ce Jésuite, diplomate du Saint-Siège, qui a été livré par erreur.

LE DOCTEUR : Par erreur ? Ils le sont tous. Que signifie cela...

GERSTEIN (*sans se laisser déconcerter*) : ... pour le conduire au Nonce à Berlin. Maintenant, il est ici.

LE DOCTEUR : Qui ? Le Nonce ? C'est ça, le Nonce ? (*Avec un profond salut devant Jacobson*) : Excellence ! Est-ce exact que le Bon Dieu est malade ? On dit qu'il a de nouveau des dépressions — comme autrefois, lorsque son Église a brûlé les Juifs et les protestants en Espagne.

GERSTEIN : C'est le Père Riccardo Fontana.

JACOBSON (*essaie d'entrer dans le jeu*) : Je crois aussi que Dieu a maintenant beaucoup de chagrin.

LE DOCTEUR (*joue avec son stick, jouit de ce qu'il dit*) : Ou bien est-ce la syphilis, que beaucoup de Saints attrapèrent ici-bas chez les putains, et les sodomites comme saint François ? Vous vous êtes mis dans une belle merde, Gerstein, vieux finaud. Je vous ai percé à jour dès notre voyage à Tübingen. Mais je prends plaisir à voir des chrétiens de votre subtilité.

GERSTEIN (*révolté*) : Je vous prie de vous abstenir, Docteur, j'exige une explication.

LE DOCTEUR : Ainsi, vous exigez ! Vous exigez que je me prenne pour un idiot. Vous me prenez pour un Adolf Eichmann. Vous me le paierez, Gerstein.

GERSTEIN : Je ne vous comprends absolument pas.

LE DOCTEUR : Vous comprenez parfaitement que je connais le Père.

GERSTEIN (*à Jacobson*) : Vous connaissez le Docteur, Père ?

LE DOCTEUR (*pousse Jacobson de côté, avec son stick*) : C'est le vrai Père que je connais, le vrai. Lorsqu'il est arrivé ici il y a huit jours, il a voulu aussitôt me convertir. C'est un charmant chansonnier du Christ, qui doit me divertir en qualité de chapelain. (*Il montre le reflet du feu*) : Dès que l'encens des fours lui monte au nez, il crache sur sa foi. (*Il donne du petit stick sur le visage de Jacobson*) : Qu'a donc celui-ci de si attrayant que vous l'ayez voulu ? C'est par amour du prochain ? Beau sentiment chrétien !

GERSTEIN : Il est facile, Commandant, de me mettre en boîte parce que je vais au temple quand il me convient.

LE DOCTEUR : C'est vraiment émouvant de voir un membre de l'Église confessante venir ici pour libérer un prêtre en racontant des histoires invraisemblables, et faire en fraude sortir un Juif du camp !

GERSTEIN (*avec une ironie apparemment amère*) : En fraude ! Ridicule, faire sortir en plein jour un détenu en fraude en passant devant Höss ! Je l'emmène maintenant chez le Commandant. De quoi m'accusez-vous réellement ? Est-ce moi qui ai convoqué le détenu ? S'il n'est pas celui qu'on cherchait, d'où l'aurais-je su ?

LE DOCTEUR (*siffle dans son sifflet à roulettes, rit méchamment*). D'où ? D'où vous le savez ? Vous aurez encore à nous le raconter.

Carlotta revient avec le seau d'eau et se remet au travail dans la petite maison.

GERSTEIN (*avec fièvre, lui coupe la parole*) : Comme si j'avais insisté pour faire sortir moi-même le Père du camp ! Je voulais attendre dehors. Ce n'est que parce que le Commandant Fritsche, avec ses visiteurs d'Essen, s'est fait excuser, ce n'est que pour cela que Fritsche m'a prié, ainsi que Höss, d'attendre le Père ici sur le quai. Tiens voici d'ailleurs la fille qui revient. (*Il montre Jacobson, le Docteur a sifflé à nouveau.*) Si vous avez des doutes...

LE DOCTEUR : Des doutes ! Je vous arrête, Gerstein : vous étiez tous les trois ensemble auparavant, et vous avez machiné tout cela. Je voulais seulement savoir quel degré d'imbécillité vous nous prêtiez. Rome ne l'a pas demandé le moins du monde, sinon vous ne l'auriez pas échangé contre celui-là. Otez-lui son ceinturon ! Arrêté ! (*Il a dit les derniers mots au garde. Gerstein sort son revolver, on ne sait pas s'il veut tirer, le garde le lui arrache des mains et le lance sur le côté d'un coup de botte. Le garde ricane, Gerstein se défait en hésitant de son ceinturon. Le Docteur, aussitôt après, s'est tourné vers un autre garde qui s'empare de Riccardo resté à quelques pas de distance. Carlotta, dans la petite maison, pressent que, dehors, le pire est arrivé. Maintenant, elle ouvre la porte et commence à laver les trois marches. Riccardo, absorbé par la contemplation de la situation, suit à peine le bavardage du Docteur*) : Salut, cher Père, maintenant, avez-vous trouvé la réalité réconciliée avec l'idée, là-bas près des fours ? Ce baptême du feu vous range parmi les grands *testes veritatis*. Je pense que vous vous montrez reconnaissant, en tant que chapelain, de ce que je vous rende possible d'étudier de tout près le Golgotha de l'esprit absolu ? Un peu fatigué, n'est-ce pas ? Maintenant, celui qui, comme vous, honore l'Histoire universelle en tant que thérapeutique... (*Il rit d'un air provocant.*)

RICCARDO (*détendu et blessant*) : Vous ne vaincrez jamais, c'est ce qui vous rend si bavard. Vos pareils ne font que triompher, provisoirement. En quoi cela me concerne-t-il ?

JACOBSON (*a, tout à coup, la cruelle révélation de ce qu'il doit faire, pour décharger au moins Gerstein ; il s'avance*) : Je rends compte que j'ai trompé le Commandant. Je me suis fait passer pour le Père. Parce que celui-ci ne s'est pas présenté, je suis allé au corps de garde. Il n'était pas là... il n'est pas venu, c'est pourquoi...

LE DOCTEUR (*après la dernière phrase qui doit — bien stupidement — informer Riccardo, il est en rage*) : Un mot encore — et tu passes vivant dans le four ! Demi-tour, demi-tour, je dis. (*Jacobson obéit.*) A genoux, à genoux, là ! Et maintenant, la gueule dans la merde. (*Jacobson est par terre, le visage au sol. D'un air triomphant, à Gerstein, tandis qu'il montre Riccardo*) : Alors, mon cher collègue, il ne voulait pas venir avec vous ? Ou bien est-ce vous qui ne le vouliez pas ? (*Ironique*) : C'est pourtant celui pour lequel le Pape pleurniche depuis des nuits déjà dans la Chapelle Sixtine.

GERSTEIN (*montrant Riccardo*) : Je vois cet homme pour la première fois. Comment puis-je savoir lequel est le véritable ? Ce n'est pas mon affaire d'examiner cela.

LE DOCTEUR (*regarde Carlotta*) : Ah ! Interrogeons donc la fille. Viens par ici, toi ! Allez, viens. Oh ! Oh ! L'Ignace de Loyola !

Les Exercices ! Lecture pour crématoire. Furent toujours lus avec plaisir à haute voix devant des bûchers.

Il a rapidement tiré le bréviaire de la poche de Riccardo. De l'autre bras, il saisit Carlotta, qui s'est approchée en hésitant.

RICCARDO (*lui parle vite, puis au Docteur*) : Carlotta ! Vous ? Nous avons été déportés ensemble... Vous me reconnaissez bien encore ?

CARLOTTA (*essaie d'entrer dans le jeu*) : Père, comme c'est bien que vous viviez encore.

LE DOCTEUR (*sans écouter, à la fille, tandis que, le stick sous le bras, il feuillette avidement les* " *Exercices* ") : Tu viens de Rome avec ta famille, tu es catholique ?

CARLOTTA : Oui.

LE DOCTEUR : Où donc est le passage où il s'agit de filles ?)*Il fait maintenant, avec volupté, la lecture ; l'arrière-plan et lui-même, par son attitude, confirment le texte de Loyola*) : " Le diable sur le trône sortant du feu et de la fumée attire comme un séducteur " nous connaissons, ah ! ah !; et ici : " Je regarde avec les yeux de l'imagination les puissants brasiers et les âmes enfermées dans les cadavres qui brûlent. Je sens avec le sens de l'odorat la fumée, le soufre, l'odeur des immondices et les objets pourris. " Et pour les filles, Père, où est-ce donc ? Le péché de la concupiscence, mon amour de la chair, (*il rit*) : du monde... On devrait vous y mettre, mon Père. Dois-je vous fourrer tous les deux dans le brasier ? (*Sans transition, à Carlotta, tandis qu'il ferme le bréviaire*) : Tu étais bien de corvée de nettoyage ici à 7 heures ? Étais-tu à l'heure, aujourd'hui ?

CARLOTTA (*qui a peur*) : Oui, j'étais à l'heure.

LE DOCTEUR : Ton fiancé est mort ?

CARLOTTA : Oui, à Tobrouk.

LE DOCTEUR : Tiens, tiens. Comment s'appelait-il, comment s'appelait-il donc ?

CARLOTTA : Marcello...

LE DOCTEUR (*très vite*) : Ainsi, tu étais à l'heure ici ! Mais es-tu arrivée plus tard que le Père, ou quoi ?

CARLOTTA (*éperdue, n'ose pas répondre, bredouille*) : Je... je ne sais pas... J'étais...

RICCARDO (*tranquillement, désigne Jacobson, veut aider Carlotta*) : Si le Père était déjà là quand vous êtes arrivée, Carlotta ?

LE DOCTEUR (*très irrité*) : Père, ne descendez donc pas au-dessous de votre niveau ! (*Incidemment à Carlotta, tandis qu'il montre Riccardo*) : Alors, quand ton ami est-il arrivé ici ?

CARLOTTA : Le Père... je ne sais pas... Je... ne pouvais pas...

Bien que plus rien ne dépende de sa réponse, pour le plaisir de la torturer, le Docteur la force, de sa poigne de fer, à se mettre à genoux, puis presque sur le dos. Cela se passe très vite. Elle se met à crier.

LE DOCTEUR : Et maintenant, tu le sais, ou non ?

CARLOTTA : Je n'ai rien vu, je n'ai fait que frotter par terre, je...

LE DOCTEUR (*l'a remise debout en la tirant, avec un sadisme souriant*) : Dois-je te renvoyer avec ta famille ? Regarde, là-bas, les bûchers... Là-bas, les fils de fer : dois-je te chasser de ce côté ou de cet autre ?

Carlotta s'effondre moralement lorsqu'il fait au passage allusion à la fin de sa famille. Cette nouvelle n'avait qu'à venir s'ajouter à tout le reste, elle chuchote avec un balbutiement nerveux et déjà une lueur de folie dans les yeux :

CARLOTTA : Morts... tous morts... morts... tous morts... morts...

Pendant qu'elle bégaie :

LE DOCTEUR (*presque par hasard*) : Bon, tu as le choix, parle : lequel était le premier, celui-ci que voici, ou celui-là, que voilà ?

CARLOTTA (*le regarde sans rien dire, son visage est sauvagement crispé. Maintenant, elle bégaie*) : Je ne sais pas, je ne sais pas, je ne sais pas... (*Le Docteur l'a lâchée, Carlotta a déjà reculé de quelques pas devant lui, vers le corps de garde, tandis qu'elle regarde, comme hypnotisée, " la plus rusée de toutes les bêtes " — jugement de Canaris sur Heydrich — qui lui soient jamais apparues. Maintenant, elle se met à crier, elle crie comme une femme en mal d'enfant sans anesthésie, puis s'arrête soudain. L'actrice reste abandonnée à elle-même, comme s'il y avait encore des mots qu'elle pouvait lancer. Les plus simples sont à peine articulés*) : Non... non... Laissez-moi... Non... non...

En poussant le premier cri perçant qui a fasciné même le Docteur, elle a fui d'un bond jusqu'aux marches de la maison. L'acte est si naïvement animal, si totalement indomptable, qu'il réduit à néant tout ce qui fut jusqu'à présent tenté pour transfigurer, pour styliser à la scène les horreurs de la « solution finale », lesquelles nous touchent de si près. Les cris de Carlotta ont tourné au rire convulsif. Elle lance loin d'elle, et avec rage, son foulard, qu'elle a arraché pour faire des moulinets autour d'elle. Son regard affolé erre çà et là sur les hommes et, le chapelet à la main, elle se précipite dans le poste de garde, rit d'un rire aigu et bestial devant le miroir à main d'Helga, s'accroupit dans un coin, et avec de courts éclats de rire et des sanglots, se passe le chapelet comme une chaîne autour du cou. Il glisse de ses mains.

Le Docteur s'est repris, a ouvert machinalement son étui à revolver.

LE DOCTEUR (*murmure*) : La crise.

Avec sûreté et rapidité, il va dans la petite maison pour faire ce qui était toujours fait aux déportés qui avaient une crise de nerfs avant l'asphyxie par le gaz. Il pose le bréviaire, lève le chapelet et le présente à Carlotta. Un sourire égaré passe sur son visage : il la regarde avec sa fameuse « cordialité suggestive ». Les yeux fous de Carlotta trouvent un appui dans les siens.

CARLOTTA (*se lève d'un bond, essaie de saisir sa main, le chapelet, crie, délivrée, parce qu'elle « l'a » retrouvé et veut l'enlacer*) : Marcello ! Marcello ! (*Elle rit, égarée*) : J'avais peur que tu ne reviennes pas d'Afrique. Si longtemps, Marcello, tu as été si longtemps absent.

LE DOCTEUR (*tandis qu'il se dérobe à son étreinte, avec une tendresse forcée*) : Viens... Viens donc, par ici.

Elle le suit sans hésiter, il ne la touche pas, il tend juste le bras vers elle, comme l'invitant à le suivre, tandis qu'il part vers l'arrière, sans la quitter du regard. Tout va très vite.

CARLOTTA (*passant près de lui, dehors déjà, sur la dernière marche, avec anxiété*) : Marcello ! Marcello !

Derrière elle, sur le pas de la porte, d'un geste rapide, le Docteur prend son revolver et la tue d'un coup dans la nuque. Il rengaine son revolver sans un regard vers le cadavre et, à ce moment-là, pendant que les mêmes deux gardes suivent la scène, Riccardo s'est penché vers le revolver de Gerstein, il le lève, vise le Docteur en criant :

RICCARDO : Détruis-le !

Mais il est abattu par le pistolet mitrailleur du S. S. qui se tenait à côté de lui, avant qu'il ai pu même armer le revolver et presser la détente. Il tombe sur les genoux, puis s'accroupit sur les talons. Le garde ramasse le revolver de Gerstein et, effrayé, ricanant, le présente au Docteur. Gerstein a, durant un moment, couvert ses yeux de sa main.

LE DOCTEUR : Vous me visiez ? Sérieusement ! Je vous remercie, sergent. (*Se penche sur Riccardo*) : Hmm, Père, tirer est presque aussi difficile que prier — à Auschwitz. C'est dommage, j'aurais aimé argumenter encore quelques semaines avec vous. Vous êtes maintenant déjà un peu plus près du Seigneur ?

RICCARDO (*se redresse, veut dire quelque chose, retombe ; à peine perceptiblement*) : *In hora mortis meae voca me.*

LE DOCTEUR (*se redresse, sarcastique*) : Amen. L'as-tu réellement entendu, son appel — au crématoire ? (*A Jacobson, avec un coup de pied*) : Lève-toi, allez, au feu. (*Il montre Riccardo*) : Et prends ça avec toi, allez, prends ça...

Jacobson se lève. Gerstein s'est penché sur Riccardo et ouvre la veste du mourant, démontrant par là de quel côté il est. Le Docteur se glisse entre Riccardo et Gerstein, sans mot dire. Jacobson, sur les genoux, les bras passés sous les bras de Riccardo, essaie en vain de le soulever.

GERSTEIN : Il n'est pas mort, vous êtes médecin, aidez-le. (*Il crie*) : Il vit encore !

LE DOCTEUR (*sans regarder Gerstein, détendu*) : Le feu est un bon médecin. Il cautérisera le Juif et le chrétien. (*Il fait un signe au garde qui l'a sauvé*) : Conduisez celui-là au Commandant. Prenez bien garde à vous. Je vais venir.

LE GARDE : Oui, mon Commandant.

Gerstein, après un dernier regard à ses amis, disparaît à gauche, derrière la petite maison, suivi du S. S. L'autre garde a essayé, à coups de pied et à coups de crosse de mitraillette, de faire lever Jacobson toujours à demi agenouillé, très las, et paralysé d'effroi. Sur ses genoux, repose la tête de Riccardo. On entend la scie circulaire toute proche.

LE DOCTEUR (*avec une impatience mordante*) : Aidez donc cet estropié ! Et faites enlever ça aussi (*il montre Carlotta*).

LE GARDE : Oui, mon Commandant.

Il prend avec répugnance Riccardo par les épaules. Jacobson prend les peids de Riccardo. Ils sortent à droite. Le Docteur se dirige lentement vers la gauche, là où Gerstein a été conduit. A peine est-il passé derrière les fenêtres de la salle de garde, qu'il s'est souvenu des " Exercices " et est revenu en arrière. Il passe devant Carlotta morte et entre dans la petite maison. Il feuillette le livre, sourit, le met sous son bras, et quitte la scène comme un professeur qui vient de terminer son cours.

La voix enregistrée d'un speaker lit calmement, à haute voix :

« Le 28 octobre 1943, monsieur Von Weizsäcker, envoyé d'Hitler auprès du Saint-Siège, écrit au ministère des Affaires étrangères à Berlin. (*Tandis que l'éclat du feu augmente d'intensité, une voix de diplomate, distinguée, posée, dit calmement*) : “Le Pape, bien que, selon nos sources, il ait été pressé de divers côtés, ne s'est laissé entraîner à aucune déclaration démonstrative contre la déportation des Juifs. Bien qu'il doive compter avec le fait que cette attitude lui sera reprochée par nos adversaires, il a cependant tout fait dans cet épineux problème pour ne pas envenimer les rapports du Saint-Siège avec le Gouvernement allemand. Étant donné que nulle autre action ne doit être entreprise ici à Rome dans le cadre de la question juive, on peut escompter que cette affaire délicate au point de vue des rapports entre l'Allemagne et le Vatican est liquidée.

En effet l'*Osservatore romano* a, le 25 octobre, publié un communiqué officieux relatif à l'activité charitable du Pape, où il est dit dans le style caractéristique de la feuille vaticane, c'est-à-dire avec beaucoup de circonlocutions et d'obscurité, que le Pape adresse sa sollicitude paternelle à tous les hommes sans distinction de nationalité ou de race. Il y a d'autant moins d'objections à élever contre cette publication que sa teneur ne sera très certainement pas entendue comme une allusion particulière à la question juive. ” (*Et maintenant, la voix calme du speaker reprend. Le feu s'est éteint, la scène est sombre, on ne voit que la fille morte, proche encore de la rampe*) : « Ainsi les chambres à gaz travaillèrent encore une année entière. C'est pendant l'été 1944 que le “ taux quotidien des assassinats ” comme on l'appelait, atteignit son point culminant. Le 26 novembre, Himmler, fit sauter les crématoires. Deux mois plus tard, les derniers détenus d'Auschwitz étaient libérés par les soldats russes. »

Rideau

NOTE DE L'AUTEUR

C'est seulement après la première représentation que j'appris que non seulement le chanoine Lichtenberg, prévôt du chapitre, mais aussi l'actuel prévôt protestant de Berlin, le Dr Heinrich Grüber, avaient à deux reprises présenté aux nazis la requête d'aller au ghetto avec des Juifs déportés. La tentative d'entrer au camp de Guers avec l'aide de membres du contre-espionnage échoua et se termina par l'incarcération de Grüber.

ÉCLAIRCISSEMENTS HISTORIQUES

Il n'est pas d'usage d'alourdir une pièce de théâtre d'un appendice historique, et l'on s'en serait volontiers dispensé ici. En tant que pièce destinée à la scène, ce travail ne nécessite aucun appareil critique. Mais comme les événements n'ont pas été relatés à la manière d'un reportage et dans l'ordre de leur déroulement, mais ont subi une transposition littéraire, les personnages historiques cités dans cette pièce, et leurs proches encore en vie, ont le droit de savoir quelles sont les sources — souvent d'un accès difficile — qui ont autorisé l'auteur à présenter un personnage ou une scène sous tel ou tel jour. Sans doute, on ne trouvera ici qu'une faible partie des documents rassemblés à cet effet, et qui — si ce projet devait éveiller un intérêt général — feront l'objet d'un travail historique indépendant. Il va de soi que tous les mémoires, biographies, journaux, correspondances, conversations et minutes de procès de l'époque — dans la mesure où ils ont été rendus publics et se rapportent à notre sujet — ont été étudiés; il serait fastidieux d'en dresser la liste. Les explications qui suivent, et qui portent uniquement sur des faits ou des déclarations contestés ou discutables, tendent seulement à prouver que l'auteur de cette pièce ne s'est permis de donner libre cours à son imagination que dans la stricte mesure où c'était nécessaire pour utiliser à la scène les matériaux historiques bruts dont il disposait. La réalité a toujours été respectée, elle a seulement été extraite de sa gangue.

Quiconque essaie de remonter le cours des événements historiques et ses dédales jonchés de cadavres et de gravats, quiconque pèse les déclarations contradictoires, complaisantes ou embarrassées des vainqueurs et des victimes, quiconque tente, en toute humilité, d'atteindre la vérité ou le symbole à travers les décombres et les contingences de ce qu'on nomme " faits historiques ", apprend que l'auteur dramatique " ne peut pas utiliser un seul élément de la réalité dans l'état où il le trouve, que son œuvre, dans *chacune* de ses parties, doit être *idéale*, pour contenir un tant soit peu de réalité ".

Qui ne tient pas compte de cette recommandation de Schiller, qui " ne déclare pas ouvertement la guerre au naturalisme dans l'art " n'a plus, de nos jours, qu'à s'avouer vaincu devant les moindres "actualités filmées ", ne serait-ce que parce qu'elles nous présentent " la matière brute de l'histoire " de manière beaucoup plus frappante, directe et détaillée que ne peut le faire le théâtre. Celui-ci — et ce n'est pas Brecht qui l'a découvert le premier dans sa théorie de la " distanciation " — ne reste vrai que si " il détruit lui-même, honnêtement, l'illusion qu'il a créée " (Wallenstein).

En ce qui concerne les documents qui suivent, il faut ajouter qu'à l'intérieur d'une classiffication par thèmes principaux — qui se recoupent souvent — on a respecté dans la mesure du possible l'ordre déterminé par le déroulement de la pièce. Une classification plus stricte était irréalisable, parce que les mêmes faits reviennent dans des scènes différentes — souvent d'ailleurs sous forme de contestation ou de discussion contradictoire, ainsi que l'exige le caractère vivant du dialogue. Il ne s'agit pas ici de science et il ne saurait en être question. En outre, comme ni le Vatican, ni le Kremlin ne donnent libre accès à leurs archives, la science ne pourra pas, dans un avenir prévisible, nous donner une présentation sans faille de ces événements. L'ambition la plus haute de la création poétique (encore est-elle rarement satisfaite !) est de fondre intuitivement les éléments dont nous disposons, de leur donner une unité dans l'ordre de l'art et de la vérité. C'est justement en présence d'un matériel brut aussi accablant et au terme d'aussi laborieuses complications que le créateur n'a pas le *droit* de se laisser ravir sa liberté spécifique, seule capable de donner une forme à la matière.

Kolbe et Gerstein.

Tandis qu'après 1945, de nombreux témoignages parurent en Allemagne sur le Prélat Lichtenberg et sa prise de position publique en faveur des persécutés, presque rien n'a été dit du martyre du Père polonais Kolbe. Né en 1894 dans la région de Lwow (Lublin), ce Franciscain, qui, avant la guerre, avait été missionnaire au Japon, mourut en août 1941 dans le " Bunker de la faim " d'Auschwitz. Voici dans quelles circonstances : un de ses camarades de captivité s'était évadé du camp, malgré le règlement prévoyant que toute évasion serait payée par la condamnation de dix autres détenus à périr d'inanition. On compta donc dix hommes, pris au hasard dans le " bloc " de l'évadé, et parmi eux le détenu F. Gajowniczek, qui avait femme et enfants. Il se mit à pleurer. Kolbe s'avança alors et demanda à mourir à sa place. Il donna comme raison qu'il n'était plus apte au travail. Bien que ce fût de toute évidence un prétexte, on dit que les S. S. eux-mêmes en furent impressionnés :

le détenu nº 16670 fut autorisé à aller dans le " Bunker de la Faim " à la place du détenu nº 5659 (qui a survécu à la guerre). On enferma les prisonniers (après avoir rompu les membres à plusieurs), dévêtus, dans la cellule de béton complètement nue et sans fenêtre (qui est maintenant un sanctuaire), et on leur refusa même de l'eau. On lit dans le récit : " Pendant sa grève de la faim, Gandhi buvait de l'eau. Ce qu'est la mort par déshydratation, seuls les rescapés de caravanes égarées dans le désert peuvent le concevoir... La torture de la soif dégrade les suppliciés au rang de bêtes brutes, car l'endurance humaine a ses limites et au-delà il n'y a que le désespoir ou la sainteté."

Le Père Maximilien n'a pas cessé de consoler ses compagnons de martyre. Le détenu Borgowiec, qui eut à nettoyer la cellule de mort déclara que les S. S. ne pouvaient pas soutenir le regard de Kolbe. Un jour où il fallut évacuer des morts, ils lui crièrent : " Baisse les yeux, cesse de nous regarder ! " Il mourait trop lentement à leur gré, ou peut-être sa tenue leur arracha-t-elle cette ultime grâce : à la fin, ils lui firent une piqûre. Selon un témoignage, il était le dernier survivant; d'après un autre récit, deux de ses compagnons vivaient encore.

A Rome, le 24 mai 1948 s'ouvrit l'instruction du procès en béatification du Père Maximilien.

Extrait de lettres sur *Kurt Gerstein*, en possession de sa veuve : *O. Wehr*, du consistoire de l'Église évangélique de Rhénanie, délégué du Consistoire en Sarre, écrit le 24 janvier 1949, de Sarrebruck :

" Je soussigné, déclare avoir connu Kurt Gerstein pendant des années à l'occasion de son travail auprès de la jeunesse de nos " cercles bibliques" de l'enseignement supérieur; en tant que responsable des mouvements de jeunesse évangéliques, il a exercé une influence déterminante sur de jeunes hommes dans les années critiques de leur formation. A l'époque de la lutte de notre Église contre les aggressions totalitaires de l'État nazi, il a toujours eu une attitude sans équivoque. Personnellement, je sais que non seulement il a rédigé une série d'écrits destinés à la jeunesse masculine, à son combat et au maintien de son intégrité morale sous le régime nazi, mais qu'il a mis à profit ses fonctions d'ingénieur à la Direction des Mines de Sarrebruck pour diffuser dans toute l'Allemagne les circulaires confidentielles de l'Église confessante, jusqu'au jour où des documents imprudemment conservés dans son bureau aux fins de diffusion furent découverts. A cette époque (1936), tous les efforts entrepris, entre autres par le ministre Schacht, pour empêcher l'incarcération de cet ingénieur et administrateur exceptionnellement doué échouèrent.

Une fois libéré du camp de concentration, il me surprit un jour en me faisant part de son projet d'entrer dans la S. S. Voici ce que je puis dire de l'entretien que nous eûmes alors :

La circonstance qui l'amena à prendre cette décision fut la mort à l'asile d'Hadamar d'une de ses parentes, la fille de feu le Pasteur Ebeling de la Paroisse évangélique du Vieux-Sarrebruck. Après l'inhumation, par mes soins, de l'urne funéraire de Mlle Bertha Ebeling, gazée à Hadamar, il me fit part de son intention de chercher à découvrir ce qu'il pouvait y avoir de vrai dans les rumeurs qui couraient sur cette action criminelle et d'autres semblables[1]. Aux très sérieuses objections que j'opposai à son projet d'aller dans le camp des puissances démoniaques, il répondit avec une détermination passionnée. Connaissant les dons et les capacités exceptionnelles de Kurt Gerstein, ainsi que le dynamisme, la passion farouche et impulsive, qui le caractérisaient, il n'était pas douteux qu'il parviendrait à ses fins : pénétrer à l'état-major national des S. S. C'est ce qui advint. Dès lors, il ne cessa d'être hanté d'idées et de projets, de tentatives pour venir en aide aux opprimés et empêcher le pire, jusqu'aux plans téméraires de l'automne 1944. A plusieurs reprises au cours de ses déplacements, il me rendit visite et m'informa de tout ce qu'il savait, y compris de ce qu'il avait vu lors de sa visite aux camps d'extermination de l'Est, et du cynisme satanique et nihiliste des bourreaux et de leurs aides, de même que de l'impression que lui avaient faite les victimes désespérées, dont la pensée le torturait depuis lors...

Une figure comme celle de Kurt Gerstein, jugée à la lumière de nos critères habituels, ne peut que sembler invraisemblable. Son inquiétante habileté à dissimuler sa vie chrétienne intime sous un masque, un comportement radicalement étranger, sans autre but que de servir et d'être secourable, constitue un défi à tout jugement. Je possède une masse de preuves de la perfection de son camouflage. Impossible de rendre justice à cet homme, à son exigence et à son être intime, si on lui applique les critères classiques ou si on tente de l'expliquer par la politique ou la psychologie.

Pour moi, à la suite des conversations que j'ai eues avec lui, en tant que directeur de conscience, au cours de ses nombreuses visites, je n'ai jamais mis en doute le caractère inébranlable de ses convictions. "

Le Pasteur *Martin Niemöller*, président de l'Église évangélique de Hesse, écrivait le 26 avril 1948 au Procureur général Ebs, à Francfort : " Avant mon arrestation en juillet 1937, j'ai connu Gerstein pendant des années à l'occasion de son travail dans les " Cercles bibliques " et l'Église confessante. Il était une sorte de " saint égaré ", mais parfaite-

1. Le programme dit " d'Euthanasie " (N d T).

ment pur et d'une rectitude irréprochable. Il n'avait qu'une parole, et il a toujours mis ses actes en accord avec ses convictions, jusqu'aux dernières conséquences. Je le tiens pour entièrement digne de confiance et j'estime donc absolument exclu qu'il ait jamais seulement éprouvé la tentation de prendre le parti du national-socialisme, et encore moins de ses crimes. Je suis persuadé qu'il a été la victime de son extrême résolution et de l'attitude qu'il a choisi d'adopter, en contradiction absolue avec ses propres convictions, et pour laquelle il avait accepté de sacrifier, et a effectivement sacrifié, son honneur, sa famille et sa vie. Je ne mets pas en doute un mot de sa propre déposition et suis convaincu que c'est lui faire injure que nourrir le moindre doute à cet égard. "

Le chanoine *Buchholtz*, qui pendant des années apporta les secours de la religion aux condamnés à mort de Plötzensee, écrivait le 10 juillet 1946 :

" C'est par l'intermédiaire d'un ancien prisonnier politique de Tegel, un industriel dont le nom m'échappe malheureusement... et à la libération duquel M. Gerstein avait personnellement contribué (si je ne fais erreur, car les dossiers sont perdus), que j'ai fait sa connaissance. Grâce à ce monsieur de Tegel, j'ai été invité en septembre 1944 à une soirée chez M. Gerstein, où j'ai rencontré plusieurs autres messieurs qui tous avaient été soit persécutés pour leurs opinions politiques, soit prisonniers politiques dans les geôles de la Gestapo. Mon introducteur m'expliqua que tous ces messieurs étaient parfaitement dignes de confiance, et que tous, en particulier M. Gerstein, souhaitaient que je leur donne des détails sur des événements qu'ils ne connaissaient que par ouï-dire : les exécutions massives de Plötzensee. J'en ai donc parlé sans la moindre contrainte et en toute franchise et leur ai notamment raconté cette terrible nuit de septembre 1943 où 186 prisonniers politiques furent exécutés par pendaison... Lorsqu'il (Gerstein) nous énuméra les noms et la position des camps de la mort et nous parla du " rendement quotidien " des différents fours crématoires et chambres à gaz... son exposé d'une impitoyable précision nous parut si monstrueux que nous eûmes peine à le croire, nous qui pourtant avions plus ou moins entendu parler de ces choses... par la suite, j'ai pu me rendre compte à quel point M. Gerstein prenait tout cela à cœur, au cours de plusieurs visites qu'il me rendit : c'était pour lui un soulagement et un réconfort que de pouvoir parler de tout cela à cœur ouvert avec un ecclésiastique. Je considère comme une preuve supplémentaire de la sincérité de M. Gerstein le fait que non seulement il me promit tout le secours possible pour mes prisonniers politiques, mais qu'il m'apporta des caisses entières de victuailles, de cigarettes, etc., que je pus leur distribuer en cachette. "

En 1942, quand Gerstein lui eut fait le récit de sa visite aux camps de la mort, l'*évêque Dibelius* transmit immédiatement ces informations à l'évêque d'Upsal.

La possibilité, évoquée dans la pièce par Gerstein, d'assurer le succès d'un coup d'État en diffusant la fausse nouvelle que les S. S. avaient assassiné Hitler, repose sur un plan dressé par l'auteur de l'attentat du 20 juillet, le comte Stauffenberg. Le maréchal von Witzlenben avait d'ailleurs interdit à Stauffenberg d'accréditer cette version, même provisoirement.

Le courage et l'habileté de Gerstein, qui seuls lui permirent de jouer pendant des années son téméraire double-jeu dans la S. S., rendent plausible qu'il ait pu parvenir jusqu'à Mgr Orsenigo en personne lorsqu'il tenta de faire connaître au Nonce apostolique des détails sur le camp de Treblinka. Connaissant la violence de ses sentiments et sa détermination pleine de ruse, on a peine à croire qu'il se soit laissé expulser de la Nonciature par un prêtre subalterne. Cependant, même la veuve de Gerstein ne sait pas exactement s'il a pu parler à Mgr Orsenigo en personne. Quoi qu'il en soit, seul notre souci d'*atténuer* les événements presque incroyables de la guerre d'Hitler et le nombre de ses victimes (ne serait-ce que parce qu'à l'avenir, quand les témoins oculaires seront morts, il sera impossible de croire aux monstruosités démentielles qui furent la stricte vérité historique), nous a amené à embellir un peu cette honteuse expulsion de la Nonciature. Nous nous efforçons toujours de minimiser et de présenter les événements sous le jour le plus admissible. Ainsi, on laisse entendre que le prélat a, au moins une fois, prêté l'oreille à un être humain manifestement dans la détresse. A l'âge de la conscription universelle, il est fréquent que des soldats se trouvent pris dans des conflits tels que ceux qu'a connus Gerstein. C'est ainsi que Pie XII leur a ouvert sa porte et a accordé au moins des audiences collectives à de nombreux soldats allemands et alliés. C'est pourquoi on n'ose supposer que l'Ambassadeur du Vicaire du Christ dans la capitale d'Hitler, ait refusé en 1942 de recevoir un homme traqué, comme il en avait reçu en 1939 (voir plus bas), et qu'il l'ait fait éconduire honteusement. Cette attitude aurait eu pour de nombreux hommes de telles conséquences qu'ils ne seraient plus là pour pouvoir le raconter — tandis que Gerstein a encore pu le faire. D'ailleurs, dans l'optique de la pièce, cette question est secondaire. Ici, Mgr Orsenigo ne fait que représenter l'Ambassade de la Curie à Berlin, et puisqu'en tant que Nonce, c'est lui qui a la responsabilité la plus écrasante, il joue le rôle de tous ces prélats et dignitaires de l'Église qui, par exemple, avec l'évêque, puis cardinal comte

Preysing, estiment que « la vie et l'œuvre » du commentateur des lois raciales d'Hitler[1] « ont toujours été soumis aux principes de la foi catholique ». A l'inverse, la présence de Riccardo porte témoignage pour tous ces prêtres, généralement anonymes, qui d'emblée, et souvent au prix de leur vie, ont fait passer les exigences de la charité avant toute considération d'intérêt ou d'opportunité.

L'exposition du drame serait inchangée si l'irruption de Gerstein était transposée, par exemple dans les appartements de l'attaché juridique de l'Évêque Preysing, à qui Gerstein eut l'occasion de parler de Treblinka « en le priant expressément de transmettre ces informations au Saint-Siège ».

D'un point de vue historique, Gerstein ne pouvait d'ailleurs apprendre au Vatican que des détails circonstanciés sur les procédés des assassins et le nombre de leurs victimes. Qu'il y eût des « usines de la mort », le Vatican ne l'ignorait pas. Le Saint-Siège avait de nombreux informateurs : officiellement, c'est le gouvernement polonais en exil qui le premier, et le plus régulièrement, lui fit parvenir par différentes filières le plus d'informations sur ces faits.

Je ne pourrai jamais croire que Gerstein s'est suicidé. Quand on a étudié de près son cas et qu'on sait quelles étranges explications on a données à sa veuve à Paris, on ne peut s'empêcher de penser que Gerstein est l'un de ces innombrables Allemands et Français qui, après la libération de la France en 1944, furent exécutés sans jugement. Parmi les résistants qui, après l'arrivée des Américains, se déchaînèrent contre des compatriotes sans défense et des Allemands, rares sont ceux qui ont vraiment droit au titre honorifique de combattants de la Résistance. C'est là un sombre chapitre qui attend encore son historien. Le 11 avril 1952, le ministre français de la Justice déclara que, après la libération, 100 519 Français avaient été exécutés, dont seulement 846 après un procès régulier (d'après Reitlinger).

Il est également possible, puisque apparemment aucun de ses compagnons de captivité ne se souvient de Gerstein, qu'il ait été pendu par des S. S. fanatiques, lorsqu'ils virent à quel point, même à l'égard des Alliés, il prenait à cœur l'obligation de « rendre des comptes » dont il parle dans une lettre à son père. Cette lettre, rendue publique pour la première fois par Gert H. Theunissen à l'occasion d'une émission radiophonique sur Gerstein, fut écrite le 5 mars 1944 à Helsinki : « A un mo-

1. M. Globke.

ment ou à un autre, tu seras appelé à rendre compte de ton époque et des événements qui l'ont marquée. Nous ne nous comprendrions plus et nous n'aurions plus rien d'essentiel à nous dire si je ne pouvais et ne devais pas te dire ceci : ne sous-estime pas cette responsabilité et cette obligation de rendre des comptes. Elle peut se manifester plus tôt qu'on ne le pense. J'en sais quelque chose, de cette dette d'honneur, et même, je te l'accorde, elle me ronge... "

A l'automne de la même année, il écrivait à son père : " Il m'a été accordé de penser dans leurs dernières conséquences, et — comprends-moi bien — d'éprouver dans ma chair, toutes ces choses vagues entre le noir et le blanc, entre le bien et le mal... "

A propos du Concordat.

Le Dr *Rudolf Pechel* m'a raconté que dans les milieux allemands d'opposition, le Nonce passait pour un fasciste convaincu et un partisan déclaré de Mussolini. Cependant, il écouta avec bienveillance M. Pechel lorsque, simple particulier, celui-ci lui transmit en confidence le vœu exprimé par des militaires de haut grade, qu'il joue de son influence pour que le poste d'aumonier général de la Wehrmacht ne soit pas confié à un ecclésiastique connu pour ses opinions hitlériennes.

Une fois, en novembre 1939, le Nonce, de sa propre autorité, fit de vives représentations auprès du ministère des Affaires étrangères et demanda énergiquement l'ouverture d'une enquête, après avoir entendu des récits d'atrocités de la Gestapo en Pologne, rapportés par des membres du clergé, des soldats de la Wehrmacht, et " des universitaires protestants qui sont venus à la Nonciature où ils m'ont raconté en pleurant les horreurs auxquelles ils ont assisté ", écrit-il. Malheureusement, il retira lui-même tout caractère officiel à sa démarche, en précisant expressément qu'il n'intervenait pas en tant que Nonce, ni même en tant que doyen du corps diplomatique, mais à titre personnel. Dès cette époque Weiszäcker lui conseilla, comme quatre ans plus tard à Rome " de ne pas s'occuper de ce genre d'affaires, afin de ne pas nuire à la cause qu'on entend servir. " Le gouvernement du Reich dénia au nonce à Berlin le droit de s'occuper des territoires annexés par le Reich pendant la guerre : il s'agissait de faire pression sur le Vatican pour l'amener à reconnaître officiellement les nouvelles frontières. Rome ne le fit jamais. C'est pourquoi, en mars 1943 encore, Weiszäcker refusa poliment de prendre connaissance de la fameuse lettre du cardinal secrétaire d'État Maglione à Ribbentrop : c'était un réquisitoire écrasant, qui énumérait en détail tous les crimes contre l'Église polonaise, et exigeait qu'ils cessent. A cette époque, plus de 1.000 prêtres polonais étaient à Dachau, et le Vatican savait que nombre d'entre eux avaient déjà été assassinés. Un simple fait montre jusqu'où allaient les brimades gratuites des nazis contre le peuple polonais : il était interdit de se marier au-dessous de 28 ans pour les hommes, de 25 pour les femmes. Si l'on cherche la raison pour laquelle après 1945 Mgr Orsenigo était *persona non grata* au Vatican on verra qu'elle n'est peut-être pas déshonorante pour Orsenigo lui-même.

Ce même Orsenigo aurait vraisemblablement eu d'autant moins de chance d'amener Pie XII à dénoncer le Concordat avec Hitler que c'est le Cardinal secrétaire d'État Pacelli, et non le Pape Pie XI, qui — de même que Mussolini — avait poussé à la conclusion rapide d'un concordat avec l'Allemagne d'Hitler. Le chancelier Brüning qui était bien placé pour le savoir, dit en 1935 au comte Harry Kessler : " A l'origine de l'accord avec Hitler, on ne trouve pas le Pape, mais la bureaucratie vaticane et son augure Pacelli, qui rêve d'une alliance éternelle entre un État autoritaire et une Église autoritaire dirigée par la bureaucratie du Vatican. C'est pourquoi Pacelli et ses partisans trouvent gênants les partis parlementaires catholiques, comme le Zentrum allemand, et les laisseraient tomber sans regrets. Le Pape ne partage pas ces idées. "

Neuf ans plus tard, ainsi que le rapporte le Pr *Friedrich Heer*, le Père jésuite *Delp* écrivait peu avant de mourir étranglé à Plötzensee, tandis que la plus haute autorité de son Église ne levait pas le petit doigt pour tenter de le sauver de l'exécution, : " Un historien vraiment sincère des mouvements spirituels aura d'amers chapitres à écrire, sur la part prise par les Églises à la naissance de l'homme des masses, du collectivisme, du totalitarisme dictatorial. "

Après coup, Pacelli a tenté de donner une version " historique " plus noble des raisons qui l'ont amené à signer le Concordat. En 1946, il dit au journaliste Morandi : " Crois-tu que je ne sache pas qu'on a dit et écrit que je n'aurais jamais dû signer le Concordat avec le Troisième Reich ? Mais, si malgré le Concordat, Hitler a tant persécuté l'Église catholique, imagine ce qu'il aurait osé faire sans le Concordat. T'imagines-tu que ses sbires auraient hésité à pénétrer ici même, au Vatican ? "

Pourtant, en 1934, quand la S. A. de Hitler fournit des effectifs pour le service d'ordre et l'accompagnement musical de l'Exposition de la Sainte Tunique, à Trèves, il était difficile de prévoir qu'il persécuterait l'Église ou même occuperait Rome neuf ans plus tard. (Il faut ajouter que Pacelli n'a jamais réellement redouté une occupation du Vatican.) Pie XI qui, l'année même de la signature du Concordat, avait été informé par une convertie, le Dr Edith Stein, de la terreur qui s'abattait sur les Juifs en Allemagne (sans il est vrai avoir jamais répondu à cette lettre qui lui fut remise en mains propres), Pie XI, au moins, avait dit que le Concordat pourrait servir de plate-forme pour élever des protestations. Cela n'a guère été fait, si l'on excepte les molles représentations que le Nonce fit à Weizsäcker à propos d'affaires purement ecclésiastiques.

D'ailleurs, Pie XI avait, dès la première audience, accueilli *von Papen*, envoyé à Rome par Hitler pour les pourparlers préliminaires à la négociation du Concordat, en lui disant combien il était " satisfait de voir en la personne d'Hitler le gouvernement allemand présidé par un homme qui a pris pour devise la lutte acharnée contre le communisme et le nihilisme ". " Et effectivement, l'atmosphère était si cordiale et l'accord si unanime qu'on parvint, avec une rapidité peu dans les habitudes de travail du Vatican, à fixer les grandes lignes d'un premier projet. " Mussolini qui, à l'époque, n'avait pas encore très bonne opinion d'Hitler et se moquait de ses théories raciales, conseilla à von Papen d'accélérer autant que possible des négociations. " La signature du Concordat avec le Saint-Siège, lui dit-il, donnera à votre gouvernement le crédit international qui lui manque encore. "

Après la guerre, alors que la situation, pour reprendre une expression de Freidrich Heer, était si compromise " que seule une gigantesque action de diversion pouvait sauver le prestige du christianisme officiel en Allemagne ", et alors que " à l'ombre des ruines s'échafaudait cet édifice trompeur qui devait sauver le christianisme allemand ", alors, après 1945, le représentant du Saint-Siège à Berlin fut pris comme bouc émissaire et envoyé en disgrâce, comme il fallait s'y attendre. Contrairement à tous les usages, Pie XII refusa même à Orsenigo la notice nécrologique habituelle dans l'*Osservatore romano* lorsque peu après 1950, l'évêque mourut, loin de Rome. Ernst von Weiszäker lui-même avait tenté, mais en vain, de rompre une lance en faveur du nonce.

En ce qui concerne l'attitude des évêques, consulter, entre autres, " *Hochland* " de février 1961. M. von Papen, écrit, à propos du service solennel célébré à la Garnisonkirche de Potsdam à l'occasion de la rentrée du Reichstag après les élections du 5 mars 1933 : " Quand nous lisons aujourd'hui dans les propos de table d'Hitler qu'il a conquis le pouvoir malgré la malédiction des deux grandes confessions, et n'a pu se rendre, pour des raisons de principe, à l'église de Potsdam... c'est là une contre-vérité historique. A cette époque, il était conscient de ce qui l'opposait aux églises, mais il n'était pas question de haine et de malédictions. Il espérait trouver un *modus vivendi*. "

Le 14 juillet 1933, Hitler dit au cours de la séance du conseil des ministres : " Ce Concordat, dont entre parenthèses le contenu ne m'intéresse pas, nous fait bénéficier d'un climat de confiance, qui nous sera très utile dans notre lutte sans merci contre le judaïsme international... "

Si Pacelli avait été le grand diplomate que l'on dit (mais Brüning sait à quoi s'en tenir à ce sujet) il n'aurait pas été aussi facilement dupe d'Hitler, après dix ans passés à observer de près la politique intérieure allemande. En 1945, il expliquait que le Concordat avait évité le pire. L'enthousiasme frénétique des évêques catholiques en 1933-34, à une époque où ils pouvaient constater *de visu* la manière dont Hitler traitait ses ennemis, montre bien qu'on n'a donné ce sens au Concordat qu'après 1945, et non au moment où on le signait. En effet, qu'a-t-il donc empêché, puisqu'on n'a même pas menacé de le dénoncer pour protéger l'Église de Pologne ou des catholiques allemands contre la Gestapo ? Giovanetti raconte avec quel acharnement le Japon négocia en 1942 pour conclure un Concordat avec Rome, pour les mêmes raisons de propagande qui amenaient les Alliés, et Roosevelt en personne, à essayer par tous les moyens de faire échouer ce projet. Hitler lui-même a déclaré expressément qu'*après* la victoire, le Concordat ne serait plus indispensable. Qui oserait affirmer que les nazis n'auraient pas reculé, si en pleine guerre, Pie XII les avait frappés d'interdit ? Auraient-ils osé mettre contre eux 35 millions d'Allemands et l'immense majorité de leurs alliés, tous membres d'une Église " hostile à l'État " ?

L'Église et la " solution finale du problème juif ".

Quelles que puissent être les raisons pour lesquelles le Pape, dans ses innombrables discours, n'a jamais évoqué *expressis verbis* les déportations de Juifs, on n'arrive pas à concevoir pourquoi Sa Sainteté ne s'est pas ressaisie et n'a pas protesté à une époque où l'Allemagne avait déjà de toute évidence perdu la partie, mais où Auschwitz n'avait pas encore atteint son rendement journalier maximum. Rome, et partant, le Vatican, étaient déjà sous la protection des troupes (d'occupation) américaines lorsqu'en juin 1944, les anciens détenus Rudolf Vrba et Alfred Wetzler, échappés en avril d'Auschwitz-Birkenau, remirent au Nonce apostolique en Slovaquie, au cours d'un entretien qui dura cinq heures, un rapport circonstancié accompagné de plans du camp, des chambres à gaz et des voies d'accès. Les horreurs décrites dans ce rapport, qui fut publié à Genève dès le mois d'août, et par la suite diffusé clandestinement en Allemagne, où par exemple la journaliste Ursula von Kardoff put le lire, se trouvèrent bientôt confirmées et complétées d'une toute autre source. Le 24 juillet 1944, des reporters accompagnant les troupes alliées choquèrent le monde entier par de nouvelles révélations sur les camps de déportation. Les illustrés anglais *London Illustrated News* et *Sphere* publièrent même des numéros spéciaux sur le camp de Majdanek, près de

Lublin. Ainsi que le rapporte Fritz Hesse, citant un intime d'Hitler, Hewel, les photos d'ossements humains, des chambres à gaz, du " crématoire " avec ses cinq fours, des casiers remplis de papiers et de vêtements ayant appartenu aux femmes et aux enfants gazés, mirent le Führer dans une rage indescriptible. Il tempêta " contre cette bande d'abrutis et d'incapables des Services de Sécurité, qui n'avaient pas fait disparaître à temps les traces des deux camps. " Même ces photos ne purent arracher une protestation au Vatican, bien qu'il ne pût pas lui échapper que sur les 380 000 Juifs hongrois déportés à Auschwitz du 15 mai au 30 juin, beaucoup n'avaient pas encore été gazés, mais allaient bientôt connaître le même sort. En effet, ainsi que le rapporte *Reitlinger*, ce n'est qu'en juillet 1944 que " la capacité totale des quatre fours crématoires d'Auschwitz, et des fosses d'incinération à ciel ouvert " encore plus rationnelles, fut utilisée à plein pour brûler les cadavres de Hongrois gazés ou fusillés.

Mais dès le premier jour des déportations, le 15 mai, Monsignore *Angelo Rotta*, Nonce apostolique, avait attiré l'attention du chef du gouvernement hongrois sur le fait que " ... le monde entier saurait ce que signifiaient ces déportations ". Ce n'est que le 25 juin que Mgr Rotta remit à Horthy un message du Pape, qui fit sur le régent nettement plus d'impression que les représentations des évêques hongrois, qui " protestaient moins contre les déportations en elles-mêmes que contre les cruautés qui les accompagnaient. C'est ainsi que la lettre pastorale du prince-archevêque Seredi était un long discours embarrassé évitant soigneusement d'appeler les déportations par leur nom. La publication de cette lettre pastorale fut d'abord différée, puis, le huit juillet, annulée, sur l'assurance qu'il n'y aurait plus de nouvelles déportations de Budapest. Ce fait, de même que les documents rassemblés par Eugène Levais, prouvent que les évêques étaient tout au plus prêts à intervenir du haut de leur chaire lorsqu'il s'agissait de Juifs " magyarisés ", dont beaucoup étaient baptisés. En outre, il ne faut pas oublier que l'appui sans réserve apporté par la gendarmerie hongroise au cours des opérations de déportation des Juifs n'aurait jamais été possible, si par le passé, l'Église avait condamné nettement et résolument l'antisémitisme " (Reitlinger).

Ce message tardif de Pie XII, qui n'était même pas adressé à Hitler lui-même, eut pour effet qu'on donna au Nonce l'assurance qu'à l'avenir les Juifs baptisés ne seraient pas déportés. C'est une preuve de plus de l'immense crédit dont disposait le Pape. Car, poursuit Reitlinger, " le message du Pape donna le signal d'appels venus du monde entier à la conscience du régent ". Les déportations de Hongrie prirent fin alors que la moitié à peine des Juifs avaient été déportés. Non seulement le secrétaire d'État américain Cordell Hull menaça Horthy de représailles, mais le roi de Suède et la Croix-Rouge internationale offrirent d'aider les Juifs à émigrer. Le 7 juillet, Mr Eden protesta à la Chambre des Communes contre le meurtre projeté des Juifs de Hongrie. Reitlinger conclut ce chapitre en affirmant qu'Himmler lui-même, influencé par les appels venus du monde entier, avait compris, que dans la dernière phase des combats, il fallait tenter de faire jouer les sentiments d'humanité et d'en tirer avantage pour la machine de guerre allemande. Du côté allemand, ce fut le Commando d'Eichmann qui fut chargéde réaliser ce plan chimérique, et qui aussitôt arrivé en Hongrie, se mit à essayer de vendre la vie des Juifs au plus offrant.

Quant à la brutalité avec laquelle la gendarmerie hongroise (qui fut presque seule à opérer les déportations, l'équipe d'Eichmann ne comprenant que quelques hommes) intervint contre ses compatriotes, on en trouvera un témoignage dans les souvenirs d'*Edith Bruck*. Son père fut l'un de ces Juifs, qui lors de la brutale expulsion de leur famille, exhibèrent leurs décorations de la Première guerre mondiale, dans l'espoir, d'ailleurs chimérique, que cela pourrait le sauver, ainsi que sa famillle, et leur épargner d'être livrés aux Allemands, aux côtés de qui ils s'étaient battus pendant la guerre.

Le succès des protestations slovaques contre les déportations amène Mr Reitlinger à se demander : " Comment croire qu'Hitler n'aurait pas été en mesure d'exercer une pression sur ce gouvernement-fantoche ? " A quoi je répondrai qu'il lui était facile d'exercer une pression sur le gouvernement slovaque, mais pas sur le Nonce apostolique qui, en fait, a sauvé en 1942 tous les Juifs qui restaient en Slovaquie, après que 52 000 d'entre eux eurent déjà été déportés, dont 284 seulement devaient survivre.

Effectivement, le Vatican, les évêques allemands et les Nonciatures étaient les seules instances qu'Hitler avait continué à respecter après l'entrée, catastrophique pour lui, des États-Unis dans la guerre. En 1940, après une conversation avec Mussolini, il interdit formellement à Rosenberg de se livrer à la moindre provocation contre le Vatican, et en 1941, il fit interrompre le programme d'euthanasie, à la suite des protestations du clergé. Reitlinger écrit : " On peut presque assurer que la dictature personnelle d'Hitler n'a jamais été si nettement bafouée que dans cette affaire, dans laquelle il a agi avec une écœurante lâcheté. "

On comprend mieux son respect quand on lit les phrases suivantes, parues en novembre 1937 dans *Angriff* (*L'attaque*), quotidien du Front allemand du Travail, et qui furent reprises plus tard dans l'introduction d'une brochure publiée en 1938 aux Éditions centrales du Parti national-socialiste, sous une couverture ornée d'un portrait du secrétaire d'État Pacelli : " Pourquoi nous attachons de l'importance au Vatican. Encore le Vatican ? Où veut-on en venir ? Pourquoi tant parler d'un ridicule petit territoire situé au cœur de la capitale de l'Empire romain ? C'est ce que se demanderont de nombreux lecteurs de la presse national-socialiste. Ils se disent : Roosevelt, Ibn Séoud, Chamberlain, Dimitroff, Herriot, et surtout le Duce, voilà des hommes qui comptent, qui marquent notre temps, dont la politique mondiale et la politique du Reich dépendent. Mais tous ces prélats romains, tous ces nonces feutrés et onctueux, ces cardinaux encensés comme des bouddhas — quelle comédie !

" Cette vue des choses repose sur une erreur grossière. Chamberlain et Herriot, Roosevelt et Dimitroff sont des personnages extrêmement influents. Aujourd'hui, ils ont leur mot à dire. Mais demain, tout le monde aura oublié jusqu'à leur nom. Mais les hommes qui entourent le Pape, ces discrets prélats de Curie, avec leurs croix pectorales ornées de pierres précieuses, eux, ne changent pas. Ils restent des dizaines d'années aux mêmes postes; de temps à autre ils sont remplacés par d'autres hommes de même formation, et ils font la même politique, siècle après siècle. Ils gouvernent près de 400 millions de " fidèles " dans le monde entier, ils disposent de richesses fabuleuses dispersées sur tous les continents, ils exercent leur influence sur une presse plus nombreuse que celle contrôlée par aucune des autres grandes puissances mondiales... Nous pouvons affirmer que la connaissance de cet ennemi héréditaire est, pour l'édification de la communauté du peuple allemand, encore plus importante que la connaissance d'aucune puissance temporelle. Nous autres, nationaux-socialistes, nous sommes bien placés pour savoir que c'est la foi qui déplace les montagnes et fait l'Histoire, et pas l'argent ou les lois économiques, ni les armes seules. C'est pourquoi nous sommes capables de reconnaître l'importance d'une puissance qui a une autre foi que la nôtre. Nous en avons encore fait l'expérience à l'occasion de la campagne électorale pour le retour de l'Autriche dans le Reich. Radio Moscou et Radio Vatican se sont trouvées d'accord pour saboter la consultation et vitupérer de la manière la plus grossière l'attitude lucide des prélats autrichiens. En vain ! Mais ils ne s'avouent pas encore vaincus et s'efforcent toujours de miner la politique allemande, à l'intérieur comme à l'extérieur. Aussi devons-nous rester plus vigilants que jamais ! "

Dans son livre *Le Vatican et la guerre*, paru en 1961, Monsignore *Giovanetti*, de la secrétairerie d'État, illustre de nombreux exemples " l'importance qu'on accordait de tous côtés au Saint-Siège, pendant la guerre. A cette époque, en Suisse, il était à peine exagéré de parler d'une lutte d'influences pour conquérir les bonnes grâces du Vatican, et ce de la part des deux blocs de belligérants... "

Sherwood écrit : " En raison de la sérieuse opposition catholique à l'aide de l'Union soviétique, Roosevelt se décida à envoyer à Rome un " envoyé personnel auprès du Pape Pie XII ", Myron C. Taylor. Il y eut bien quelques protestants, dont d'influents ecclésiastiques, qui se montrèrent alarmés à l'idée d'un accord secret entre la Maison Blanche et le Vatican... Il y eut quelques impatients qui pensaient que le président surestimait l'importance de l'opinion catholique; mais il était tout à fait dans sa manière de procéder toujours avec la plus extrême prudence, là où des susceptibilités religieuses étaient en jeu. Dans ces affaires, il voyait plus juste que ses conseillers. " En août 1941, Hopkins écrivait déjà au ministre britannique de l'Information : " Nous avons ici quelques difficultés avec notre opinion publique au sujet de la Russie. Les Américains voient d'un mauvais œil l'aide à la Russie. Toute la population catholique est contre, tous les nazis, tous les Italiens et une foule de gens qui croient sincèrement que Staline représente une grave menace pour le monde... Les prouesses de l'Armée rouge sont assez dures à avaler pour nos militaires. Les Anglo-saxons ont toujours peine à admettre que d'autres qu'eux sachent se battre. "

Instinctivement, Hitler savait mieux que Roosevelt que le Pape n'avait pas et de loin une envergure correspondant à l'immense crédit dont il jouissait dans le monde. Pourtant, il nomma ambassadeur auprès du Saint-Siège son secrétaire d'État aux Affaires étrangères. Et, au début de novembre 1943, comme quelques bombes d'origine inconnue étaient tombées dans les jardins du Vatican, l'arrogant Ribbentrop lui-même jugea utile de téléphoner en personne au Consul à Rome, Moellhausen, pour le charger de demander au Pape de protester contre ce bombardement. Comme il connaissait Pie XII et savait qu'il n'avait même pas condamné la déportation des Juifs, il ajouta aussitôt que les habituels propos " lénifiants " du Saint-Père ne suffisaient pas, et qu'il devrait s'exprimer clairement. Goebbels, ancien élève des Jésuites, et qui appréciait de manière au moins aussi réaliste qu'Hitler le rôle du Vatican dans la guerre, déplorait le 9 novembre 1943 que l'*Osservatore Romano* ait adopté à propos de cet incident " un ton malheureusement très modéré ". " Le Pape, écrivait-il, semble n'avoir pas encore renoncé à jouer un rôle d'intermédiaire entre le Reich et les puissances occidentales ennemies. "

Il avait dicté un peu plus haut : " Quelques bombes ennemies qui tombent sur la cité du Vatican, voilà qui est pourtant une sensation mondiale. Sous la pression des commentaires de l'opinion publique des pays neutres, les Anglais se sont une fois de plus vus contraints de nier ce crime et de nous en attribuer la responsabilité. " Quelques bombes qui n'ont touché personne, une sensation mondiale ! *Werner Stephan* qui fut de 1933 à 1945 au service de presse du ministère de la Propagande raconte que lorsque Galen prononça ses discours enflammés contre les crimes nazis Goebbels avait annoncé qu'il prendrait la parole à Munster, puis s'était décommandé, car il n'osait pas pénétrer dans la ville épiscopale : " Il serait apparu comme chargé d'exécuter une sentance prononcée par Hitler contre l'évêque rebelle. Cela aurait produit une certaine impression sur une assemblée de membres du parti et de sympathisants prompts à s'enthousiasmer. Mais Goebbels n'oubliait pas l'autre aspect des choses : Galen aurait fait figure de martyr, et son exemple aurait pu dresser des millions d'hommes contre le régime totalitaire. Le ministre de la Propagande ne savait que trop bien ce que représentait *cet* adversaire. " Pourquoi, ne peut-on s'empêcher de se demander, le Pape n'a-t-il pas fait usage de ce pouvoir pour faire triompher l'humanité ? Peut-être n'y a-t-il pas dans l'Histoire une époque où autant d'hommes ont été victimes de la passivité d'un seul homme d'État.

Gerald Reitlinger écrivait à l'auteur de ces lignes : " *The question of the absence of any threat to excommuniate the instruments of Hitler's extermination policies is a graver one and frankly I am inclined to think that the fact the victims were Jews was one of the reasons why that threat was never made. Here again, however, neutrality and diplomatic immunity had become an obsession and I do not think this need have happened had there been a better Pope.* "

En 1938, Goebbels déconseillait aux hauts-fonctionnaires de son ministère de rompre avec leurs Églises, et, au cours d'une allocution prononcée devant les chefs des Offices de propagande, il souligna qu'il avait lui-même fait baptiser tous ses enfants.

En pleine guerre, lorsqu'il avait quelque chose à dicter à sa secrétaire le dimanche matin, il lui donnait congé pour la durée de la messe. Le dimanche de Pâques 1943, il écrivait dans son journal : " A Berlin, le service de Sécurité a pris à l'Église catholique la chapelle Saint-Clément. Von Papen m'écrit pour demander de faire rendre cette chapelle à la paroisse. Je fais aussitôt le nécessaire et demande des explications aux responsables : comment se fait-il qu'ils se soient livrés en plein Berlin à des actes qui vont à l'encontre de mes directives ? "

Hitler et les hommes forts de son régime, Himmler, Goering et Goebbels, étaient beaucoup trop avisés pour, en pleine guerre, provoquer le Vatican par des brimades contre l'Église d'Allemagne. Hitler qui, dans ses propos familiers, parle de l'Église sans le moindre ménagement (c'est également le cas de Goering) écrivit aux évêques protestataires des lettres conciliantes, car ainsi que l'écrit Friedrich Heer, l'opposition du clergé " n'a jamais remis en cause l'allégeance à l'Autorité temporelle voulue par Dieu, au Führer et Chancelier du Reich. Pour sa croisade contre le bolchevisme, on mettait à sa disposition les cohortes des fidèles, conduits au combat par des aumôniers des deux confessions ".

Le fait même qu'Hitler ait fait assassiner plus d'un prêtre anonyme semble n'avoir jamais sérieusement compromis ses bonnes relations avec le Vatican. C'est encore Friedrich Heer que nous citerons : " Prêtres et laïcs, hommes de prière et d'action, qui osaient concevoir et assumer une forme quelconque de résistance, ne pouvaient en aucune manière compter sur la compréhension de leurs directeurs de conscience, ni en prison, ni même au pied de l'échafaud. C'est la raison pour laquelle la résistance d'inspiration chrétienne à Hitler eut, dès les origines, quelque chose de scandaleux, d'exceptionnel, d'inopportun et de contraire à l'obéissance. "

Seul le sournois Bormann — d'ailleurs assez peu intelligent — eut toujours tendance, même en pleine guerre, à prendre des mesures susceptibles d'indisposer le Vatican. Mais quel que fût l'attachement d'Hitler pour " son compagnon le plus fidèle ", il n'hésita jamais à le rappeler sèchement à l'ordre à chacun de ses excès de zèle contre l'Église. Le responsable des affaires religieuses au ministère des Affaires étrangères rapporte qu'au cours de la guerre, Hitler est intervenu personnellement trois fois pour faire rapporter des mesures hostiles à l'Église.

M. von Papen en témoigne : " Les fameux sermons de l'évêque de Münster, le Comte Galen, circulaient sous le manteau, et j'appris par Lammers qu'il les avait montrés à Hitler. Il ne me fut donc pas difficile d'attirer son attention sur cette situation critique. Hitler se montra sensible à mes arguments et, comme en d'autres occasions, rejeta la faute sur des agitateurs trop zélés du Parti. Il m'assura qu'il avait, par l'intermédiaire de Bormann, donné des directives sévères pour que cessent ces " incartades ". Il n'avait nullement besoin que la paix intérieure soit troublée à ce moment. " Il n'avait pas menti, car ses décisions furent appliquées. Même un Himmler, qui un jour avait froidement déclaré à Mme von Weizsäcker : " Nous n'aurons de cesse que le Christianisme ne soit anéanti ", était assez avisé pour concentrer son génie destructeur sur des groupes d'hommes dont l'extermination ne pouvait provoquer de rupture entre l'Allemagne d'Hitler et le Saint-Siège : Juifs, Slaves, Tziganes, témoins de Jehovah, communistes. Le Nonce à Berlin est souvent intervenu auprès de Weizsäcker en faveur de prêtres polonais : souvent avec succès. D'ailleurs les ecclésiastiques polonais passaient dans l'ensemble pour " sûrs ". Tandis que les prêtres polonais résistants étaient mis dans des camps de concentration et souvent affreusement torturés, comme par exemple le Père Kolbe, le Gauleiter Forster, dans un rapport daté de Dantzig, recommandait au Führer de ne pas confier les Polonais " dignes de germanisation ", à des prêtres du Reich, mais de laisser auprès d'eux leur clergé national. " Car les pressions auxquelles les prêtres polonais sont soumis sont telles qu'ils sont dociles à toutes les injonctions et, à la fin de chaque semaine, demandent à la sous-préfecture quel doit être le thème de leur sermon du dimanche. A mon sens, le mieux serait encore d'amener l'évêque polonais à entrer en étroits contacts avec le Gauleiter afin que les curés reçoivent directement de lui nos instructions concernant les sermons. Il serait ainsi possible d'avoir la paix dans ce pays pendant toute la période de transition. " Hitler s'interdit cependant de trop attendre d'une telle politique : Charlemagne avait déjà essayé sans succès de gagner l'Église à une " politique allemande ", par l'intermédiaire des évêques.

Le Comte *Ciano*, ministre italien des Affaires étrangères, qui disait d'Himmler qu'il était " le seul homme capable de sentir le pouls du peuple allemand ", n'a apparemment pas douté de la sincérité des observations d'Himmler sur le Vatican et Pacelli, en mai 1939 : " Himmler s'est longuement étendu sur les rapports avec l'Église. Le nouveau Pape jouit ici de sympathies et on estime qu'un *modus vivendi* est possible. Je l'encourageai dans cette voie en lui affirmant qu'un accord entre le Reich et le Vatican contribuerait dans une large mesure à rendre l'Axe populaire. " En fait, peut-être Himmler était-il sincère, lui dont Reitlinger dit qu'il ne pouvait mentir ou donner libre cours à son imagination sans sombrer dans le ridicule, peut-être le pensait-il vraiment, et ne le disait-il pas seulement par opportunisme ? En 1943, il fit des obsèques religieuses à sa mère, il autorisa des officiers S. S. à prendre part publiquement à la communion. Peut-être même n'a-t-il parlé de l'extermination du christianisme que par lâcheté, parce que dans certains milieux du parti (auxquels Hitler ne laissa d'ailleurs jamais la haute main sur les affaires), on tenait volontiers de tels discours. Au cours de l'hiver 1942, lorsqu'il fut question de gazer les Polonais tuberculeux, Himmler renonça à ce projet, convaincu que l'Église ne se tairait pas et que " le procédé envisagé fournirait à nos ennemis un thème de propagande de premier choix et nous causerait du tort non seulement aux yeux des médecins et savants italiens, mais de tout le peuple italien, en raison des liens que le catholicisme crée entre ces deux nations " (voir Mitscherlich).

En tout cas, il savait ce qui était impopulaire : par exemple l'extermination des Juifs et des débiles mentaux — et si ces actions furent entreprises plus tard sous sa direction, il ne les souhaitait pas au début, justement parce qu'elles étaient impopulaires. Il s'inclina ensuite, non sans réticences, devant la volonté d'Hitler, et il aurait sans aucun doute fait assassiner les prêtres si Hitler l'avait ordonné. Mais, après l'attentat du 20 juillet 1944 (dont il déplorait vivement l'échec, du moins en ce qui concerne la personne d'Hitler), il confia qu'il ne pouvait se disculper aux yeux d'Hitler qu'en redoublant de cruauté contre les conjurés. En 1944, il déclarait à son médecin personnel, envers qui il ne chercha jamais à dissimuler : “ Nous n'aurions pas dû attaquer l'Église, car elle est plus forte que nous. Quand je serai mort, ces prêtres prieront encore pour mon âme. ”

C'est à mon avis *Trevor-Roper*, cet historien d'Oxford qui, après la guerre, put, en tant qu'officier de renseignements, interroger tous les protagonistes condamnés (ou acquittés) plus tard, ainsi que leurs adjoints et leurs secrétaires, qui a le mieux saisi le caractère d'Himmler. Il écrit : “ Admettons que dans un monde civilisé de tels hommes sont rarement tolérés. Mais tournons-nous vers les grandes périodes de bouleversements historiques, les époques de révolutions et de brassages sociaux, et nous retrouverons toujours l'archétype d'Himmler. C'est celui du Grand Inquisiteur, du mystique de la politique, qui est prêt à sacrifier l'homme à un idéal abstrait. Les Grands Inquisiteurs qu'a connus l'Histoire n'étaient pas des hommes cruels ou esclaves de leurs passions. Ils étaient souvent scrupuleux à l'extrême, et leur vie privée était d'un ascétisme spartiate. Souvent, ils étaient bons pour les animaux, comme (Saint) Robert Bellarmin, qui se refusait à déranger les puces qui avaient élu domicile dans ses vêtements. Comme elles ne pouvaient espérer en la béatitude céleste, disait-il, il serait cruel de leur refuser ces plaisirs de la chair, les seuls qu'elles fussent en droit d'exiger. Par contre, pour les hommes qui avaient choisi le mensonge bien qu'il leur eût été donné de connaître le bien, aucune répression n'était assez sévère. C'est ainsi que les bûchers se dressèrent partout, qu'on y mit le feu, qu'on y brûla les incroyants et leurs livres, tandis que ces doux et pieux prélats rentraient chez eux prendre une frugale collation de poisson et de légumes secs, donnaient à manger à leurs chats et à leurs canaris et méditaient sur les psaumes de la pénitence... Pendant ce temps, leurs chapelains s'installaient à leurs écritoires, dans leur cellule, pour écrire leurs vies et transmettre à la postérité leur édifiant exemple, les règles monastiques qu'ils avaient rédigées, et mettre en valeur leurs macérations, leurs aumônes, et la candeur de ces belles âmes de pasteurs, convaincus qu'ils étaient, pour reprendre une expression du Cardinal Newman, qu'il vaudrait mieux voir l'humanité tout entière succomber dans les souffrances les plus atroces que laisser commettre un seul péché véniel.

" Un tel exemple peut sembler surprenant, mais la nature est féconde en inventions et les types humains inépuisables : les époques révolutionnaires amènent sur le devant de la scène des hommes qui, en d'autres temps, seraient restés ignorés au fond d'un cachot ou d'une cellule de couvent. Quant à Himmler, les opinions sont unanimes, c'était un homme terne, commun, maniaque et minable. Il était cupide, fermé à la pensée, et cependant il ne pouvait résister à la tentation de ratiociner, de se perdre dans la contemplation de l'infini et de s'égarer dans la casuistique la plus futile de la théologie nazie. En un certain sens, Hitler lui-même n'était pas un vrai nazi, car la doctrine du nazisme, ce système confus et délirant de mythes germaniques, n'était pour lui qu'une arme politique : " Il dénigrait et raillait l'idéologie des S. S. " Mais pour Himmler, ces théories, le moindre iota des Écritures étaient la Vérité, la vérité aryenne, et tout homme qui ne les respectait pas scrupuleusement dans leur pureté première était condamné aux tourments éternels. Himmler étudiait ces fameux écrits avec un tel zèle pédantesque et borné, avec une telle passion d'autodidacte et de collectionneur que des gens ont cru, à tort d'ailleurs, que c'était un ancien maître d'école. Speer décrit ainsi l'impression qu'il lui fit : " A moitié maître d'école, à moitié vieil original à l'esprit tordu. " En pleine guerre, à une époque où Goebbels prêchait la mobilisation totale, il utilisa des milliers d'hommes et gaspilla des millions pour un programme digne d'un illuminé. Dans une section de son service des Renseignements extérieurs, une équipe de chercheurs pleins d'ardeur étudiait sans relâche des thèmes d'une brûlante actualité, tels que les Rose-Croix et la Franc-Maçonnerie, le symbolisme de la harpe irlandaise en Ulster, la signification occulte des flèches gothiques et des chapeaux hauts-de-forme d'Éton. Les laboratoires scientifiques des S. S. s'épuisaient en efforts infructueux pour isoler une goutte de sang aryen sans mélange. Un explorateur fut envoyé en mission au Tibet pour rechercher les traces d'une race germanique pure, qui, au fond de vallées impénétrables, était censée maintenir intacts les anciens mystères nordiques. Dans toute l'Europe, des archéologues entreprirent des fouilles pour tenter de découvrir des vestiges d'une civilisation germanique authentique. Alors que l'armée allemande s'apprêtait à évacuer Naples en toute hâte, Himmler exigea qu'elle emportât à tout prix l'énorme pierre tombale du dernier empereur Hohenstaufen. De riches commerçants qui voulaient être admis dans le cercle très fermé des " Amis " devaient acheter leur admission par une donation, qui pouvait atteindre un million de marks, à la fondation " Ahnenerbe " (" Patrimoine ancestral "), un institut " scientifique " qui se livrait à de ruineuses recherches sur l'origine des Aryens ! En avril 1945 encore, à un moment où le Reich n'était déjà plus qu'un immense champ de ruines, Himmler évoquait la colonisation de l'Ukraine par une nouvelle secte religieuse que son masseur lui avait recommandée, et au cours d'une conversation avec le Comte Bernadotte, après avoir dit qu'il était le seul homme de bon sens encore vivant en Allemagne, il interrompit la discussion sur la guerre et la paix pour se livrer à une docte digression sur les runes et l'écriture runique. Cette écriture, jamais déchiffrée, des " Normands " du Moyen Age, l'intéressait au-dessus de tout. Il prétendait que, si on savait les regarder, les runes présentaient une analogie frappante avec les idéogrammes japonais, et prouvaient donc qu'en dernier ressort, les Japonais étaient des Aryens.

" Semblable caractère ne recèle pas une once de malice. Himmler était un croyant convaincu. Son fanatisme n'était pas la résultante de la peur et de la lâcheté, son indécision ne venait pas de ses doutes. La candeur infantile de sa foi dans un certain ordre du monde ne tolérait pas le moindre doute... "

Le confident le plus intime d'Himmler, *Schellenberg*, avec qui il évoqua à partir de 1942 des projets de haute-trahison, sans jamais (même en particulier) les appeler par leur nom, rapporte des faits qui confirment ce que nous savons de lui : " Himmler possédait une immense et excellente bibliothèque sur l'ordre des Jésuites, et pendant des années, il avait passé ses nuits à étudier cette littérature. C'est pourquoi il conçut l'organisation des S. S. sur le modèle de celle des Jésuites. Les bases étaient les règles et les " Exercices " d'Ignace de Loyola. La règle suprême était celle de l'obéissance absolue, l'exécution de n'importe quel ordre sans discussion. Himmler lui-même, " Reichsführer " de la S. S., était le Père général de l'Ordre. La hiérarchie des dignités était copiée sur l'organisation hiérarchique de l'Église catholique. Près de Paderborn, en Westphalie, il avait fait aménager un château médiéval, la Wevelsburg, et il en avait fait, pour ainsi dire, le grand " Cloître S. S. ", où le Père général de l'Ordre convoquait une fois l'an un Consistoire secret. Là, tous ceux qui comptaient parmi les plus hauts dignitaires devaient se livrer à une retraite spirituelle et à des exercices de concentration. Dans la grande salle de réunion, chaque membre de la confrérie disposait d'un siège personnel, avec son nom gravé sur une plaque d'argent. Peut-être faut-il chercher l'origine de ces tendances mystiques d'Himmler dans sa position ambiguë à l'égard de l'Église catholique, qu'on peut définir comme un mélange d'amour et de haine, de fascination et de répulsion, ainsi que dans la sévère éducation paternelle, fortement imprégnée de catholicisme : il a plus tard essayé d'échapper à ces influences en se réfugiant dans un romantisme éperdu et nébuleux... "

Quelle fut, pendant la guerre, l'attitude d'Hitler à l'égard du Vatican ? Cela mérite quelques éclaircissements également. Le Pr *Eugen Kogon* écrit : " Aucun haut dignitaire de l'Église catholique allemande n'a jamais été jeté par la Gestapo dans un camp de concentration. Une fois, il se trouva que le doyen du Chapitre d'Olmütz qui se trouvait au camp de concentration de Buchenwald fut nommé coadjuteur de l'Évêque : les S. S. le libérèrent aussitôt. "

Les protestations de l'Évêque de Münster avaient profondément contrarié et irrité Hitler. Il dit un jour qu'après la victoire finale, Galen serait " passé par les armes ". A d'autres interlocuteurs, il déclara, non sans ironie, que si l'Évêque ne parvenait pas, avant la fin de la guerre, à se faire nommer au Collegium Germanicum de Rome, il paierait œil pour œil et dent pour dent, mais *après la guerre*. Il sut réfréner sa rage. Sauf avec ses intimes, il dissimula toujours son aversion pour l'Église, aussi longtemps que le Clergé ne le gêna pas politiquement. Il avait très tôt déclaré à von Papen que le " Mythe du xxe siècle " de Rosenberg ne valait pas l'encre employée pour l'imprimer. Il s'est toujours moqué de l'idée qui consistait à remplacer l'Église catholique par une nouvelle Église nazie. Il pensait que dans quelques siècles, l'Église disparaîtrait d'elle-même. Il voulait seulement accélérer ce processus en décidant d'imiter après la guerre l'exemple des États-Unis et de réduire l'Église à la portion congrue, alors qu'en 1942 elle avait obtenu 900 millions de marks du Reich allemand. L'Église serait alors obligée de mendier son soutien financier et de se plier à ses conditions. Hitler mit son veto au plan diabolique d'Heydrich, qui consistait à envoyer des membres particulièrement doués des Jeunesses hitlériennes et de faux théologiens dans les séminaires, pour pouvoir ensuite faire éclater le clergé de l'intérieur et le livrer à l'influence du Parti. Peut-être n'était-il pas certain de pouvoir garder ces jeunes agents sous son contrôle.

Quant à la position de *Goebbels* et de *Goering* à l'égard de l'Église pendant la guerre, elle est attestée par de nombreux documents. En voici un, extrait du journal intime du ministre de la Propagande, datant de mars 1942 : " Goering vient d'envoyer une lettre extrêmement dure aux évêques Galen, de Münster, et Berning, d'Osnabruck. Il leur a rappelé le serment de fidélité à l'État qu'ils ont prêté devant lui, et leur a fait de vifs reproches pour leur trahison. Or, les réponses viennent d'arriver, alors que je me trouvais présent. Elles sont relativement humbles de ton. Ces messieurs les évêques essaient bien de se disculper par de longues explications embarrassées et de prouver qu'ils n'ont pas trahi leur serment. Mais nous ne pouvons nous estimer satisfaits. Je conseille à Goering de leur adresser une nouvelle lettre, surtout à Galen, pour lui dire nettement et sans équivoque que ses affirmations concernant la liquidation de malades incurables et de blessés ont suscité de graves troubles dans le Reich, et que de telles incartades sont exploitées par les services anglais de propagande contre le régime national-socialiste. D'un autre côté, on ne saurait nier que certaines mesures prises par le Parti, en particulier le décret concernant le crucifix, donnent des armes aux évêques dans leur propagande contre l'État. Goering s'en plaint également. A l'égard des confessions chrétiennes, sa position est nette et lucide. Il pénètre leurs desseins et n'a aucunement l'intention de les prendre sous sa protection. Mais, par ailleurs il est du même avis que moi, à savoir qu'il n'est pas indiqué d'ouvrir, dès maintenant, en pleine guerre, un débat si ardu et si complexe. Le Führer lui a exprimé le même point de vue, comme d'ailleurs il m'en avait fait personnellement part. A ce propos, le Führer a expliqué que si sa mère vivait encore, elle irait certainement à l'église, et qu'il ne pourrait, ni ne voudrait l'en empêcher. »

Cela se situait à l'apogée de la puissance d'Hitler, alors que toute l'Europe, à l'exception de l'Angleterre, était en son pouvoir. Quelques mois plus tard, il dit à Himmler, qui, soulagé par l'assassinat d'Heydrich, souhaitait procéder « plus prudemment » dans les affaires religieuses : « Si des églises pleines de fidèles suffisent pour que le peuple allemand se tienne tranquille, je n'ai rien à y objecter en raison des impératifs de la guerre. » L'opportunisme d'Hitler alla jusqu'à mettre la Passion d'Oberammergau au service de l'antisémitisme. Il dit en 1942 : « L'une de nos missions les plus impératives est de préserver les Allemands des générations à venir du même sort (qu'en 1918-33)... et, pour cela, de maintenir en éveil leur conscience du péril racial. Ne serait-ce que pour cela, la Passion d'Oberammergau doit absolument être maintenue. En effet le péril juif n'apparaît nulle part plus clairement que grâce au personnage de Ponce-Pilate dans cette Passion : il apparaît sous les traits d'un Romain intellectuellement et ethniquement supérieur, qui se dresse comme un récif au milieu de cette tourbe et de cette agitation de Levantins. En ce qui concerne la signification et le rôle de cette Passion pour l'éducation des générations à venir, on ne peut que donner raison au christianisme. »

Les chiffres cités par Gerstein dans son rapport (voir Poliakof et Wulf et les *Cahiers trimestriels d'Histoire contemporaine*) ont été ici encore, et bien que l'auteur ne doute pas de leur véracité, remplacés par des chiffres plus modestes, donc plus vraisemblables, et qui, à l'époque, étaient déjà connus de la presse alliée. C'est ainsi que le 21 janvier 1943, le représentant du Congrès Juif mondial, *Gerhard Riegner*, qui résidait à Berne, indique qu'en Pologne, 6.000 Juifs étaient tués chaque jour. Ce rapport fut à l'origine d'un meeting de protestation au Madison Square Garden de New York. Dès août 1942, M. Riegner avait informé Washington des nouveaux projets d'extermination d'Hitler, et, en novembre, il avait étayé ses informations par quatre nouveaux rapports adressés sous la foi du serment au secrétaire d'État Summer Welles. Le 21 juillet 1942, à l'occasion d'une manifestation à Madison Square Garden, le président Roosevelt avait écrit au Dr Wise : " *The American people not only sympathize with all victims of nazi crimes but will hold the perpetrators of these crimes to strict accountability in a day of reckoning which will surely come* " Par ailleurs, Hitler avait renouvelé le 30 septembre 1942 sa " promesse " d'exterminer jusqu'au dernier les Juifs d'Europe. Le 17 décembre 1942, les Alliés annonçaient solennellement que les coupables des massacres seraient châtiés.

La description que Gerstein donne des chambres à gaz de Belzec a été complétée par des précisions contenues dans le fameux rapport de l'ingénieur *Hermann Friedrich Graebe*, qui, en tant que fondé de pouvoirs de l'entreprise de travaux publics Josef Lung, de Solingen, avait pu assister à des exécutions massives de familles juives, fusillées à Sdolbunow, en Ukraine (voir Poliakof et Wulf : *Le Troisième Reich et les Juifs*). De telles exécutions dans des fosses communes ou des carrières (à Kiev, par exemple, les 28 et 29 septembre 1941, 34 000 exécutions) ne pouvaient être cachées aux soldats de la Wehrmacht, pas plus d'ailleurs qu'à la population civile, parmi laquelle on recruta, en Ukraine et dans les Pays baltes, de nombreux volontaires pour la chasse à l'homme et les pelotons d'exécution, le tout sous contrôle allemand. Le journal d'*Ernest Jünger* fait à plusieurs reprises état des rumeurs terrifiantes qu'il recueillit à ce sujet : ainsi le 6 mars 1942, le 31 décembre 1942, le 21 avril 1943. Ces rumeurs furent connues de la plupart des Européens... dans la mesure où ils voulaient bien s'y intéresser. Au cours d'une de ses remarquables et poignantes allocutions de 8 minutes sur les antennes de la B. B. C., *Thomas Mann* donna, le 27 septembre 1942, des détails sur les massacres. Le même mois, parut en Amérique un livre qui réunissait les vingt-cinq premières émissions radiophoniques de Thomas Mann, commencées en octobre 1940. Il contient une allocution de novembre 1941 qui fait état de massacres de Juifs et de Polonais. En janvier 1942, Thomas Mann rapporte que des Juifs hollandais ont été gazés. Plus tard, le gouvernement néerlandais en exil publia des détails sur les circonstances, le nombre des suppliciés et le lieu du crime, Mauthausen : ces informations furent reprises par Thomas Mann en juin 1942 dans une émission en langue allemande, puis dans le livre mentionné plus haut. On n'avait pas encore entendu parler d'Auschwitz, centre du programme d'extermination, bien que dès le 14 juillet 1941 et le 14 mars 1942, le journal new yorkais de langue allemande *Neue Volkszeitung* ait parlé de l'enfer d'Oswiecim, et que par la suite, le Bulletin de l'Agence télégraphique juive à Londres ait cité, le 13 décembre 1943, le chiffre de 580 000 Juifs assassinés à Auschwitz. Six mois plus tard, le 2 juin 1944, cette même agence évaluait à 88 000 le nombre des Juifs gazés à Auschwitz jusqu'au milieu de l'année 1942. Mais comme il s'agissait de Juifs, ces bulletins n'éveillèrent pas dans les nations chrétiennes en guerre l'intérêt qu'ils méritaient et qu'on n'accordait alors qu'aux événements quotidiens de la guerre. Un peuple en guerre a assez à faire de ses propres préoccupations, et cela explique bien des choses. Mais on n'avait aucune raison de mettre en doute le serment prononcé publiquement et souvent réitéré par Hitler d' " exterminer " les Juifs. Il ne fait aucun doute que, tant en Allemagne même qu'à l'étranger, tout personnage influent et informé savait que les exterminations avaient lieu, pour ainsi dire légalement, régulièrement et massivement, et que les déportations conduisaient à la mort. Ainsi, en octobre 1943, on pouvait lire en Amérique que 4 000 enfants de 2 à 14 ans avaient été déportés de France, à raison de 60 par wagon, séparés de leurs parents, et pour une destination inconnue.

Le 22 juin 1943, l'ambassadeur du gouvernement polonais en exil à Washington, M. *Jan Ciechanowski*, reçut la visite du lieutenant Jan *Karski*, émissaire secret des autorités clandestines anticommunistes de Pologne, qui venait pour la deuxième fois apporter son témoignage direct aux autorités civiles et militaires compétentes des États-Unis. Il fut reçu par le président en personne, et Karski eut ainsi l'occasion de présenter à Roosevelt " un tableau des camps de concentration et des massacres. Il lui parla d'Oswiecim (Auschwitz), Majdanek, Dachau, Oranienburg, du camp de femmes de Ravensbruck, et fit au président un récit à lui faire dresser les cheveux sur la tête de la visite qu'il avait faite lui-même — déguisé en policier — aux camps de Treblinka et Belzec, où les Juifs étaient gazés dans des wagons. Karski conclut : " Je suis persuadé, Monsieur le Président, que les rapports sur la situation des Juifs ne sont pas exagérés. Nos autorités clandestines ont la conviction que les Allemands sont fermement décidés à exterminer entièrement la population juive. Des rapports dignes de foi de nos informateurs indiquent qu'au jour où j'ai quitté la Pologne, 1 million 800 000 Juifs avaient été assassinés dans ce seul pays... Les chefs de notre organisation secrète m'ont chargé d'informer les autorités militaires anglaises et américaines que ces assassinats collectifs ne pourraient être stoppés, ou du moins ralentis, que si les Alliés prennent des mesures de représailles immédiates, et effectuent des bombardements massifs sur des villes allemandes, après avoir jeté des millions de tracts pour avertir les Allemands que les bombardements sont le châtiment de l'extermination des Juifs. »

Effectivement, pendant l'été 1943, les bombardiers alliés ont jeté sur l'Allemagne des tracts évoquant l'extermination des Juifs et donnant de nombreux détails, en particulier sur les fosses communes découvertes à Kharkov. A plusieurs reprises, des responsables de mouvements de jeunesse allemands, par exemple de l'organisation « Jungvolk », donc des gamins de douze à quatorze ans, furent mobilisés pour ramasser et brûler de semblables tracts. On est en droit de penser que, parmi d'autres interventions, le récit du lieutenant Karski, et ceux qui l'avaient précédé, ont amené le président Roosevelt à intervenir auprès du Pape, par le canal de Myron C. Taylor, et par d'autres voies, afin qu'il appelle *ex cathedra* les catholiques à s'insurger contre les atrocités d'Hitler. Dans une lettre à l'auteur, l'ancien ambassadeur de Pologne à Washington, à qui on demandait s'il avait bien transmis au Vatican le rapport de Karski, répondit qu'il en avait informé non seulement la délégation apostolique à Washington (dirigée par le futur Cardinal secrétaire d'État Cicognani), mais aussi le Congrès, les cardinaux, les évêques, et les universités d'Amérique, et que jusqu'à son rappel le 5 juillet 1945, il n'a cessé de transmettre à toutes les autorités mentionnées toutes les informations qu'il recevait de Pologne à ce sujet. Même avant l'arrivée de Karski, l'Ambassadeur Ciechanowski a fait tout ce qui était en son pouvoir pour alerter Washington et avertir l'opinion de ce qui se passait.

Quand le Pr Golo Mann affirme dans son *Histoire d'Allemagne* que pendant la guerre, les Alliés ignoraient tout des chambres à gaz d'Allemagne et d'Autriche (alors que son père dénonçait publiquement dès 1942 les assassinats de Mauthausen) il ne fait qu'étayer — bien entendu inconsciemment — la tentative des Alliés anglais et américains qui cherchent une excuse à l'incrédulité avec laquelle ils ont accueilli pendant des années les rapports les plus dignes de foi sur le génocide. Leur indignation, leur rage, lorsqu'en 1945 ils firent sauter les portes des camps, peut-être faut-il également y voir une manifestation des reproches que leur faisait leur propre conscience. Qui dira le nombre des Juifs qui succombèrent à la " solution finale " (qui n'en est pas excusée pour cela) parce que l'entrée dans un autre pays leur fut refusée, impitoyablement et souvent sans raison ? Cela aussi, c'est une tragédie. En janvier 1944, comme un demi-juif lui prédisait " les sanglantes représailles " que les Alliés exerceraient sur l'Allemagne à la fin de la guerre, la journaliste Ursula von Kardorff notait dans son journal intime : " Sans doute, nous nous sommes chargés d'une faute inexpiable, mais les autres aussi, les Anglais et les Américains qui n'ont rien fait pour faciliter l'émigration des Juifs. Ils n'ont pas lieu de se poser en juges. Barchen demande : " Qu'ont donc fait les autres, quand les Juifs ont été obligés de fuir de chez nous après le 9 novembre 1938 ? Qui donc a fait tant de difficultés pour leur accorder des visas que beaucoup y ont renoncé et, après la déclaration de guerre, ont été soumis à un traitement inhumain et dégradant ? " Elle m'a raconté ses efforts infructueux pour aider une amie juive, dont le frère était déjà en Amérique, à émigrer. Elle a couru de consulat en consulat, armée de recommandations de diplomates et de journalistes influents. Elle a fait la queue pendant des heures devant le consulat américain, trois jours de suite. A la fin, une secrétaire américaine, visiblement stupéfaite, lui a dit qu'elle ne comprenait pas comment une Allemande pouvait intervenir en faveur d'une Juive, puisque c'était interdit !

" Je ne sais pas si nous avons réussi à convaincre le Dr Meier, il est désespéré, parce que son père, qui était juif, est mort d'inanition dans un camp près de Darmstadt. Je ne peux lui en vouloir, s'il souhaite que nous soyons punis, c'est son droit. Sur le front, les meilleurs tombent pour une victoire que je redoute — car si Hitler gagne, nous sommes perdus. Mais s'il ne gagne pas ? "

En 1955, le Pr Mann écrivait, parlant des derniers mois de Carl Goerdeler, pendant l'hiver 1944 : " On a honte de sa propre attitude pendant ces mois-là, on a honte de l'Allemagne et des Alliés... " Et, au sujet de la fameuse lettre de Goerdeler à Kluge : " Si les Anglo-américains avaient su, à ce moment-là, que des hommes supérieurs pouvaient, en Allemagne, écrire de telles lettres ! S'ils s'étaient donné la peine de chercher à le savoir et d'en tirer les conséquences ! "

Dans le cas de l'extermination des Juifs, ils n'avaient même aucune peine à se donner pour découvrir la vérité, on la leur criait sans relâche à la face, et ils ne tenaient pas à l'entendre. L'Ambassadeur Ciechanowski écrit, à propos de l'été 1942 : " A cette époque, les Américains ignoraient encore en grande partie tous les détails du système d'anéantissement mis au point par les bandes hitlériennes. Mais grâce au système parfaitement au point des contacts quotidiens avec l'administration clandestine, qu'il avait réussi à mettre sur pied, le gouvernement polonais en exil était informé avec précision de tout ce qui se passait. Les informations que je recevais et que je transmettais régulièrement au gouvernement américain et à la presse, et que je commentais au cours de nombreux discours prononcés dans plusieurs villes américaines, faisaient clairement apparaître les grandes lignes du programme d'extermination totale des Juifs polonais et des Juifs d'autres pays déportés en Pologne. La Résistance nous pressait de communiquer ces faits aux Alliés, et surtout au gouvernement américain. Le général Sikorski s'y employait à Londres, et moi, à Washington, je transmettais ses demandes au président, au State Department et aux chefs d'état-major... "

Ciechanowski, qui, par ailleurs donne un récit macabre de la recherche des officiers polonais disparus sans laisser de traces et rapporte qu'un quart de million de Juifs polonais furent déportés en Sibérie, raconte ensuite qu'en 1942 déjà, il avait tenté d'arracher à Roosevelt la promesse de représailles et une protestation solennelle contre les massacres... " D'ailleurs, on ne pouvait qu'être frappé par une incapacité totale à concevoir la barbarie dont les Allemands étaient capables et également par une certaine bienveillance générale à leur égard. Je le remarquai souvent dans mes rapports avec des hauts fonctionnaires et des représentants de l'opinion publique américaine... et même des fonctionnaires qui avaient la possibilité d'être informés de très près se refusaient à croire que les Allemands... fussent capables de telles atrocités. "

Plus d'un an après la visite de Karski au président, le courant de sympathie pour les Allemands s'était encore renforcé. A cela, Ciechanowski voit trois raisons : " Premièrement : Plus la victoire finale approchait, plus le caractère " sportif " et " fair play " des Américains se manifestait ouvertement. Deuxièmement : Les élections approchaient. Le groupe nombreux et fortement structuré des Américains d'origine allemande pesait d'un certain poids dans la lutte électorale. Troisièmement : La sympathie pour l'Allemagne se renforçait parce que la peur des Russes et du communisme se renforçait. L'idée qu'après l'élimination du national-socialisme, l'Allemagne pourrait constituer un commode barrage contre l'expansion du communisme, trouvait de nombreux partisans. "
Il serait malhonnête de se dissimuler le fait que les Juifs, *in corpore*, ne pouvaient attendre d'aucun peuple — peut-être à l'exception du peuple danois — le soutien qu'on aurait accordé à des persécutés non-juifs; ils ne pouvaient pas l'espérer davantage de la part du Vatican ou de la Croix-Rouge. C'est là la scandaleuse vérité. M. von Kessel, qui, au procès de Nuremberg, déposa en faveur de Weizsäcker, se vit poser les question suivantes : " Puisque vous avez travaillé un certain temps à la Croix-Rouge internationale, et assez longtemps aussi au Vatican, j'ai-

merais vous demander de répondre brièvement à deux questions. Ces deux grandes institutions humanitaires ont-elles jamais élevé une protestation de principe auprès d'Hitler au sujet des mesures contre les Juifs ?

Réponse : Non, aucune ne l'a fait.

Question : Pouvez-vous nous dire précisément si une telle éventualité a jamais été évoquée à la Croix-Rouge internationale ?

Réponse : Oui. Un jour, j'ai rencontré à Genève un membre du Comité de la Croix-Rouge internationale qui m'a dit : Il nous arrive une histoire terrible; une femme, membre du comité, exige que nous élevions une protestation solennelle contre la persécution des Juifs en Allemagne. Comment pourrions-nous le faire ? La Suisse est comprise dans la sphère d'influence nationale-socialiste. Si nous protestons, Hitler dénoncera la convention de Genève et nous devrons renoncer à toute notre activité, tant en faveur des Alliés que des prisonniers de guerre, des territoires occupés, des sinistrés et des internés civils. Nous nous trouvons dans une situation épouvantable, me dit-il... Quelques jours plus tard, je rencontrai à nouveau ce monsieur et il me dit : Dieu merci, après des heures de discussions, la majorité a refusé de protester officiellement. Cela a été pour nous tous une décision terriblement difficile, mais au moins, nous pourrons continuer notre travail. "

On est en droit de se demander si la Croix-Rouge aurait adopté une attitude tactique aussi habile au cas où en Allemagne (comme au Japon), les pilotes de bombardiers alliés, qui avaient déversé du phosphore sur les populations civiles, auraient été exécutés comme les Juifs.

Le 13 décembre 1942, *Goebbels* notait : " Les Anglais et les Américains ne cessent de parler des persécutions contre les Juifs en Europe, et ils en font une opération de propagande de grand style. " Le 14 décembre, on lit : " Des rabbins juifs de Londres organisent un grand meeting de protestation sur le thème : " Réveille-toi, Angleterre ! "... Les Juifs de Londres décrètent une journée de deuil à cause des atrocités que selon eux, nous aurions commises à leur égard en Pologne. En Suisse et en Suède également, nos actions sont terriblement en baisse... "

Dans sa *Chronique du Ghetto de Varsovie*, *Emmanuel Ringelblum* a enregistré le 26 juin 1942 comme le " Grand Jour ", où, pour la première fois, l'extermination des Juifs fut dénoncée publiquement à l'opinion du monde entier : " Aujourd'hui, la radio de Londres a pour la première fois parlé du sort des Juifs polonais... Pendant des mois, nous avons souffert, parce que le monde est resté incroyablement sourd à nos appels et muet sur notre tragédie. Nous accusions l'opinion publique polonaise et les agents de liaison, qui ont des contacts avec le gouvernement polonais en exil. " Ainsi s'exprime ce chroniqueur qui, en mars 1944, fut tué avec sa famille : " Pourquoi n'ont-ils pas fait savoir au monde que les Juifs de Pologne sont massacrés ? Taisent-ils délibérément notre tragédie, afin que la leur ne reste pas dans l'ombre ?... L'émission d'aujourd'hui a dressé un bilan. Le nombre des Juifs exécutés jusqu'à ce jour a été cité : 700.000 ! " (Cité d'après *le Spiegel*).

L'historien *Léon Poliakof*, qui vit à Paris, et qui a traduit en français *La chronique de Ringelblum*, confirme également (dans une lettre à l'auteur) qu'en 1942 " les informations concernant l'anéantissement des Juifs de Pologne ont été officiellement communiquées au Vatican ".

L' " *Aperçu de l'œuvre du Bureau d'Informations du Vatican* " publié en 1948 à la *Tipografia Poliglotta Vaticana*, nous renseigne sur l'étendue des activités du service d'informations et de renseignements du Vatican en faveur des réfugiés et des prisonniers entre 1939 et 1946. Dans les livres sur Pie XII et sur le Vatican en général, on lit que le Saint-Siège est l'Institution la mieux informée du monde. Ainsi, *Bernhard Wall* écrit : " On trouve un prêtre en des endroits où aucun agent secret d'aucune grande puissance n'a jamais pu pénétrer. Il entre en relation avec des personnes appartenant à toutes les classes de la société, et comme il est célibataire et exempt de toute obligation familiale, il peut se consacrer entièrement à sa tâche... Derrière le rideau de fer, des prêtres vivent dans des prisons et des camps de concentration, mais il y en a également qui viennent d'être libérés de prison. Toutes leurs informations parviennent à Rome, où elles sont soigneusement enregistrées... L'attaque de la Russie par Hitler ne fut pas une surprise pour le Vatican : il semble que les Jésuites de la Province polonaise de la Société aient eu connaissance très tôt des préparatifs en cours. "

On cite généralement le Cardinal *Spellmann* de New York, comme le principal informateur du Pape pendant la guerre : en qualité d'aumônier général de l'armée américaine, il parcourait les différents théâtres d'opérations du monde, et faisait de fréquentes haltes à Rome. En 1949, *Herbert Tichy* écrivait dans son livre sur le Vatican : " Il est vraisemblable que le Vatican était à l'époque étonnamment bien informé de la plupart des secrets des puissances belligérantes — et ce, pas uniquement grâce aux efforts du cardinal Spellmann. En février 1943, donc deux ans et demi avant Hiroshima, au cours d'une allocution devant l'Académie pontificale, le Pape fit allusion à la bombe atomique. " Nous savons dit-il, qu'un atome d'uranium, quand il est bombardé de neutrons, se scinde, libère deux autres neutrons ou davantage, qui à leur tour détruisent d'autres atomes d'uranium et produisent ainsi une vague d'énergie. Un mètre cube d'oxyde d'uranium peut soulever un milliard de tonnes à une altitude de 27 kilomètres... Il est essentiel que la libération d'une énergie si prodigieuse soit contrôlée chimiquement, pour empêcher la destruction de notre planète. »

Dans ses mémoires, Weizsäcker présente les choses de telle façon qu'on pourrait croire que non seulement Ribbentrop, mais aussi Hitler, l'ont envoyé au Vatican uniquement pour se débarrasser de lui. Après la guerre, cette version était la plus opportune. Elle n'est pourtant guère plausible. Hitler était inquiet de rumeurs selon lesquelles Mussolini ne pourrait plus longtemps se maintenir au pouvoir. Par égard pour Mussolini, il avait interdit l'organisation d'un service de sécurité et de renseignements en Italie. Il ne croyait pas son Ambassadeur au Quirinal capable de dominer la situation diplomatique ou de lui fournir des informations de valeur. Ne serait-ce que pour cela, il pouvait être rassuré de savoir Weizsäcker à Rome. Mais il y avait une autre raison. Quand on lit Goebbels on voit qu'il était préoccupé de savoir dans quelle mesure le Pape ne se prêterait pas à jouer éventuellement un rôle de médiateur en cas d'ouvertures de paix. Il s'en était d'ailleurs ouvert à Hitler. Sachant cela, il est difficile de croire que Weizsäcker ait été envoyé auprès du Saint-Siège pour jouer aux boules. Il est d'ailleurs possible qu'il ait lui-même été décidé dès la fin de 1943 à ne jamais servir d'intermédiaire dans un compromis entre l'Allemagne d'Hitler et les alliés occidentaux, mais à ne négocier qu'au nom d'une Allemagne sans Hitler. Le 29 décembre 1943, il écrivait à un confident en Allemagne : « Carl Friedrich va bien. Il pourrait bien s'activer un peu plus, et c'est ce que je lui ai dit. Mais bien entendu, Carl le gêne, ou du moins empêche ses efforts d'aboutir. Mais que peut-on faire ? » Pour Carl Friedrich, lire : le Pape; pour Carl : Hitler.

Le Pr *Leiber* déclare : « Sur tout ce qui se passait en Allemagne, Weizsäcker, du moins tant qu'il était accrédité comme ambassadeur, est toujours resté très évasif, pour des raisons très compréhensibles. »

Cela confirme ce que m'a raconté un des rares survivants du cercle de l'amiral Canaris, qui, pendant la guerre, a, à deux reprises, parlé au Vatican de l'extermination des Juifs : La plupart des représentants de la Résistance allemande de l'intérieur — y compris Weizsäcker — ont toujours délibérément évité d'informer le monde de l'étendue des crimes commis au nom de l'Allemagne, afin de ne pas compromettre à l'étranger la volonté de conciliation. Ils savaient depuis longtemps par expérience que le monde identifiait dans une large mesure l'Allemagne et le nazisme. De même qu'après l'éviction d'Hitler, les fronts devaient tenir afin que l'Allemagne soit encore reconnue comme interlocuteur valable, de même il ne fallait pas que soient découverts plus de crimes que ceux qui étaient déjà connus, pour que des Allemands puissent encore s'asseoir à une table de conférence.

Reprocher, maintenant encore, aux Anglais et aux Américains d'avoir tenu trop peu compte des milieux d'opposition allemands et d'avoir repoussé leurs avances, c'est oublier qu'à l'automne 1939, Heydrich et Schellenberg avaient complètement roulé le Service secret en montant l' " affaire de Venlo ". Comment faire croire une seconde fois aux Anglais qu'Hitler serait renversé par une conspiration d'officiers supérieurs allemands ?

Le personnage complexe et indéchiffrable de Weizsäcker, est, d'un point de vue artistique, un des plus fascinants de l'Histoire contemporaine. Il aurait été inexcusable de reléguer ce personnage dans un rôle de comparse, c'est pourquoi on a tout à fait renoncé à le faire apparaître dans ce drame.

Il fut un des premiers à entendre parler, par Canaris, des massacres de Juifs. Plus tard, il devint un des intimes du chef de l'Abwehr, qui était sans conteste l'un des quatre ou cinq Allemands les mieux informés de l'époque hitlérienne. Sachant Weizsäcker en sécurité au Vatican, *Trott zu Solz* déclara un jour devant Freisler que le Secrétaire d'État aux Affaires étrangères était le chef de la conjuration contre Hitler à la Wilhelmstrasse. Et pourtant, malgré toutes ces preuves parmi d'autres, de ses activités de résistant, Weizsäcker a souvent agi sans la moindre humanité; ainsi quand l'ambassadeur de Suède lui demanda l'autorisation d'accueillir en Suède des Juifs de Norvège, qui devaient être déportés à Auschwitz, et qu'il informa Ribbentrop qu'il avait refusé de prendre cette demande en considération. Poliakof et Wulf publient des documents de septembre et octobre 1942, d'où il ressort que Weizsäcker pressait l'Ambassadeur de Hongrie de donner son accord au " transfert " des Juifs, " fauteurs de panique ", dans les territoires de l'Est. Ils prouvent en outre que Luther, qui, aux Affaires étrangères, était le principal responsable des déportations de Juifs de tous les pays d'Europe, a toujours soumis à Weizsäcker " pour approbation " les mesures à prendre dans ce sens. Weizsäcker lui-même écrit que lorsqu'il entendit parler des massacres, à l'automne 1941, il tenta, à tout hasard, d'inciter von Ribbentrop à protester vivement contre toutes ces atrocités. Il ajoute : " Je n'ai jamais su ce qu'il en est advenu. En gros, le problème juif allait pour moi de pair avec ce problème plus général : comment parvenir le plus vite possible à conclure une paix sans Hitler ? " Comment concilier tout cela ? Il sait qu'à l'Est les Juifs sont assassinés en masse, il rédige une protestation, et comme aucune réponse ne vient, ne s'en occupe plus pendant deux ans, tout en étant impliqué dans des ordres de déportation et en faisant pression sur des diplomates étrangers pour qu'ils livrent leurs concitoyens juifs ! Weizsäcker conclut le récit de son activité à Berlin par ces lignes hautaines : “ Être incompris, cela fait partie des risques du métier de diplomate. A qui ne me comprenait pas de lui-même, je n'avais rien à expliquer. ”

Weizsäcker écrit : “ Depuis la fin de l'été 1938, je n'ai jamais conseillé autre chose que l'éviction d'Hitler. ” Et pourtant, c'est le même Weizsäcker, qui, à la stupéfaction de Beck, déclarait le 20 mai 1942, dans la grande salle du “ Romer ” de Francfort, et ce, non devant des “ Jeunes hitlériens ” de douze ans, mais devant une assemblée de diplomates qui venaient de rentrer d'Amérique : “ Si vous avez su résister à l'offensive de la propagande ennemie et de ses mensonges, si vous avez pu observer que nos ennemis mènent une guerre en paroles, ici vous constaterez que nous menons une guerre de faits et d'actions. Ici, vous ne retrouverez pas l' *american way of life* ; ici vous retrouverez vivantes les bonnes traditions allemandes, et le style allemand d'action. Chez nous, il n'y a pas de réunions de commissions, chez nous, tout est dominé par le “ Führerprinzip ”. Ici, il n'y a pas de “ causeries au coin du feu ”; bien au contraire, vous ne rencontrerez ici qu'initiatives, décisions, ordres impératifs, agressivité et volonté de se battre contre l'ennemi... Pour nous, seul compte ce qu'ordonne le Führer : sa volonté est notre volonté, sa foi en la victoire est notre foi en la victoire... ”

Dès septembre 1941, Weizsäcker laisse entendre à Ribbentrop qu'il aimerait être envoyé auprès du Saint-Siège parce que d'après lui, “ le Vatican offrait un bon poste d'observation et certaines possibilités d'intervention. ” Un an après le discours cité plus haut, lorsqu'il présente ses lettres de créance au Vatican, il laisse entendre que la Curie “ n'a plus aucun intérêt ” pour les dirigeants allemands. On est d'autant plus porté à en douter que la teneur des entretiens que Pie XII eut avec le représentant d'Hitler est restée confidentielle, “ conformément aux usages de la Curie ”. Goebbels, en tout cas, ne considérait pas le poste d'ambassadeur auprès du Saint-Siège comme une sinécure, et lors de sa visite d'adieu à Hitler, Weizsäcker avait lui-même fait remarquer qu'il se rendait en quelque sorte en territoire ennemi. Le journal de Goebbels montre qu'à cette époque, il était bien loin de se désintéresser du Vatican. Il dit à Weizsäcker qu'il ne “ se sentirait pas capable ” d'accepter ce poste auprès du Saint-Siège. Weizsäcker répondit : “ Mais moi, je vous en croirais capable ”, et il ajoute : “ ce qui mit fin à l'entretien sur une note de gaieté un peu forcée”. Les déclarations “ lourdes de sens ” du Pape au cours de leur premier entretien, après la présentation des lettres de créance par Weizsäcker, “ n'ont, contrairement à l'usage, jamais été rendues publiques ”. En tout cas, Weizsäcker cherche à donner l'impression qu'il nous cache quelque chose.

Dans " *Stimmen der Zeit* " (*Voix du temps*) de mars 1961, le Père Jésuite *Leiber*, un des intimes du Pape, a publié un essai sur " Pie XII et les Juifs de Rome ". Ce travail historique avait été provoqué par la publication d'un album de photos " L'étoile jaune ", qui reproduisait la lettre de Weizsäcker en date du 28 octobre 1945 (voir la fin du drame). L'article du Pr Leiber nécessite quelques éclaircissements :

Quand Weizsäcker écrit : " Comme il ne doit plus y avoir à Rome de nouvelles opérations allemandes pour le règlement du problème juif... ", il déforme les faits.

Le Père Leiber n'est pas le seul à affirmer que la chasse aux Juifs dura " jusqu'au départ des troupes allemandes de Rome, le 4 juin 1944 ". Ce n'est donc pas passagèrement que Pie XII n'a pas été à la hauteur, mais il a toléré sans rien dire, pendant près de 9 mois, que les victimes soient embarquées jusque sous ses fenêtres. Que l'on songe à la situation stratégique d'alors : le 16 octobre 1943, les Américains avaient franchi le Volturno, et le 13 octobre, le gouvernement Badoglio avait déclaré la guerre à Hitler. Le Vatican n'avait plus à redouter sérieusement Hitler. Au Vatican même, on a confirmé maintes fois à l'auteur que personne n'y supposait alors Hitler assez stupide pour occuper le Vatican et traîner Pie XII dans une nouvelle captivité d'Avignon, bien que quelques esprits peu avertis aient été à l'époque échauffés par de semblables rumeurs. Une proposition tendant à faire émigrer la Curie en Amérique du Sud pour la durée de l'occupation de Rome, n'a même pas été prise sérieusement en considération. Exprimant dans un cercle d'intimes sa rage et sa fureur à la suite de l'arrestation de Mussolini (si peu de temps après leur rencontre), Hitler a bien évoqué un instant la possibilité " de ne pas épargner le Vatican lorsqu'on arrêtera à Rome les responsables ". Le Quartier général était informé de l'activité diplomatique fébrile déployée par le Vatican. Mais Himmler (ainsi que l'atteste Schellenberg), Goebbels et Ribbentrop (c'est Goebbels qui l'écrit), s'opposèrent vivement à ce projet. " Je ne crois pas qu'il soit nécessaire d'envahir la cité du Vatican, et pense d'autre part qu'une telle mesure aurait des conséquences désastreuses pour notre cause dans le monde. " Le même jour, Goebbels complète ainsi ses notations : " En tout cas, nous sommes maintenant tous d'accord, y compris le Führer, pour penser que le Vatican doit être épargné par les mesures que nous prendrons. " Avant que les Allemands occupent Rome, en septembre, le Vatican fit demander officiellement par Weizsäcker si ses droits seraient respectés. Hitler fit donner une réponse affirmative. Après l'entrée des Allemands dans la ville, le Général Stahel, Commandant de la place, se mit en rapport avec le Vatican et mit en place des sentinelles " qui avaient l'ordre d'empêcher toute violation du territoire de la cité Vaticane ". On peut supposer qu'il fut alors difficile à des réfugiés de percer cette protection quand ils n'étaient pas annoncés au Vatican.

Rahn, l'ambassadeur allemand au Quirinal qui, dans ses mémoires, ne manque pas d'exagérer considérablement ses efforts pour protéger le Vatican des emprises d'Hitler, conclut ainsi le récit qu'il fit au Quartier général sur la situation dans la ville occupée : " A propos, j'ai oublié de signaler que, par l'intermédiaire du général Stahel, j'ai conclu avec le Vatican une sorte de petit Concordat spécial ". Bormann, ennemi acharné de l'Église catholique, sursauta, et Hitler me regarda d'un air étonné. Sur le ton d'un commerçant rapportant une transaction, j'expliquai alors quels avantages le Vatican offrait pour le rétablissement de l'ordre et de la paix civile à Rome, tâche que nos deux compagnies de sécurité ne pouvaient mener à bien seules. En outre, j'avais été obligé de prendre des dispositions pour que la personne du Pape, le clergé romain et les biens de l'Église soient protégés en toutes circonstances. Je conclus : " C'est un marché, et le bénéfice est aussi bien pour nous que pour ces messieurs du Vatican. " J'avais trouvé le ton qui convenait. Hitler dit : " Oui, pour les affaires, on peut dire qu'ils s'y entendent ! "

La plupart des Juifs romains avaient pu s'enfuir à temps, vers le Sud, en direction des lignes américaines. Parmi les œuvres pontificales de bienfaisance, l' " Œuvre de St-Raphaël " a facilité l'émigration de 1 500 Juifs en Amérique tandis que 4 000 autres étaient cachés dans des couvents.

Le Père Leiber écrit que lorsqu'on connaît cette action d'aide et d'assistance, la lettre de Weizsäcker au ministère des Affaires étrangères prend un tout autre sens. M. von Weizsäcker trouve les déportations " pénibles " : c'est pénible à lire. Sa lettre laisse apparaître une telle satisfaction du fait que le Pape n'ait pas protesté, que personne ne serait tenté de voir en l'auteur de cette lettre un résistant à la dictature hitlérienne. Notons également que dans ses souvenirs, il ne consacre pas une ligne à la déportation des Juifs de Rome. A vrai dire, qui donc à Berlin aurait pu le démasquer s'il avait un peu dramatisé l' " indignation " du Pape et avait laissé entendre que Pie XII s'apprêtait à stigmatiser sans ménagements les tortionnaires ? En fait, c'est exactement le contraire qu'il fit.

Par son allusion ironique aux déclarations verbeuses et insignifiantes parues dans l'*Osservatore romano*, il rassura si complètement Berlin que, pendant les huit mois qui suivirent, la chasse aux Juifs continua selon le bon plaisir des occupants. Cette lettre montre d'autre part l'habileté diplomatique dont l'Ambassadeur savait faire preuve dans ses rapports avec le Pape. On comprend d'autant moins que Weizsäcker ait pu envoyer une telle lettre à Berlin, qu'on lit dans ses souvenirs que dix jours plus tôt, au début des arrestations, il avait écrit spontanément au ministère des Affaires étrangères que la Curie était profondément choquée, que le Pape serait contraint de sortir de sa réserve et que la propagande ennemie saurait créer " des dissensions entre nous et la Curie "... Pourquoi donc, un peu plus tard, écrire le contraire et ôter à Hitler les dernières craintes qu'il pouvait avoir du côté de Pie XII ?

Il est trop facile d'insinuer qu'il a seulement voulu prouver à Berlin à quel point son poste d'Ambassadeur au Vatican était important et faire croire que ce revirement dans l'attitude du Vatican ne devait être attribué qu'à son intervention. Mais — si l'on admet qu'effectivement Weizsäcker ne souhaitait pas les déportations — y a-t-il une autre explication ? On a vu que dès l'automne 1941, il avait été informé par Canaris des massacres de Juifs, ce qui rend peu plausible qu'il ait cru, comme il l'écrit, que les déportés seraient " employés à des travaux forcés en Italie même. " Enfin, il pouvait suivre les informations alliées. On sait que les déportés comprenaient une majorité de femmes et d'enfants. Comment croire que c'était pour les faire travailler ? Il est bien peu vraisemblable qu'il ait ignoré que l'ordre d'arrêter les Juifs, reçu de Berlin par le " S. S. Führer " Kappler, portait noir sur blanc " liquidation " des Juifs puisque le consul Moellhausen, de l'Ambassade auprès du Quirinal, qui avait reçu un blâme pour avoir employé le mot " liquidation " dans un télégramme officiel, raconta au plus proche collaborateur de Weizsäcker, le conseiller von Kessel, son intervention en faveur des Juifs, et que tous deux furent soulagés d'apprendre que les Juifs pouvaient se racheter par une rançon et ainsi être au moins " épargnés physiquement ".

A Nuremberg, *von Kessel*, qui l'a certainement raconté à Weizsäcker, déclara au Tribunal : " S'il (le Pape), n'a pas protesté, c'est parce qu'il s'est dit, avec raison : si je proteste, Hitler entrera dans une rage folle. Cela n'aiderait en rien les Juifs, et bien au contraire, on est en droit de penser que cela précipitera leur perte... " Pendant les arrestations, en 1943, von Kessel était d'un tout autre avis. On dit maintenant au Vatican que c'était lui le seul vrai antinazi de l'ambassade d'Allemagne. C'est dans ce sens qu'il agit, en accord avec le secrétaire de Légation Gerhard *Gumpert*, de la mission commerciale de l'Ambassade allemande auprès du Quirinal. Gumpert convint avec von Kessel que le général de l'Ordre des Salvatoriens, le Père Pancrazius Pfeiffer, apporterait au Commandant allemand de la Place une lettre le menaçant d'une protestation sans équivoque du Pape, " pour la première fois depuis le début de la guerre ". L'évêque *Hudal* a signé cette lettre, sans en référer à ses supérieurs.

Mgr Hudal, recteur de l'église allemande de Rome, demandait " que les arrestations cessent aussitôt à Rome et dans les environs; sinon, écrivait-il, je crains que le Pape ne soit contraint d'élever une protestation solennelle, ce que la propagande germanophobe utiliserait contre nous, et l'Allemagne en général ". Cette seule lettre — on n'en connaît pas de semblable de la plume d'un évêque italien, car aucun évêque italien n'a jamais protesté publiquement contre la persécution des Juifs — cette seule lettre devrait suffire à défendre contre les calomnies l'évêque Hudal, qui vit maintenant très retiré à Grottaferata, uniquement parce qu'au début, comme presque tout le clergé allemand, il s'est laissé jeter de la poudre aux yeux par Hitler. Il a également caché des Juifs à l' " Anima ".

Lorsqu'il s'adressa au ministère des Affaires étrangères de Berlin, Gumpert cita des extraits de cette lettre. Weizsäcker lui-même s'y réfère dans sa lettre à Berlin en date du 17 octobre 1943. Mais il n'y demande pas, comme Gumpert le déclare à sa décharge, " avec insistance la cessation immédiate des déportations de Juifs ".

Au contraire, il a " conseillé " le Vatican dans le sens des intérêts d'Hitler.

Gumpert s'en est expliqué à Nuremberg : " Un peu plus tard, lorsque j'ai pris congé de Weizsäcker pour rejoindre mon poste à l'Ambassade transférée en Italie du Nord, il en vint à évoquer cet incident et il me dit textuellement : " L'alerte a été chaude. " A la suite de ces rapports, Berlin avait pris peur et avait interrompu immédiatement les déportations. Il ajouta : " Je peux vous dire que j'ai eu à l'époque un entretien confidentiel avec Mgr *Montini* (le sous-secrétaire d'État d'alors) et que je l'ai informé du fait qu'une prise de position du Pape aurait pour unique conséquence de rendre irréversible le départ des convois. Je connais les réactions de ces gens-là, lui ai-je dit. Montini l'a parfaitement compris. "

On n'en sort pas : son plus proche collaborateur, von Kessel, s'efforce de faire sortir le Vatican de sa réserve. Lorsque, à défaut de mieux, un évêque allemand appuie la manœuvre, Weizsäcker, au moins provisoirement, épouse sa cause. Il menace Berlin d'une protestation du Pape, dont il pense qu'elle ferait reculer Hitler. Mais, au même moment, il dit au plus proche collaborateur du Pape qu'une prise de position du Saint-Père aurait pour conséquence de rendre effectif le départ des convois. Et Mgr Montini (c'est-à-dire, le Pape) se laisse trop aisément convaincre, bien qu'il sache, bien que tout le monde sache à Rome que les premiers Juifs ont déjà été entassés dans les wagons; que les rafles continuent de toute façon, et que donc les paroles de Weizsäcker sont, pour employer un euphémisme, sans objet.

A la fin de la semaine, lorsque *l'Osservatore romano* (25-26 octobre), annonce que " L'aide active, universelle et paternelle du Pape..., ne connaît aucune frontière... ", le premier contingent de 615 Romains vient d'arriver la veille à Auschwitz, et 468 d'entre eux sont déjà passés au four crématoire.

Le Père Leiber dit que Pie XII n'a pas protesté " parce qu'en réalité, il voyait plus loin. " Mais quand le même Leiber rapporte qu'en Roumanie, par exemple, les déportations n'ont pas eu lieu, grâce à l'intervention du Nonce à Bucarest, il ne fait qu'étayer la thèse principale de cette pièce : à savoir qu'Hitler renonçait à ses crimes dès que des princes allemands de l'Église (dans le cas de l'euthanasie) ou le Vatican, représenté par un Nonce, intervenaient énergiquement. Chaque fois que cela s'est produit, chaque fois sans exception, Hitler a reculé. C'est pourquoi le Père Leiber ne peut convaincre personne quand il affirme que si ces efforts isolés avaient été appuyés par une déclaration solennelle de la plus haute autorité de l'Église, toutes les tentatives " auraient très vraisemblablement été condamnées à l'échec " ! C'est le contraire qui est vrai !

Malgré l'objectivité d'ensemble de ce travail, il faut se défendre de l'impression qu'il donne, que les S. S. ont littéralement terrorisé le clergé de Rome. Les S. S. savaient parfaitement que de nombreux couvents servaient d'asile à des Juifs et à des persécutés. Ils savaient même qu'au Latran le général italien Bencivenga se servait d'un émetteur radio clandestin et que pendant un certain temps, à la Maison Allemande, au Campo Santo Teutonico, était caché un agent américain doté d'un autre émetteur. Malgré cet abus manifeste dans l'utilisation d'édifices religieux, Kappeler se garda bien de faire intrusion dans des édifices extraterritoriaux. Sans doute, il y eut des exceptions : ainsi, le Père Auguste Bea, recteur de l'Institut biblique pontifical, se plaignit auprès de Weizsäcker qu'en octobre 1943 cinq S. S. aient fouillé son institut, à la recherche d'un domestique " ex-juif ".

Mais c'est la milice italienne fasciste qui s'est rendue coupable de l'atteinte la plus grave contre un institut pontifical. Il s'agit d'une bande commandée par une vraie brute, le capitaine Koch, qui fut exécuté après la guerre. Ce sont ces Italiens qui seraient également les auteurs de l'attentat contre le cloître de St-Paul-Hors-les-Murs, que le Père Leiber attribue aux S. S. allemands.

Quoi qu'il en soit, ce même mois, alors que la presse étrangère relatait les crimes de Rome et, sans doute parce qu'elle était surprise et déçue de la passivité du Pape, inventait la légende selon laquelle le Saint-Père était en quelque sorte prisonnier des Allemands, un communiqué officiel paraissait en première page de l'*Osservatore romano*. Weizsäcker remarque avec satisfaction : " Ce communiqué atteste que nos troupes ont respecté le Vatican et la Curie. Il note également que nous avons promis de garder la même attitude à l'avenir. "

La publication de ce communiqué en plein mois de terreur, en octobre 1943, était la meilleure réponse que Weizsäcker ait pu offrir aux attaques de la presse mondiale et à l'indignation des Alliés à la suite des événements de Rome.

Weizsäcker restait en place pour éviter le pire. Le Pape se taisait, ainsi que l'écrit Leiber, pour éviter le pire. Comment peut-on dire cela, alors qu'il s'est passé bien pire que le pire, bien pire que tout ce qu'on pouvait imaginer : la chasse à l'homme la plus monstrueuse qu'ait connue l'histoire de l'Occident ! Leiber et Giovanetti assurent qu'un Pape n'a pas le droit de stigmatiser concrètement et en détail des crimes et des atrocités commises par un des belligérants, car cela pourrait trop facilement être utilisé comme matériel de propagande par l'autre parti. Pourtant, cela n'a pas empêché Pie XII de condamner publiquement, précisément et dans le détail, les incidents qui lui tenaient à cœur. C'est ainsi qu'il a écrit personnellement à Roosevelt pour protester contre la destruction de San Lorenzo. Il a également élevé une protestation contre l'attentat lâche et absurde de la *Via Rasella*, qui coûta la vie à 33 soldats allemands — pour la plupart des Tyroliens du Sud, qui n'avaient endossé l'uniforme d'Hitler que sous la contrainte —, et à 10 Italiens, dont 6 enfants. Mais pourquoi donc n'a-t-il pas également protesté contre les représailles encore plus criminelles de cet attentat, l'exécution de 335 otages, ou bien contre la chasse aux Juifs ? Surtout, on peut objecter ceci : en quoi la dénonciation de l'extermination des Juifs aurait-elle pu être interprétée comme une intervention partiale dans le déroulement du conflit ? Qu'ont donc à voir avec la deuxième guerre mondiale les mesures d'extermination prises par Hitler contre tout un peuple ? Elles intervinrent à une époque où (et furent possibles parce que) la Wehrmacht avait soumis tout un continent à Hitler. Mais ont-elles déterminé l'issue d'une bataille ? Les crématoires d'Auschwitz ou les fosses communes pleines de civils fusillés sont-ils des champs de bataille ? Les belligérants de part et d'autre ont commis des crimes inexpiables en bombardant des villes ouvertes, en laissant mourir de faim des prisonniers ou en les tuant. Dans tous ces cas, la seule attitude à adopter était celle de Benoit XV pendant la première guerre mondiale : protester, ainsi que l'écrit Leiber, " contre l'injustice et la violence, d'où qu'elles viennent "; encore faut-il préciser que cela devrait se faire en termes clairs et non par des allusions alambiquées. Mais ni " la solution finale du problème juif ", ni le programme d'euthanasie ne sont à considérer comme des actes de guerre d'une puissance belligérante. Rien ne pouvait mieux accréditer une légende favorable à la cause hitlérienne que de ranger au nombre des opérations de guerre, et des crimes et excès malheureusement inévitables dans ces cas-là, le programme démentiel qui consistait à exterminer tout un peuple dans des chambres à gaz. D'ailleurs l'excommunication des communistes actifs (qu'un sage et humain successeur du Pontife semble déplorer), ne prouve-t-elle pas que Pie XII, quand il le voulait, savait très bien parler clairement, même en politique ?

Lorsque le Père Leiber conclut ses explications en observant que " la Providence divine a voulu que l'Église soit dirigée pendant les années de guerre par Pie XII, et non par Pie XI ", parce que, dit-il, contrairement à son prédécesseur, d'un caractère plus vif et plus entier, Pacelli n'était pas homme à se laisser aller à des prises de position intempestives, un profane, étranger aux choses de la foi, ne peut que s'étonner d'une telle conception des desseins de la Providence !

On ne peut au contraire s'empêcher de se demander si la disparition de Pie XI à la veille de la guerre n'a pas été pour la Chrétienté, et pour les victimes d'Hitler, une tragédie sans exemple. Il était l'homme des circonstances exceptionnelles. On dit que lors de l'élection de son successeur, plusieurs cardinaux étaient hostiles à l'élu. Le cardinal *Tardini* rapporte qu'ils disaient : " Pacelli est un homme de paix. Il nous faut maintenant un Pape de guerre. "

Si seulement ils l'avaient emporté ! On ne peut lire sans émotion le récit d'une des dernières audiences que Pie XI, déjà déclinant, accorda au premier ministre Chamberlain et à Lord Halifax.

Le Times écrivait en février 1939 : " ... Puis le Pape leur expliqua ce qu'il pensait des régimes réactionnaires et des devoirs des démocraties, des persécutions raciales, et de la nécessité impérieuse d'aider les réfugiés... Il leur montra un dyptique représentant Sir Thomas More et le cardinal John Fisher, deux Anglais, qui, dit-il, sont souvent présents à sa pensée : " Je pense souvent aux Anglais... je suis heureux de croire que ces deux Anglais incarnent ce qu'il y a de meilleur dans la race anglaise, par leur courage, leur décision, leur volonté de se battre et de mourir s'il le faut pour la cause qu'ils estiment juste. J'aimerais croire, et en fait, je suis sûr que ces deux qualités, le courage et l'esprit de décision sont encore vivantes parmi le peuple anglais. Me donnez-vous raison ? " Personne ne dit mot, bouleversé par les paroles de l'auguste vieillard... Il évoqua devant eux les problèmes et les luttes à venir. Il dit que les problèmes étaient nombreux et sans doute plus ardus qu'à d'autres époques, et qu'ils avaient une mission à accomplir mais, il ajouta : " Vous savez mieux que moi de quoi le peuple anglais est capable ! "

C'est un véritable testament spirituel, un avertissement sans équivoque à l'adresse d'Hitler, qui s'apprêtait alors à marcher sur Prague.

Qui a jamais entendu Pie XII faire une déclaration aussi franche ? Ne disait-il pas au Comte Ciano, peu après l'arrivée d'Hitler au Hrasdchin, qu'il entendait pratiquer à l'égard de l'Allemagne une politique plus souple que son prédécesseur ? Voici encore un autre trait du Cardinal Pacelli, que rapporte le Chancelier Brüning : comme il déclarait au Nonce qu'il ne tolérerait plus ses immixtions dans la politique intérieure allemande, celui-ci se mit à pleurer. Dans la masse des discours toujours soigneusement enveloppés de ce Pape particulièrement loquace, on chercherait en vain une seule phrase qui ait la netteté des propos d'un Achille Ratti (Pie XI) pourtant déjà marqué par la mort, et dont le décès fit dire à Mussolini : " Il est enfin mort, ce vieillard obstiné ! " L'élection de Pacelli lui fit d'ailleurs autant de plaisir qu'aux nazis.

Lors de la mort du Pape, en 1958, une revue juive de Paris, *l'Arche*, publia un article d'un ton particulièrement amer : "Les silences de Pie XII ". Il allait à contre-courant de toutes les notices nécrologiques habituelles et n'hésitait pas à affirmer que l'antisémitisme de l'Église du Moyen Age était une des raisons des silences de Pie XII. L'auteur fonde son affirmation sur l'attitude du clergé français et du Vatican à l'égard des lois anti-juives de Vichy : sans doute, au nom de la charité, l'Église s'est prononcée contre les mauvais traitements physiques infligés aux juifs, mais elle a approuvé les discriminations sociales édictées au nom de la justice. On citait à ce propos St Thomas d'Aquin...

Par contre, dans *le Vicaire*, on suppose toujours que Pie XII et son clergé n'avaient pas de préjugés antisémites : nous avons voulu nous en tenir aux faits prouvés ou démontrables. C'est ainsi que, dans le récit du banquier italien Angelo Donati, à qui de nombreux Juifs doivent la vie, je ne cite pas les amères déconvenues que cet homme courageux a eues dans ses rapports avec certains prêtres à l'époque des persécutions. Ces exemples peu édifiants sont compensés, et au-delà, par les actes de dévouement de nombreux autres écclésiastiques. Par contre, on ne saurait passer sous silence ce que M. Donati a raconté au " Centre de Documentation Juive contemporaine (Document CCXVIII-78), au sujet de l'attitude officielle des diplomates du Saint-Siège. A l'automne 1942, Donati a fait transmettre au Pape, par l'intermédiaire du Père général de l'ordre des Capucins, une note sur la situation des Juifs dans le midi de la France, en demandant l'assistance du Pontife. Celle-ci ne lui fut pas accordée.

En août 1943, l'envoyé britannique auprès du Saint-Siège, Osborne, lui dit qu'au cours de l'années 1942, il avait fait demander à plusieurs reprises au Pape de prononcer une condamnation formelle des atrocités allemandes. Osborne raconta à Donati qu'après le message pontifical de Noël de 1942, qui condamnait sous une forme très générale toutes les horreurs de la guerre, le Cardinal secrétaire d'État Maglione lui dit : " Vous voyez, le Saint-Père a tenu compte des recommandations de votre gouvernement ! " Osborne répondit qu'une telle condamnation qui pouvait aussi bien s'appliquer au bombardement des villes allemandes, ne correspondait nullement à ce que le gouvernement britannique avait demandé.

Ces témoignages sont confirmés par bien d'autres sources. On consultera surtout " *Foreign Relations of the United States, Diplomatic Papers 1942, volume 3* ", publié à Washington en mai 1961.

L'Osservatore romano a condamné l'agression de Staline contre la Pologne en des termes (" Crime accompli de sang-froid ", " loi de la jungle ", l' " agression la plus cynique des temps modernes ") dont la sévérité contraste péniblement avec son article vague consacré à la déportation des Juifs de Rome ou les déclarations insignifiantes du Saint-Père. Alors qu'au printemps 1940, le Cardinal Maglione déclarait à Summer Welles que dans toutes ses négociations diplomatiques avec l'URSS, l'Allemagne avait toujours été dupée, et insistait sur les craintes de l'Italie de voir Staline faire de nouveaux progrès dans les Balkans, vint le moment où l'ampleur des victoires d'Hitler fit considérer au Vatican que les Russes pouvaient constituer provisoirement un moindre mal. Le médecin personnel du Pape n'est pas le seul à l'attester : le Cardinal Maglione l'a également dit à la Princesse Colonna à Noël 1941. Mussolini fut soulagé, et même nettement satisfait quand il apprit la défaite d'Hitler devant Moscou. Il est vrai que Ciano notait peu de temps après : " Alfieri (Ambassadeur italien à Berlin) écrit que les revers sur le front russe et les conséquences qu'ils entraînent ont déjà dépassé les limites dans lesquelles ils pouvaient nous être utiles. "

Bien sûr, comme toujours, le Vatican voyait les choses beaucoup plus objectivement que maint évêque ou que, par exemple, le ministre turc des Affaires étrangères, qui, lors de l'attaque allemande contre la Russie, s'écria : " Ce n'est pas une guerre, c'est une croisade ! " A la demande de von Papen, ce ministre se déclara d'ailleurs aussitôt prêt à inviter le Premier britannique, par le canal de l'Ambassade de Grande-Bretagne, à mettre fin aux hostilités sur le front occidental, pour engager la lutte " côte à côte contre la puissance dont le programme est la destruction de l'Occident ". Cette tentative échoua. Le lendemain, Churchill déclara à la face du monde : " Le régime nazi ne se distingue en rien des pires aspects du communisme... il dépasse les bornes de la perversité dans ses atrocités et ses agressions cyniques.... Nous n'avons qu'un but, qu'un désir : anéantir Hitler et effacer toute trace du régime nazi.... "

M. von Papen, qui ne se demande pas si les Russes auraient déferlé jusqu'à l'Elbe au cas où Hitler n'aurait pas commencé par les attaquer, constate qu'avec ce discours le Premier britannique a “ choisi la politique qui a abouti à l'état actuel de l'Europe ”. C'est une opinion dont la popularité ne cesse de croître, et qui, en 1959, est partagée par tous ceux qui reprochent à Churchill et Roosevelt de n'avoir pas été assez clairvoyants pour entreprendre aux côtés du créateur d'Auschwitz une croisade pour la défense de l'Occident chrétien.

Sans doute, Franz von Papen n'a jamais été l'ami, et rarement le confident d'Hitler, qui fit assassiner avant la guerre les plus proches collaborateurs de l'ex-chancelier, devenu ambassadeur. Mais le fait même que ce bon catholique croie sincèrement que ses deux neveux envoyés par Hitler sur les champs de bataille de Russie “ sont tombés dans la lutte contre le nihilisme et les puissances des ténèbres ”, prouve une fois de plus à quel point, pour cette campagne, Hitler avait besoin d'une paix au moins apparente avec le Vatican. Par contre, on n'a jamais voulu croire Roosevelt quand, ainsi que le rapporte Giovanetti, il a par la suite fait savoir au Pape, à plusieurs reprises, “ qu'il n'estimait pas impossible que le bolchevisme se convertisse un jour à la démocratie et renie la foi marxiste-léniniste en une révolution mondiale ”.

Mais ce qui semblait encore plus terrible que les nazis et les Russes, c'était le spectre d'un nouvel accord entre Hitler et Staline. On ne saura jamais exactement ce qu'il y avait de vrai dans les tentatives de rapprochement des deux partenaires. Peut-être ne s'agissait-il que de rumeurs et de manœuvres de diversion. Hitler lui-même se méfiait de toutes ces propositions. Au printemps 1942, M. von Papen, qui comprit très vite que l'Allemagne ne viendrait pas à bout de la Russie à elle seule, envoya d'Ankara un émissaire aux plus proches collaborateurs du Pape, qui lui expliquèrent qu'ils ne voyaient pas la possibilité d'amener les Alliés occidentaux à des ouvertures de paix. Et von Papen commente : “ Dans cette phase de la guerre, nous savions qu'un compromis entre Hitler et les Soviétiques était à craindre. Ne serait-ce que pour cela on était hostile à l'idée d'un accord. ”

En août 1943 Hassell notait encore : “ Si Hitler s'entend avec Staline, les conséquences qui en résulteront seront catastrophiques. Il en irait tout autrement avec une Allemagne “ respectable ” et constituée en État légitime. ” Et Fritz Hesse affirme que Stauffenberg ne s'est décidé à “ bousculer son programme primitif et à exécuter immédiatement l'attentat et le putsch ”, que lorsqu'il apprit par Schulenburg qu'Hitler était sur le point de négocier un accord avec Staline, par l'intermédiaire du Tenno. Stauffenberg, ému par cette information sensationnelle, “ ne voulut pas attendre que les décevantes fluctuations du destin aient rendu force et vigueur au monstre, lui aient permis de se maintenir en place et d'abreuver la terre de sang allemand ".

On ne pourra sans doute jamais mesurer avec exactitude jusqu'où le Pape s'est engagé pour tenter de préparer une paix entre le Reich et les alliés occidentaux, par crainte de Staline : en effet, depuis 1945, tout le monde se donne le ridicule de nier avoir estimé possible une paix avec Hitler, par simple amour de la paix. Comme si les milieux allemands de l'opposition avaient joui pendant la guerre du même crédit qu'après 1945 dans les notices nécrologiques qu'on leur consacra ! Jusqu'à présent, on n'aime pas à se rappeler que, par exemple, le Service secret allemand fidèle à Hitler, encouragé dans ses efforts par le Général des Jésuites, le comte polonais Ledochowski (mort au printemps 1943), cherchait à négocier un armistice avec les puissances occidentales. Il semble même que, vers le milieu de 1942, le groupe Weizsäcker ait cru un moment résolu le temps où l'Angleterre n'était disposée à traiter en aucun cas avec Hitler.

De même, on ne saura jamais avec certitude quel fut le rôle exact du ministre espagnol des Affaires étrangères : en février 1943, il écrivait à l'arrogant ambassadeur du Royaume Uni à Madrid que " l'Angleterre devrait, en considérant les choses posément, se rendre compte qu'au cas d'une victoire soviétique sur l'Allemagne, personne ne pourrait contenir la Russie dans ses frontières actuelles ". Ce ministre, le comte Jordana, était-il autorisé par le Vatican à placer tant d'espoir dans l'intervention du Pape, lorsqu'en avril de la même année il proposa la médiation de l'Espagne entre le Reich et les puissances occidentales ? A peu près à la même époque, le Vatican s'éleva avec la dernière énergie contre l'interprétation tendancieuse d'un discours du Cardinal Spellmann et affirma publiquement n'avoir rien à voir avec les buts de guerre des puissances occidentales...

Krupp.

L'emploi de déportés du travail et autres forçats par la plus célèbre entreprise industrielle allemande est un fait politique de première grandeur, en raison des traitements auxquels ils étaient soumis chez Krupp. Bien qu'il s'agisse d'un chapitre important de l'histoire contemporaine, il n'a pu être qu'évoqué accessoirement dans *le Vicaire*.

Il ne faut tout d'abord pas oublier qu'il y eut non seulement beaucoup d'industriels qui agirent avec correction, tels Bosch et Reusch, mais également des directeurs et chefs d'ateliers, qui, malgré leur position de subordonnés, surent rester parfaitement humains.

C'est ainsi que Karl Beckurts, directeur de l'usine d'armement Gustloff de Weimar (sous contrôle étatique), qui pendant la guerre employa d'innombrables détenus de Buchenwald, fut plus tard nommé à la direction des " Norddeutsche Kohle und Kokswerke " de Hambourg, sur les instances d'un ancien détenu, *Eric Blumenfeld*, devenu un homme politique en vue de la C. D. U. C'est ainsi également que l'actuel fondé de pouvoir de Krupp, *Berthold Beitz*, un homme alors parfaitement inconnu, et qui avait toujours gardé ses distances à l'égard du parti nazi put, en tant qu'administrateur des gisements pétroliers de Boryslaw, aider de nombreux Juifs et Polonais persécutés. De même, par leur obstination, de nombreux directeurs d'usines parvinrent à garder dans leurs entreprises des ouvriers juifs qui furent ainsi sauvés de la déportation.

Un fameux magnat de l'industrie, à qui Hitler rendait souvent visite, n'aurait-il pas pu, s'il l'avait voulu, résister à des nazis de petite envergure ? On trouve ici le même problème qu'avec le clergé : les prêtres anonymes risquaient leur vie lorsqu'ils tentaient d'intervenir. Mais les évêques et cardinaux allemands ne furent pas arrêtés, même lorsqu'ils prirent position publiquement contre les décisions d'Hitler.

Comme toujours, tout dépendait alors de l'envergure et de la qualité humaine des individus. Ce qui comptait avant tout, c'était l'aptitude à reconnaître un être humain dans un détenu. Chez Krupp aussi, il y eut des hommes capables de glisser à l'occasion un morceau de pain à une adolescente juive en loques et en sabots venue d'Auschwitz pour faire un travail d'esclave aux laminoirs. C'était interdit. C'était sévèrement puni si on était dénoncé. Comment est-il possible que le maître des lieux, lors de ses visites d'inspection, ait pu ne pas se rendre compte dans quelles conditions les déportés étrangers étaient contraints de travailler ? Comment pouvait-il ignorer que des membres des équipes de sécurité des usines Krupp frappaient les déportés à coups de matraque ? Sans doute, il avait beaucoup à faire. Mais même Hitler autorisait, pendant la guerre, tout soldat de garde qu'il rencontrait au cours de ses rondes dans le Grand Quartier général à " lui faire part de ses doléances personnelles ". Sentimentalité, dira-t-on maintenant ! Mais si le plus important employeur du Grand Reich allemand et les membres de sa famille avaient fait preuve d'un peu plus de cette " sentimentalité " à l'égard de l'armée de travailleurs étrangers employés dans leurs usines, peut-être alors certaines choses ne se seraient-elles pas passées... Peut-être sur les 132 enfants des travailleuses russes de Krupp, détenues au camp de Voerde près d'Essen, 98 ne seraient-ils pas morts ! Peut-être n'aurait-on pas rassemblé et brûlé deux fois par semaine les lettres des travailleurs des pays de l'Est employés à Essen !

Le 26 juin 1947, *Alfried Krupp von Bohlen* déclara devant le tribunal de Nuremberg qu'il n'avait connaissance que d'un cas où l'on aurait tenté de maltraiter un travailleur étranger : cela se serait produit la première fois que des travailleurs des pays de l'Est furent envoyés chez Krupp. Sur quoi, la direction aurait officiellement interdit de maltraiter les travailleurs étrangers. Quant à lui, Alfried von Bohlen, il avait confiance en ses collaborateurs et en ses subordonnés pour ne pas tolérer de tels excès.

Lorsque, le 16 décembre 1942, dix-huit travailleurs hollandais employés à Essen-Bergeborbeck, adressèrent une lettre à Alfried von Bohlen en personne, pour lui demander d'améliorer la nourriture nettement insuffisante, il chargea Max Ihn de mettre ordre à cela et de lui faire un rapport sur la situation.

Alfried von Bohlen était dès avant la guerre membre de droit du " Conseil des directeurs " de Krupp, et prit régulièrement part à ses assemblées, d'avril à décembre 1943 en tant que président, après 1943 en tant que propriétaire unique de la société. Au cours des discussions, on évoqua souvent le problème de la nourriture des travailleurs étrangers, et d'après lui, on chercha toujours à porter remède aux insuffisances. Mais, même si l'on admet qu'après 1942 Alfried von Bohlen n'a plus jamais entendu dire que des membres des services de sécurité de Krupp matraquaient les travailleurs étrangers dans ses usines et entrepôts, la question de sa responsabilité et de celle de sa société n'en reste pas moins posée. Dans son livre *Les Krupp*, Norbert Mühlen évoque très justement le problème complexe de savoir s'il s'agit de " myopie morale, de lâcheté, d'insensibilité d'homme d'affaires ou de crime. " Il se demande également si " les actions des gens vivant sous une dictature peuvent être jugées d'après les critères d'une société qui assure la liberté de conscience à tous ses citoyens ".

Le beau-frère et collaborateur de Gustav Krupp, Thilo von Wilmowski, président de la Chambre de Commerce d'Europe centrale, et le directeur général de Krupp, Ewald Löser, ont su, en ce qui les concerne, choisir la voie de l'honneur : tous deux, après l'attentat du 20 juillet, furent démasqués comme des amis intimes de Carl Goerdeler et Ulrich von Hassell. Wilmowski se retrouva dans un camp de concentration et Löser fut condamné à mort, mais échappa à l'exécution à la fin des hostilités. Lors du procès Krupp, les Alliés le condamnèrent à 7 ans de prison, bien qu'il eût démissionné du Conseil des Directeurs dès mars 1943. Ulrich von Hassell, que ses fonctions de membre du Conseil d'administration de la Chambre de Commerce d'Europe centrale mettaient à même de bien connaître les milieux de l'industrie, observait en 1943 : " Le directeur général de Krupp, Löser, un homme intelligent et lucide, m'a raconté que les dirigeants, et surtout le servile Krupp-

Bohlen, et le cynique et égoïste Zangen (directeur du groupe des Industries du Reich) soutiennent à fond Hitler parce qu'ils pensent ainsi faire de gros bénéfices et " tenir " leurs ouvriers. Parmi les travailleurs, même les communistes, on rencontrerait une plus grande compréhension pour les impératifs nationaux. Difficile d'ailleurs de se faire une idée de l'opinion des ouvriers, à cause de la délation qui règne, de part et d'autre d'ailleurs [1] ". La déposition de Löser au sujet de Alfried von Bohlen se trouve à Paris, en partie inédite.

Dans son *Histoire de l'Allemagne aux XIXe et XXe siècles*, le Pr Golo Mann écrit, au sujet des dernières élections de mars 1933 : " Les nazis savaient comment, pour peu que l'on ait de l'imagination et de l'audace, on peut utiliser l'appareil de l'État lors des élections, pour enthousiasmer ses partisans, intimider les indécis, abattre ses ennemis. " Maintenant, il nous est facile de mener le combat, car nous avons à notre disposition tous les moyens nécessaires ", écrivait le Chef de la Propagande dans son journal. " La radio et la presse sont à notre disposition, nous allons battre un record d'agitation politique. D'argent non plus, nous ne manquons pas, cette fois. " Évidemment pas. Un groupe d'industriels, Krupp en tête, se laissa convaincre de mettre à la disposition du gouvernement une caisse électorale de 3 millions de marks. A cette occasion le ministre de l'intérieur, Goering, déclara à ces messieurs qu'il s'agissait de la dernière campagne électorale pour 10 et vraisemblablement 100 ans, ce qui valait bien un effort particulier de leur part... "

Il ne promit donc aux industriels ni plus ni moins que la dictature. En quoi *Norbert Mühlen* trouve-t-il qu'au cours de cette réunion qui se tint à Berlin, les propos furent si modérés ?

Alfried von Bohlen s'est vu restituer sa fortune. Il n'a purgé que la moitié de sa peine de prison. Il est peu probable qu'il tienne jamais sa promesse faite aux Alliés de démanteler son trust, c'est-à-dire de vendre à un juste prix les mines et les aciéries. On a le droit de s'en réjouir. Mais il y a à Bonn des politiciens à qui cela ne suffit pas. Sans doute le président des États-Unis venait-il de renvoyer en Allemagne le Général Clay, le promoteur du pont aérien de Berlin, pour continuer à protéger la liberté de Berlin-Ouest. Mais bien plus, des politiciens de Bonn frêtèrent un avion spécial pour aller célébrer le Jubilé de la société Krupp, en novembre 1961, et fêter comme un héros national Alfreid von Bohlen, cet homme dont le même général Lucius Clay avait approuvé en 1949 la condamnation lorsqu'il écrit, en commentant ce procès : " Les preuves impressionnantes accumulées par l'Histoire nous enseigneront mieux que tout comment l'avidité et l'égoïsme

1. Ulrich von Hassell : *D'une autre Allemagne*, Zurich, 1946.

amènent des gens peu scrupuleux à appeler le malheur et la destruction sur le monde. C'est pourquoi, quand on m'a soumis ces différents cas, je n'ai pas eu la moindre hésitation à confirmer ces jugements [1]." Il est regrettable, quand on pense aux forçats employés chez Krupp pendant la guerre, que M. Heuss, disciple de Naumann, ait, dans son allocution, donné l'impression que Krupp n'avait été emprisonné que pour avoir fait ce qu'ont fait d'innombrables fabricants d'armements dans le monde. L'Ukrainien Khrouchtchev devait également avoir oublié ces horreurs lorsqu'à la Foire de Leipzig il porta un toast à la maison Krupp; pourtant, il devrait avoir entendu raconter ce qu'il est advenu de nombre de ses compatriotes, " remis " par la Gestapo à la société Krupp d'Essen ! (Voir entre autres documents NIK-12 362, *Prosecution Exhibit* 998. Série verte, volume IX, page 1321.)

A propos des cérémonies marquant le Jubilé de la société, le *Spiegel* écrivait : " Y assister ou ne pas y assister, c'est en soi un engagement politique. " C'est ainsi que, pour le corps diplomatique, manquaient les Ambassadeurs des États-Unis, d'U. R. S. S., de Grande-Bretagne et de France. Mais l'évêque d'Essen était là.

On aimerait savoir si l'une des Éminences présentes aux cérémonies a jamais eu la curiosité d'aller voir de près ce qui se passait dans un de ces " camps d'éducation par le travail " que Krupp avait organisé à l'instigation de la Gestapo dans les environs d'Essen, et qui ont fait, entre autres, l'objet d'une déposition à Nuremberg : celle d'un prêtre catholique, qui fut un des innombrables détenus, au crâne rasé, condamnés aux travaux forcés dans un de ces camps.

Une partie des documents et le texte du verdict sont publiés, en langue anglaise, sous le titre *Trials of War criminals*, vol. IX. Des instituts de Gœttingen, Nuremberg, Munich et Paris possèdent les pièces originales, parfois incomplètes. Citons ici deux documents, qui, s'ajoutant à d'autres, moins anodins, ont été utilisés pour la deuxième scène et le cinquième acte :

Le 15 octobre 1942.

Notice.

Obj. Appel du Colonel Breyer, du Haut Commandement de la Wehrmacht, Section des Prisonniers de guerre, Berlin.

Le Colonel Breyer, qui désirait parler à M. von Bülow, m'a chargé de faire savoir ce qui suit à M. von Bülow :

Le Haut Commandement a depuis un certain temps reçu de ses pro-

1. Lucius D. Clay, *Decision in Germany*, New York, 1950.

pres services, et récemment, par des lettres anonymes de la population allemande, des plaintes au sujet du traitement auquel sont soumis les prisonniers de guerre employés chez Krupp (en particulier, ils seraient frappés, ne recevraient pas une nourriture suffisante — par exemple, les prisonniers n'auraient pas eu de pommes de terre depuis six semaines). D'après lui, ce sont des choses qui ne se produisent plus ailleurs en Allemagne. Le Haut Commandement a déjà demandé à plusieurs reprises que les prisonniers perçoivent la totalité des rations qui leur sont allouées. En outre, quand ils sont affectés à des travaux de force, ils doivent disposer du même temps de repos que les travailleurs allemands. Le Colonel Breyer indique que la situation chez Krupp fera l'objet d'une enquête, soit de la subdivision militaire, soit du Haut Commandement. Il avait demandé au Général von der Schulenburg de profiter d'un voyage pour se rendre chez Krupp et discuter de ce problème : malheureusement, cela n'a pas pu se réaliser. »

Mieux : le Gauleiter nazi a dû lui-même intervenir dès 1942 auprès de Krupp en faveur des travailleurs étrangers. C'est ce qui ressort des déclarations à Nuremberg d'un co-inculpé d'Alfried Krupp von Bohlen, Max Ihn :

« ... Le 31 mars 1943, je devins membre suppléant du conseil de direction. J'eus ainsi l'occasion d'entrer en contact avec M. *Alfried Krupp*. J'avais sous mes ordres directs environ 1 000 employés. En 1943, la sidérurgie employait 15 000 employés et cadres et environ 55 000 ouvriers (y compris les travailleurs étrangers), soit un effectif total de 70 000 personnes. Le nombre le plus élevé pour les travailleurs étrangers fut de 22 000. Je cite ce chiffre d'après ce que je sais, et non d'après la lettre où M. Krupp m'informe qu'interrogé par les F. S. S., il a donné le nombre de 20 000 travailleurs étrangers.

C'est l'usine qui fixait la durée du travail des étrangers : en l'occurrence c'est moi qui en étais responsable. Il y avait parmi eux des jeunes, à partir de l'âge de 14 ans. Les premiers travailleurs étrangers arrivèrent en 1942. C'est pendant l'été ou l'automne 1944 qu'arrivèrent les premiers détenus des camps de concentration, bien que le 22 septembre 1942, la société Krupp ait demandé l'envoi de 1 100 à 1 500 détenus.

J'étais responsable de l'utilisation de tous ces gens, de même que de la correspondance, par exemple celle concernant l'emploi de détenus des camps de concentration. Comme je ne me rappelle pas de qui j'ai reçu des instructions pour la correspondance concernant ces détenus, il faut bien que j'en accepte la responsabilité. Le ravitaillement de tous ces camps, y compris les camps spéciaux et ceux des détenus, dépendait également de moi. Je reconnais que, les premiers temps, nous avons reçu de nombreuses plaintes de travailleurs étrangers concernant la mauvaise qualité et l'insuffisance de la nourriture et que, par la suite, de telles plaintes se renouvelèrent de temps à autre.

Je savais que des matraques d'acier avaient été distribuées dans les usines (mais pas dans les camps).

Je rendis compte à la direction de ces faits; j'en parlai en particulier à M. Janssen et j'ordonnai que les travailleurs ne soient plus frappés. Je reconnais que les mauvais traitements avaient déjà commencé du temps de M. Löser.

Les 520 détenus des camps de concentration employés chez Krupp ont été demandés par moi-même, au nom et sur l'ordre de la direction. Le Conseil de gestion a discuté devant moi de cette démarche, et vraisemblablement en présence de M. Alfried Krupp von Bohlen. Autant que je sache, ces détenus venaient du camp de concentration de Buchenwald. J'ai eu moi-même une conversation à ce sujet avec le Commandant du camp de Buchenwald, chez Krupp; il m'a informé des conditions auxquelles nous pourrions employer des détenus. M. von Lehmann s'est rendu de ma part à Buchenwald pour aller étudier sur place les conditions précises de leur transfert chez nous. Je n'ai pas connaissance du fait que 22 détenus d'Auschwitz aient également été employés chez Krupp.

Chez Krupp, les détenus des camps de concentration étaient logés dans des baraquements de bois de la Humboldtstrasse. J'étais au courant de ce qui se passait dans ce camp.

Je répète qu'en 1942 j'étais responsable des questions de main-d'œuvre (allemande et étrangère). Dès cette époque, les conditions de vie dans les camps étaient telles que le Gauleiter Schlessmann écrivit un jour qu'il interviendrait personnellement si la situation ne changeait pas. Sans aucun doute, le Dr Loser a discuté avec M. von Bohlen de ce qui se passait alors dans les camps.

Les ouvriers devenus inaptes au travail étaient évacués. Le Dr Hannsen suggéra que les 520 Juives qui étaient employées chez Krupp soient renvoyées à Buchenwald (avant l'arrivée des troupes d'occupation). J'ai toutes raisons de croire que M. Alfried Krupp von Bohlen ne pouvait pas l'ignorer. Le 22 février 45, lorsque je tombai malade, je laissai pour consigne au Dr Lehmann de renvoyer ces gens à Buchenwald. »

Hitler lui-même, au cours d'une conférence de travail avec Speer, le ministre de l'Armement (21-22 mars 1942), interdit que les travailleurs russes soient sous-alimentés et parqués derrière des barbelés comme des prisonniers. Les Russes, ordonna-t-il, doivent recevoir des rations suffisantes, et Sauckel, le Haut-Commissaire du Reich à la main-d'œuvre, devait s'assurer que Backe, le ministre du Ravitaillement, veillait bien à prendre les dispositions nécessaires.

Ce n'est pas en octobre, ainsi que le suggère le Ve acte, mais en juillet 1943, que Krupp envoya ses monteurs à Auschwitz.

A propos de la construction d'une usine de détonateurs (à Auschwitz), Alfried Krupp écrivait peu après dans une lettre datée du 7 septembre 1943 :

" J'ai chargé M. Reiff de s'occuper plus particulièrement de la poursuite des travaux à Auschwitz, ce qui lui est très facile de Breslau. M. Reiff a déjà eu l'occasion il y a quelques mois de visiter Auschwitz et de prendre avec ces messieurs toutes les dispositions nécessaires. En ce qui concerne la collaboration de notre bureau technique de Breslau, je dois constater que la coopération la plus étroite s'est établie entre ce bureau et Auschwitz, et qu'elle a toutes raisons de se poursuivre à l'avenir. Avec mes meilleures salutations et Heil Hitler !... "

L'ingénieur Weinhold et les 30 monteurs et contremaîtres d'Essen qui construisirent, en employant des détenus d'Auschwitz, le hall de montage, durent s'engager par écrit à ne rien révéler de ce qu'ils verraient dans le camp d'Auschwitz. Le 1er septembre, Krupp vira au compte de la direction locale S. S. de Kattowitz à la Reichsbank une somme de 23 973 marks, en paiement du travail effectué par les déportés. Mais, dès le 1er octobre, Krupp résilia son contrat et céda sa halle de montage à la société Union qui avait dû évacuer son usine de détonateurs de la région de Kharkov.

Mülhen écrit dans sa biographie de Krupp : " Devant l'aggravation des attaques aériennes et de la situation militaire, rappelle le directeur financier de la société, Johannes Schröder, nous nous rendions compte (les directeurs) que l'Allemagne avait perdu la guerre et nous en parlions ouvertement entre nous. " C'est alors que Krupp se mit pour la première fois depuis le début du régime nazi à agir illégalement et à tourner systématiquement une réglementation édictée par le Parti; il est vrai que ce n'était que dans l'intérêt de sa société. Le gouvernement nazi avait ordonné que tout trust industriel investisse immédiatement toutes ses liquidités disponibles en nouvelles installations pour la production de guerre. Mais, à l'approche de la défaite, les directeurs de Krupp tenaient beaucoup plus " à épargner le plus possible pour l'après-guerre. Nous voulions préserver l'avenir de la société en la mettant dans une situation financière qui assure sa survie ", rapporte Schröder. Même si l'Allemagne était battue, la maison Krupp devait survivre. Au lieu d'investir les moyens financiers disponibles dans la production de guerre, et de les perdre à coup sûr, la société adopta secrètement une autre politique, qui consistait à " maintenir les réserves aussi disponibles que possible. Elle se débarrassa de ses emprunts d'État, encaissa ses dommages de guerre et fit rentrer ses créances sur l'État. "

Quelques points de détail.

Le lieu où se déroule l'action lors de la scène du jeu de quilles est inventé; ce qui ne l'est pas, c'est le fait attesté que les assassins, quand ils se retrouvaient au mess ou au café, parlaient de leurs crimes avec autant de naturel que s'il s'était agi d'horticulture. Même un Eichmann, qui devant le Tribunal de Jérusalem a joué les petits fonctionnaires consciencieux (ce qu'il était d'ailleurs), a reconnu qu'au cours de la conférence officielle de Wannsee, qui le 20 janvier 1942 décida sous la présidence d'Heydrich le lancement de l'opération " Solution finale du problème juif ", on avait bu plus que de raison :" Des ordonnances faisaient généreusement circuler le cognac, et à la fin tout le monde se mit à parler à tort et à travers, avec la plus grande franchise. " On peut imaginer que les habituelles plaisanteries de corps de garde n'ont pas manqué. Il faut d'ailleurs remarquer que les " gros bonnets " S. S. n'étaient pas entre eux, puisque des représentants des Ministères berlinois participaient à la conférence.

Le dialogue a été surtout nourri de documents révélés lors du procès Krupp ou reproduits par Poliakof et Wulf. Consulter également la documentation de Mitscherlich sur le " procès des médecins ".

Adolf Galland, un des as de l'aviation de chasse au cours de la seconde guerre mondiale, a raconté dans ses souvenirs comment les décorations étaient attachées.

Alors que l'épiscopat catholique romain de Bohême et Moravie demanda à Hitler la permission de faire sonner le glas et de célébrer un requiem pour Heydrich, *Vladimir Petrik*, chapelain de la petite paroisse orthodoxe tchèque de Saints Cyrille et Méthode, après avoir consulté son patriarche, cacha dans la crypte de son église les patriotes qui avaient abattu le tyran. De même que le sacristain et l'évêque, il paya de sa vie cette témérité. De plus, sans en être prié, il avait de lui-même proposé son aide aux proscrits.

L'*Ordre du Christ*, fondé par le Pape Jean XXII en 1319, consiste en une double chaîne d'or à laquelle pend un crucifix orné d'une couronne. On n'a pas respecté ici la vraisemblance : le Comte Fontana n'aurait jamais pu se voir décerner cet ordre, réservé aux chefs d'État. C'est ainsi qu'il fut accordé à l'imposant monarque que fut Victor-Emmanuel III d'Italie, que Pacelli éleva en 1941 à la dignité de Prince de l'Ordre. Cela se passait d'ailleurs à peu près au moment où la Maison royale de Savoie, à en croire les rumeurs qui coururent dans les Bourses italiennes, fit passer une part importante de sa fortune dans les pays neutres, par l'intermédiaire de l' " Opera Religiosa ", la banque du Vatican, fondée par Pie XII, (*Der Spiegel*, août 1958).

Ce n'est pas en février 1943, mais le 31 octobre 1942 que Pie XII a annoncé “ la consécration de l'Église et de tout le genre humain au cœur immaculé de Marie ”.

Le Cardinal *Tardini* rapporte qu'en 1944, après la mort du cardinal Maglione, le Pape déclara : “ Je ne veux pas de collaborateurs, mais des exécutants. ” On sait que, jusqu'à sa mort, Pie XII n'a pas nommé de titulaire au poste de Cardinal-secrétaire d'État.

Le résultat de la rencontre de Roosevelt et de Churchill à Casablanca en janvier 1943 fut d'énoncer le principe d'une capitulation sans condition de l'Allemagne.

Le 23 février, Staline déclara que les armées russes devaient supporter à elles seules le poids de la guerre : c'était répondre durement à la déclaration de l'Administrateur du Prêt Bail, Stettinius, qui avait indiqué quelques jours plus tôt que les États-Unis avaient livré 2 900 000 tonnes de matériel de guerre à la Russie. Staline a refusé de rencontrer Roosevelt pendant les premières années de la guerre.

Novembre 1942 : échange de télégrammes entre le Métropolite *Serge* et Staline à l'occasion du 25e anniversaire de la Révolution. Gœbbels, qui préconisait une attitude “ diplomatique ” à l'égard de l'Église catholique, ainsi que de l'Église et de la population civile russes, note à peu près à la même date dans son journal : “ Il est fâcheux pour l'influence du parti que ce soient ses responsables locaux qui soient chargés d'annoncer aux familles la mort d'un fils, d'un frère ou d'un mari “ tombé au champ d'honneur ”. Autrefois, c'était surtout l'Église qui se chargeait de ce rôle. Maintenant, il a fallu que le Parti s'en mêle : le résultat c'est que dans le moindre hameau les gens ont des sueurs froides dès qu'ils aperçoivent le responsable du groupe local, qui se dirige vers leur maison. Ce malheureux chef de cellule s'est fait une réputation de croque-mort, à tel point que dans certaines régions on l'appelle déjà “ l'oiseau de malheur ”. J'avais pourtant bien mis en garde contre cette innovation et prévu les conséquences inévitables. Mais certains groupes du Parti se sont laissé aveugler par leur haine de l'Église et ont eu la stupidité d'appeler le diable à la rescousse pour chasser Satan. ”

En juin 1941, lorsque le gouvernement Pétain publia ses premières mesures racistes, *Léon Bérard*, l'Ambassadeur de Vichy auprès du Saint-Siège, demanda au Vatican de se prononcer sur ces textes. A la suite de quoi il put annoncer à Vichy : “ Il serait déraisonnable de laisser les Juifs exercer leur domination dans un État chrétien et, ainsi, de limiter l'autorité et la prééminence des catholiques. Il en résulte qu'il est légitime de leur interdire l'accès à des fonctions publiques, et tout aussi légitime de ne les admettre que dans certaines limites (*numerus clausus*) à l'Université et dans les professions libérales... "

On dit que la maîtresse juive du commandant d'Auschwitz a survécu à la guerre. Après la mutation de Rudolf Höss, elle fut interrogée par le juge S. S. Wiebeck. Comme je cherchais à me procurer le protocole de sa déposition, l'Institut d'Histoire contemporaine de Munich m'informa qu'il s'agissait " en majorité de détails érotiques si crus que nous considérons ce document comme strictement confidentiel ".

ÉPILOGUE

Apocalypse, 3,16.

Au moment où ce drame était sous presse est parue l'édition allemande du livre de *Corrado Pallemberg* sur le Vatican. L'auteur est un germano-italien, non catholique, qui a passé douze ans à Rome comme correspondant du *Sunday Telegraph.* Ce livre, qui n'est pas dénué d'esprit critique, prend un caractère semi-officiel grâce à la préface de l'ambassadeur d'Allemagne auprès du Saint-Siège. C'est pourquoi on ne doit pas prendre à la légère les lignes qui suivent : " ... Une prophétie que nous pouvons faire sans grand risque, c'est que Pie XII sera canonisé. L'envergure de ce Pape, sa vie ascétique, son dévouement total à sa mission sublime... ses visions, et également une série de miracles qui lui sont attribués, ce sont là des faits qui plaident en faveur d'une béatification ou d'une canonisation, qui sans doute sera annoncée dans un avenir assez proche. "

L'auteur de ce drame compte la lecture de " *L'Histoire ou l'art de donner un sens à ce qui n'en a pas* " de Théodor Lessing au nombre des lectures marquantes qu'il ait faites : cette prophétie ne l'a donc pas surpris. Il a placé en épigraphe de ce drame une citation du pamphlet de Kierkegaard contre la " béatification " de l'évêque danois Mynster, sans se faire la moindre illusion sur l'effet qu'il faut en attendre. Contre la mort et contre les légendes, il n'y a pas de remède. Quand on connaît Napoléon par ses conversations avec Caulaincourt, et Hitler par ses " propos de table ", et qu'on lit ce qu'un homme plein d'esprit comme Heine pouvait écrire, quelques années après le massacre de la Grande Armée, sur un Napoléon alors exécré par ses contemporains, on ne peut que trembler en pensant que les historiens vont se remettre à exploiter la geste d'Hitler, et qu'Hitler aurait eu autant que Napoléon le droit de dire : " Aussi longtemps qu'on parlera de Dieu, on parlera de moi. " Encore Hitler n'était-il pas, à l'égard de ses soldats, aussi cynique que le " génie à cheval ", qui, au spectacle des 75 000 morts de Borodino, aurait dit : " Une seule nuit de Paris suffira à les remplacer. "

Sans doute louera-t-on encore longtemps Hitler pour avoir remporté devant Kiev la plus grande bataille d'encerclement de l'Histoire; on dira moins que cette bataille livrée contre l'avis de ses généraux l'empêcha sans doute de conquérir Moscou; et on oubliera tout à fait qu'immédiatement après la prise de Kiev, il fit fusiller 34000 personnes.

L'ancien ministre espagnol des Affaires étrangères qui, malgré son enthousiasme pour les dictateurs de Rome et de Berlin, fit tout ce qui était en son pouvoir pour tenir l'Espagne à l'écart de la seconde guerre mondiale, au point qu'Hitler le prit en haine, cet homme écrivait deux ans à peine après la mort d'Hitler : " Le temps est venu d'oser dire cette vérité : même battus et frappés par le destin, même peut-être responsables de grandes catastrophes (mais Mussolini n'y était pas disposé par nature), tous deux furent de grands hommes, qui croyaient à de grandes causes et voulaient les servir, qui aimaient sincèrement leur peuple et voulaient faire leur grandeur. Le monde d'aujourd'hui est envieux et déteste les hommes de premier plan : il recherche et encense les médiocres. Ainsi le veut la loi de la décadence. Un jour, sans aucun doute, il fera retour sur lui-même et les admirera à nouveau. " Lorsque ces paroles furent imprimées, les couronnes déposées sur les tombes des victimes n'étaient pas encore fanées.

Pie XII, un sceptique froid et calculateur, ne croyait pas non plus à l'Histoire : c'est ce qui ressort d'une de ses conversations avec *Adolf von Harnack*. Mais c'est sans aucun doute précisément pour cela qu'il pouvait objectivement s'accorder de bonnes chances d'être canonisé, à condition de fournir les éléments nécessaires, et c'est ce qu'il fit. Ce n'est pas uniquement en raison de son impopularité au Vatican que, parmi les Monsignori romains, les mauvaises langues allèrent jusqu'à dire qu'il n'avait canonisé Pie X et préparé la canonisation de Pie IX que pour créer un précédent en songeant à sa propre postérité.

Si on ne cite ici que quelques-unes des sources et des raisons qui ont permis de présenter le Pape tel qu'il apparaît dans le drame, c'est parce que l'auteur n'a pu faire autrement que tenir compte lui aussi de la légende de Pie XII. Les documents historiques rendent en effet peu vraisemblable que le Pape se soit jamais trouvé dans un conflit tel que celui qui est présenté sur scène, et qui l'excuserait presque.

Protester ou se taire : cette question est posée au quatrième acte en des termes qui justifient presque le Pape. Mais ce n'est que pour des raisons artistiques : le Père Riccardo a besoin d'un antagoniste de taille, sur scène, le Pape doit avant tout convaincre, que son engagement historique soit convaincant ou non. Le Pape parle là comme il faisait toujours deux langages entièrement différents. D'abord, c'est le politicien objectif et calculateur qui parle dans un cercle d'intimes; ensuite, il parle " officiellement ", lorsqu'il rédige l'article de *l'Osservatore Romano*. (L'article n'est certainement pas de sa plume, mais il relisait souvent de très près les épreuves, et il a toujours donné des instructions très précises à ce journal.)

En ce qui concerne sa « dictée », qu'on ne *nous* reproche pas d'être tombé dans la satire de chansonnier ou de nous livrer à de faciles parodies d'élocution verbeuse : nous n'avons fait que citer. Ce n'est pas la faute de l'auteur si les victimes se sont vu tresser cette dérisoire couronne de fleurs de rhétorique — le tout avec une prétention, une théâtralité, une affectation dont l'hypocrisie est d'autant plus flagrante que, de toute évidence, aucun des assistants, et le Pape moins que quiconque, ne pouvait croire un instant à la valeur pratique de cet appel. Il est impensable qu'un intellectuel tel qu'Eugenio Pacelli, dont l'auteur favori était Cicéron, ait pu s'imaginer pouvoir seulement atteindre Hitler par une telle tirade. Il ne fait aucun doute que Pie XII fut l'un des hommes les plus intelligents de la première moitié du XXe siècle. Le Pr Leiber nous assure, et nous pouvons l'en croire, qu'il était extrêmement posé, sceptique, réaliste, et même méfiant, froid, peu sentimental, et souvent mordant dans ses propos. Un diplomate aussi peu impressionnable que M. Matsuoka, ministre japonais des Affaires étrangères, qui en mars 1941 vit ses alliés Hitler et Mussolini à l'apogée de leur puissance, reconnut en lui l'homme le plus remarquable d'Europe. Cela ne rend que plus irritante la question (si c'est encore une question !) de savoir si le Pape pouvait vraiment être de bonne foi lorsqu'il adressa au monde un tel appel — On peut d'ailleurs se poser la même question pour tous ses innombrables discours stéréotypés traitant de la guerre en des termes prudemment anodins, vagues et ampoulés, et prêchant une morale très générale et intemporelle, sans jamais nommer un homme, un État — à l'exception de la Pologne —, ou même appeler par leur nom les déportations qui se prolongèrent des années durant. En 1942, après le message de Noël du Pape, Mussolini disait — et qui pourrait lui donner tort ? — : « Le vicaire du Christ est le représentant sur terre du Maître de l'Univers. Il ne devrait jamais parler; il devrait planer dans les nuages. Ce discours est plein de lieux communs et il pourrait aussi bien être du Curé de Predappio. » (Predappio est le village natal de Mussolini.)

Ce qui, dans l'apparition du Pape sur scène, peut sembler le moins vraisemblable à ceux qui ne le connaissent que par les journaux, c'est justement ce qui n'est pas inventé. Ainsi le fait qu'il recevait des chèques en main propre (et ce, peu avant sa mort, alors qu'il était plein de ses visions du Christ). Le Cardinal Tardini l'atteste. L'éloquence fleurie de Pacelli, dans le pire style des almanachs poétiques : « Comme les fleurs sous l'épais manteau de neige de l'hiver... etc... », est une citation littérale (il est vrai qu'au lieu de « Juifs » Pie XII dit « Polonais »). L'auteur n'aurait pas osé supposer que le Pape espérait, par cet aimable bavardage, se mentir à lui-même, et mentir aux hommes persécutés par les tortionnaires hitlériens, en minimisant l'atroce réalité.

Il y a quelques années, la presse révéla des détails sur l'étroite collaboration entre le clergé et l'industrie lourde, et, par exemple, le *Spiegel* écrivit, en août 1958 : " Au cours de la seconde guerre mondiale, l'ordre (la Société de Jésus) fit de fructueuses affaires avec les deux blocs, grâce à cette matière première recherchée par les industries de guerre (le mercure). Tandis que la société espagnole fournissait principalement les Alliés et la Russie, les gisements italiens alimentaient l'industrie allemande. " Les catholiques ne sont pas les seuls à avoir attendu en vain un démenti officiel. Les allusions à l'Église, " premier actionnaire du monde " ne furent pas contestées par Rome.

Les titres des chemins de fer hongrois ont été acquis après la conclusion des accords du Latran (1929), ce qui est d'ailleurs parfaitement légitime. Par contre, on prouverait sans peine à l'auteur qu'en présence de sa Sainteté, une scène d'une telle violence est proprement impensable. Cela ne prouve d'ailleurs rien contre la pièce, mais contre la réalité historique. En effet, puisque nous n'avons personnellement pas, mais *présentons* dans cette pièce une opinion sur Pie XII plus favorable que ne le justifie l'Histoire, on est en droit de supposer que la déportation de ses concitoyens romains a pu légitimement susciter une telle tempête dans sa conscience — et dans ses appartements. Avant de condamner l'auteur, il ne faut pas oublier que le personnage du Père Riccardo n'a pas de modèle historique : la Curie n'a jamais essayé d'envoyer un consolateur aux victimes, dont beaucoup étaient catholiques : aucun prêtre ne les a accompagnées.

En ce qui concerne la scène où le Pape se lave les mains, l'auteur aimerait qu'on le croie s'il affirme que cet acte était terminé depuis longtemps lorsque parurent en France les indiscrets Mémoires du médecin personnel du Pape, Galeazzi-Lisi, dans lesquels il décrit l'hygiénomanie poussée jusqu'à l'excès d'Eugenio Pacelli. Après avoir lu le discours que le Saint-Père tint devant le Sacré-Collège le 2 juin 1945, peu après l'anéantissement du régime nazi, l'idée s'est imposée à l'auteur que le Pape doit éprouver un besoin impérieux de se laver les mains après avoir signé l'article rédigé à l'occasion des déportations de Juifs. Mais quand son médecin personnel nous apprend que Pie XII se faisait désinfecter les mains après chaque audience et qu'il réagissait au dégoût physique que lui inspirait le contact quotidien avec les pèlerins par une passion immodérée de l'hygiène, ce n'est qu'un détail pittoresque, du même ordre que la manie qu'avait également Hitler de se laver les mains en toute occasion. Malheureusement le besoin de propreté d'Hitler n'allait pas aussi loin que celui du Pape, qui se rinçait la bouche à l'acide chlorhydrique, ce qui provoqua chez lui des troubles gastriques entraînant des crises de hoquet d'une violence telle que sa mort en fut hâtée.

" La psychologie mène à l'impiété ", dit Thomas Mann. Mais, enfin de compte, seule la connaissance des traits de caractère de ce mystique introverti que fut Pacelli permet d'expliquer son attitude à l'égard des déportations dans les camps de la mort. Le livre du Cardinal Tardini, aux intentions pourtant panégyriques, nous livre à ce propos plus d'un détail involontairement révélateur; exemple entre mille, " une certaine angoisse à l'idée de recevoir de hauts dignitaires de l'Église ou des prêtres ". Et pourtant, il serait tout à fait erroné de supposer que c'est par lâcheté qu'il s'est tu devant Hitler, comme un historien en renom l'a récemment affirmé.

D'autre part, ce Pape, qui se fit farder pour apparaître dans un film anglo-italien sur le Vatican (" Pacelli, c'est la Duse ", disait Annette Kolb au chancelier Brüning), avait un sens beaucoup trop vif des effets théâtraux pour *redouter* le recours à la force contre sa personne ou l'Église de Saint-Pierre. " Rendez-vous compte comme le prestige de l'Église en aurait été rehaussé ! ", disait un prélat familier de Pie XII. Il est certain que le Pape aurait dû comprendre qu'une protestation contre Hitler aurait rendu à l'Église un prestige perdu depuis le Moyen Age, ainsi que le dit Reinhold Schneider, non sans nostalgie; il aurait dû le comprendre, s'il y avait jamais songé. Bien que dans la pièce son silence prenne l'apparence d'une abstention décidée à l'issue d'un déchirant conflit, la vérité historique est malheureusement beaucoup moins belle. Il n'est pas possible que ce Pape ait ressenti si douloureusement, si intensément, l'impitoyable persécution imposée pendant des années à des êtres sans défense. Ses discours — il n'a pas laissé moins de 22 volumes de discours — suffisent à montrer de quelles futilités il se préoccupait à l'époque. Il ne fut pas un " criminel par raison d'État ", il fut un indifférent, un carriériste zélé, qui par la suite passa son temps à des divagations puériles, tandis que le monde souffrant et torturé attendait en vain de lui une parole de chef spirituel, comme dit Bernard Wall. Ce catholique croyant et intelligent, qui s'était rendu en pèlerinage auprès de Pie XII, trouva le Pape personnellement charmant, subtil, avisé, pas très profond. " Il rayonnait, dit Bernard Wall, d'une telle sympathie que j'en fus presque attristé; je trouvais troublant et bouleversant qu'une telle sympathie ne m'émeuve pas plus profondément. " C'est qu'elle était — la froideur hautaine de Pacelli à l'égard de ses collaborateurs le prouve assez — purement décorative : un ornement, comme l'article de *l'Osservatore Romano* du 25 octobre 1943.

Tout cela pose une fois de plus le problème de la responsabilité, un problème que, si l'on veut aller au fond des choses, le drame doit refuser, parce qu'inactuel — à l'ère de l'Indifférence. Quand un Norbert Mühlen écrit, avec la plus grande vraisemblance, que le plus important employeur d'Europe, maître de 55 000 travailleurs, dont de nombreux étrangers, n'a jamais pu comprendre ce qu'on lui reprochait au Procès de Nuremberg; quand on pense que parmi les millions de malheureux que Rudolf Höss fit incinérer à Auschwitz, il s'en trouvait sans doute un bon nombre qui auraient été aussi qualifiés pour les fonctions de commandant de camp que leur assassin, dont l'effrayant exemple montre que des tâches de la nature de celles qui s'offraient à Auschwitz peuvent être assumées sans histoires par un père de famille paisible, normalement constitué et parfaitement interchangeable, quand on pense à tout cela, alors on se rend compte qu'il n'est pas question de discuter équitablement du problème de la culpabilité dans une pièce de théâtre. De toute évidence, il n'y a, à chaque époque, que très peu de ces grands dispensateurs d'énergie qui font l'histoire. Mais dans quelle mesure l'Indifférent peut-il être coupable ? De plus, que peut-on raisonnablement attendre d'un indifférent, lorsque la conscription obligatoire ou des lois d'exception le mettent dans des situations qui sont plus faites pour des saints que pour des hommes normaux ? Refus d'obéissance, certes — mais qui oserait exiger cela d'un homme qui, depuis sa première communion, n'a pas une seule fois éprouvé le besoin de méditer sur le Bien et le Mal ? Mais si l'individu ne peut être rendu responsable, soit parce qu'il n'a plus aucune décision à prendre soit parce qu'il ne comprend pas qu'il *doit* prendre une décision, alors chaque faute est excusée d'avance : il n'y a plus de drame possible. Car, " il ne peut y avoir de tension sans liberté de décision " (Melchinger).

TABLE

RÉALISATION : PAO ÉDITIONS DU SEUIL
REPRODUIT ET ACHEVÉ D'IMPRIMER SUR ROTO-PAGE
PAR L'IMPRIMERIE FLOCH À MAYENNE (02-02)
DÉPÔT LÉGAL : NOVEMBRE 1963. N° 1316 (53559)